ESTUDIOS SOBRE ANTONIO MACHADO

Maior, 11

LETRAS E IDEAS

Dirige la colección
Francisco Rico

José Ángeles, ed.

Vicente Aleixandre, R. F. Benavides, Carlos Blanco-Aguinaga, Juan Cano Ballesta, Biruté Ciplijauskaité, Gustavo Correa, Andrew P. Debicki, Gerardo Diego, Manuel Durán, Claudio Guillén, Jorge Guillén, Francisco Ruiz Ramón, Antonio Sánchez-Barbudo, José Schraibman, Concha Zardoya

ESTUDIOS SOBRE ANTONIO MACHADO

EDITORIAL ARIEL
Barcelona - Caracas - México

Cubierta: Alberto Corazón

Depósito legal: B. 6.928 - 1977
ISBN: 84 344 8327 0

Impreso en España

1977. — I. G. Seix y Barral Hnos., S. A.
Av. J. Antonio, 134, Esplugues de Llobregat (Barcelona)

INTRODUCCIÓN

Ocurre que de vez en cuando se celebra un centenario, o un aniversario, que proyecta al escritor a una dimensión crítica o académica de las que hasta ese momento carecía. Normalmente, pasado cierto tiempo, el autor revierte a su anterior nivel de interés; a veces el centenario le ha consagrado definitivamente, como ocurrió, por ejemplo, en el caso de Galdós. El de Antonio Machado es distinto: desde hace una treintena de años figura entre aquellos a quienes la crítica ha dedicado atención más constante. De modo que el centenario más que redescubrirlo lo ha confirmado.

Esto no obstante, es sumamente significativa la valoración que a Machado se le ha dado. Compárese el suyo con los centenarios, relativamente recientes, de Valle Inclán, Baroja o Azorín. Es claro que todo esto implica algo más que literatura, aunque ella baste y sobre en este caso a justificar la abundancia de actos conmemorativos y la importancia de alguno de ellos. Llegan noticias de varias funciones académicas en otras universidades americanas y en España. Es motivo de satisfacción que el simposio machadiano celebrado en la Universidad del Estado de La Florida, en Tallahassee, no haya sido un fenómeno aislado. También lo es que la Universidad no haya regateado el esfuerzo necesario para que aquél tuviera la transcendencia que su motivo merecía.

Considero una impertinencia imponer tema a un conferenciante. Lo considero también un error de plan. No puede conducir sino a un enfoque forzado que constreñirá el libre fluir de las ideas y, caparazón extraño al organismo, lo deformará irremediablemente. O eso o será ignorado, como tantas veces ocurre, de modo que título y contenido de la ponencia no tienen más que una relación tangencial. Se decidió, pues, dejar el tema libre. Y, como no podía menos que ocurrir, la índole de los estudios varía tanto como las personalidades de los críticos y sus inclinaciones teóricas. Se tienen análisis de gran rigor metodológico, según las escuelas críticas más del momento (Ciplijauskaité, Schraibman), hay otros definidos por la sensibilidad y la simpatía con que se afrontan los textos (Zardoya), y se dan las fértiles posiciones intermedias (Claudio Guillén, Debicki); el análisis de un poema (Benavides), o de un tema (Ruiz Ramón y Correa); se estudian aspectos específicos de las complejas prosas machadianas: la dimensión social del pensamiento del poeta (Blanco Aguinaga), la poética (Durán) y la metafísica (Cano-Ballesta); o se ofrece el retrato cordial, aunque comedido, del hombre Machado (Sánchez-Barbudo).

Esta diversidad de enfoques y comprensiones no resultó, sin embargo, en un agregado heterogéneo en torno al tema. Los vivísimos coloquios que siguieron a todas las ponencias estuvieron definidos por el amistoso desacuerdo en el detalle y la unánime concurrencia en la comprensión totalizadora. La agilidad en el diálogo, la agudeza en la pregunta y la inteligencia en la respuesta hicieron de aquellas sesiones algo vivo. Había en la sala una atención intensa y una participación emocional que hicieron de aquella experiencia algo muy distinto de las convencionales sesiones doctas al uso. De alguna manera la inevitable y fructífera diversidad propia de una obra como la presente se resuelve en una superior unidad coherente que va más allá de la simple coincidencia en el tema.

Junto al cuadro de participantes, de cuya composición me responsabilizo, había que establecer el Comité de Honor del simposio. Tras descartar varias posibilidades se adoptó la idea original, la de invitar a los grandes maestros de la generación del 27 a representar la poesía española en el homenaje a Machado. Ninguno pudo asistir, como hubiéramos deseado: cuatro de ellos al otro lado del Atlántico, uno al otro extremo del continente. Todos nos alentaron en el proyecto, y accedieron a enviar una colaboración, aunque por serios motivos personales don Dámaso Alonso y don Rafael Alberti no pudieran hacerlo, como era su gusto y el nuestro. Es motivo de satisfacción incluir en este volumen las colaboraciones especialísimas de don Jorge Guillén, don Gerardo Diego y don Vicente Aleixandre. Los cinco merecen por igual nuestro agradecimiento, y cumplo gustosísimo con el deber de expresarlo.

Van quedando por estudiar pocos aspectos decisivos de la obra machadiana. Sin embargo, algunos, fundamentales, que exceden las posibilidades de los estudios aquí recogidos aguardan la investigación paciente que merecen y se necesita. En primer lugar una auténtica biografía. No una simple sucesión de acontecimientos y anécdotas, sino un sólido entronque entre el hombre y la obra como proceso, entre la progresión del escritor y las múltiples influencias (personales, literarias, históricas) que sobre él pesan. No se trata de buscar "fuentes", sino de entender la mecánica espiritual que rige el proceso de selección y asimilación que en la obra integra experiencias y lecturas (pienso en libros como el de Henri Mondor sobre Mallarmé o el de Constantin Mochulsky sobre Dostoiewski). Falta también una recopilación exhaustiva de sus escritos. Se dispone de varios volúmenes complementarios de las llamadas Obras Completas, *y de una porción de artículos exhumados dispersos en revistas y no siempre de fácil acceso. Seguramente quedan textos por recuperar. ¿Cuántos? ¿Cuán importantes? Falta, por último, una auténtica bibliografía crítica, pues los varios repertorios de que se dispone son, a todas luces, insuficientes.*

Me he referido un momento hace a la falta de una biografía en la extensa bibliografía machadiana, y en el contexto de las más actuales tendencias de la crítica literaria esa referencia aconseja, si no impone, una consideración. Quien se dedique hoy profesionalmente al estudio de la literatura tiene la obligación de leer a Roman Jakobson, a Northrop Frye y a Julia Kristeva, pongo por caso. Tiene la obligación de leerles, digo, no la de aceptarles ni, mucho menos, la de seguirles. El objeto de la crítica literaria, o cualquier otra, no es la aplicación de un sistema teórico por refinado y coherente que sea, sino la comprensión, todo lo exhaustiva que sea posible, del texto o de la obra. Esto sería una perogrullada si no circularan tantos escritos en que expresamente se rechaza. De otro modo si se quiere: es un axioma que conviene afirmar.

Aspecto básico de la cuestión es que no todos los métodos críticos convienen igualmente a todos los autores, a todos los textos. En el caso de Machado, por ejemplo, es especialmente contradictoria la postura crítica de deslindar asépticamente al hombre de su obra, porque está su poesía "inmergida en las mesmas vivas aguas de la vida", como gustaba de decir parafraseando a Santa Teresa. Y de un modo acaso menos expresivo pero más explícito en varios de sus escritos en prosa. Por ejemplo, en el prólogo que escribió en 1914 para Helénicas, *libro de poemas de su amigo Manuel Hilario Ayuso. Razona allí Machado: "Un hombre consagrado a la veterinaria, a la esgrima o a la crematística, me parece muy bien; un hombre consagrado a la poesía paréceme que no será nunca un poeta. Porque el poeta no sacará nunca la poesía de la poesía misma. Crear es crear una cosa de otra, convertir una cosa en otra, y la materia sobre la cual se opera no puede ser la obra misma [...] el hombre consagrado a la poesía y no a las mil realidades de su vida, será el más grave enemigo de las musas". La declaración no puede ser más explícita ni más concluyente, pero no está aislada: ya en un escrito tan primerizo como la carta enviada a Unamuno en 1903 (y publicada por Manuel García Blanco) expresaba Machado su adhesión a la vida como materia artística y su odio del arte de ella deslindado. Claro que el crítico actual no tiene por qué compartir este criterio del poeta; tampoco es imperativo rechazarlo.*

Se habla con frecuencia de la "autenticidad" de la poesía de Machado, aunque raramente se intenta definirla, por la simple razón de que es fenómeno más complejo de lo que a simple vista parece. Por un lado esa característica de los poemas es resultado de los recursos puramente estilísticos que el autor maneja para expresarse. Y en ese sentido es un fenómeno puramente textual y por ende analizable desde las modernas perspectivas críticas. Pero hay también unos perceptibles entronques del poema con su contexto, es decir, con lo que no es texto. Entronques que el poeta quería y buscaba ¿Por qué si no fecharía ciertos poemas de una etapa dolorosa de su vida? Más aún ¿por qué fecharía mal adrede un poema clave, como parece que hizo? ¿Por qué fechó en 1913 "A Palacio", si realmente lo compuso varios años más tarde? ¿No sería, una vez más, para subrayar los nexos entre el poema y las circunstancias vitales y emocionales de que emerge?

Todavía una consideración antes de dejar el tema: es precisamente el claro y suficiente entronque con la vida lo que ha puesto ciertos poemas machadianos a la luz necesaria para su comprensión cabal. Durante años se ha interpretado "El viajero", poema que abre la edición definitiva de Soledades, *como puramente "simbólico", según la metáfora camino-vida, recurrente, como se sabe, en el poeta. Pero ahora sabemos que cuando Machado escribió aquellos versos, publicados en 1907, acababa de recibir a su hermano menor, Joaquín, que, tras diez años de ausencia, regresó a casa en 1905; por otro lado, ese "serior retrato" que en la pared clarea no es, muy probablemente, sino el del padre, muerto unos años antes a consecuencia de un viaje semejante al del hermano. Los elementos simbólicos permanecen, pero ahora con una sobrecarga significacional proveniente de la biografía. Porque la lectura actual del poema sintetiza más elementos, es más poética. De lo que, en cualquier caso, no cabe duda es de que esa lectura es distinta. Lo mismo vale para los poemas del grupo de Guiomar, mal leídos hasta que se comprendió que aquélla no es una abstracción, o un recurso retórico de componedor de versos, sino entrañada y dolorosa vivencia de hombre.*

Claro que todo esto no va dicho para negar la validez de ninguna fórmula crítica. Ni siquiera tiene intención polémica. Sólo se ha pretendido justificar una opinión. Que Ricardo Gullón haya escrito un libro tan certero sobre Machado (más a mano: varios de los trabajos de este volumen) en nada disminuye, creo yo, la validez de estas reflexiones. Sí muestra, una vez más, que la criatura literaria, especialmente cuando es tan densa de significado como la de Machado, es susceptible de los más variados enfoques teóricos, cuyos resultados no son de ningún modo incompatibles, sino, en todo caso, complementarios.

Por otro lado, en lo que toca a la poesía de Machado va quedando poco por hacer. Es uno de los poetas mejor estudiados, no ya en términos de literatura española, sino en los de cualquier otra. Se han establecido los estratos filosóficos en que su poesía enraíza, el vocabulario definidor, el temple, los temas y los recursos estilísticos más sutiles y definidores. El simposio, como cualquier otra obra de esta orientación que se enfrente con este poeta, no puede sino completar aspectos parciales, iluminar alguna zona oscura, definir algún poema. En este sentido ha sido sumamente afortunado, puesto que los trabajos aquí reunidos contribuyen efectivamente al esclarecimiento de algunos de estos aspectos específicos de la crítica machadina.

Una vez se hubo llegado a una idea general de lo que el simposio debía ser quedaba por resolver el problema de la consecución de los fondos necesarios y la colaboración de la Universidad en la empresa. El problema, que en principio resultaba de magnitud, resultó no serlo en absoluto. Para empezar, tuve desde el primer momento la colaboración incondicional y entusiasta de mis colegas en el Departamento de Idiomas Modernos, los profesores Henry W. Hoge y James L. Wyatt, jefes sucesivos del mismo. La entrevista con el provost Robert Spivey, del Colegio de Artes y Ciencias, a quien debía convencerse de la seriedad y transcendencia del proyecto, resultó una auténtica sorpresa: no hubo necesidad de usar sino una mínima porción de las razones que se había pensado argumentar. Se mostró desde el principio favorable a la empresa. También el provost Robert M. Johnson, de la División de Estudios Graduados e Investigación, prestó su colaboración en cuanto se solicitó su ayuda. Quedaba, por último, la aceptación por parte de la administración central de la Universidad. Y aquí el profesor Bernard F. Sliger, vicepresidente de la Institución, prestó toda la colaboración necesaria: no sólo autorizó la concesión de los fondos precisos para la organización del simposio, sino que accedió también a pronunciar las palabras de apertura en la sesión inaugural. Finalmente, la acción personal del profesor Stanley Marshall, presidente de la Universidad y de la Florida State University Foundation ha posibilitado la pronta aparición de este libro.

Cuando por razones insalvables dos de los colegas elegidos para presidir sendas sesiones se vieron forzados a la ausencia inesperada, el profesor Francis Hayes, emeritus de la Universidad de la Florida en Gainesville, tuvo la amabilidad de presidir una de estas sesiones; el profesor Willis Barnstone, de la Universidad de Indiana, accedió a presidir la de clausura, lo que hizo con suprema elegancia dadas las presiones de distinto tipo que en ella concurrieron.

Debo agradecer además la colaboración de una extensa lista de colegas, estudiantes y amigos. Nombrarlos a todos es imposible en el espacio de esta introducción, y sería correr el riesgo de ser involuntariamente injusto olvidando algún nombre. De modo que no lo intentaré. Debo hacer constar, no obstante, mi agradecimiento por la ayuda de varios de mis colegas en el Departamento, y en especial en la División de Castellano y por el entusiasmo con que colaboraron algunos de sus estudiantes graduados. Por último, no queda sino expresar el agradecimiento que merecen cuantos colegas se desplazaron a Tallahassee para asistir al simposio. Y entre ellos, a los varios especialistas de campos afines, de literatura comparada, de inglés, de humanidades, de estudios clásicos, etc., que con su presencia probaron que Machado ha salvado el ámbito de los estudios hispánicos para ingresar en el más amplio de la universalidad. No queda sino agradecer a los mencionados, a los aludidos y a los olvidados (perdón), a todos, su ayuda.

Para cerrar, una nota personal si se me permite. Hubo quienes, conociéndome, se sorprendieron de la parquedad de mi intervención en las discusiones. Fue, desde luego, deliberada. La función del director era dirigir. Por razones semejantes me he sobrepuesto ahora a dos ten-

taciones: la de aprovechar esta tribuna para exponer alguna de mis ideas sobre Machado, y la de resumir los trabajos que componen el libro (imperdonable). La función del "editor" es "editar".

J. A.

Tallahassee, La Florida
Primavera de 1976

PALABRAS DE APERTURA

Quisiera darles la bienvenida a Tallahassee y a esta Universidad del Estado de la Florida. Es para mí una gran satisfacción estar con ustedes en ocasión tan solemne: el simposio con que celebramos el centenario de Antonio Machado, brillante cierre del anual Ciclo de Bellas Artes.

Si Machado estuviera hoy con nosotros, probablemente se sentiría feliz, pues aunque Tallahassee no se parezca al austero paisaje castellano, es una hermosa ciudad que ofrece excelentes oportunidades de paseos solitarios, a los que tan dado era. A quienes, a diferencia de Machado, prefieran las actividades sociales que brinda la ciudad, también podemos satisfacerles.

¿Qué nos trae hoy aquí? La obra de un hombre sencillo y humilde que no aparentaba ninguna gracia, ningún talento; que pasó la mayor parte de su vida en reflexión silenciosa y solitaria; más dado a la contemplación que a la acción; parco de palabra, modesto e introvertido. Y, no obstante, capaz de inspirar la mayor devoción y respeto a cuantos le trataban por su integridad y nobleza.

La esencia de su poesía es la sencillez y la naturalidad. Su producción no fue abundante, pero sí de gran calidad. Tiene el sello del gran poeta: capaz de moldear el idioma en poesía sin aparente esfuerzo. Su poesía es una constante investigación de los problemas esenciales de la existencia y un reflejo de su amor de las tradiciones y el paisaje de Castilla. Todo cuanto escribió está definido por su noble personalidad.

En un país donde no parece haber acuerdo en nada, la mención de su nombre motiva el reconocimiento unánime de que ya es un clásico de una literatura egregia. "Uno de los gigantes de la poesía española del siglo XX*", "El más venerado de los poetas contemporáneos españoles".*

Su influencia sigue creciendo y hoy es una personalidad viva de la literatura y la cultura españolas. Vista su poesía con alguna perspectiva, emerge el poeta y junto a él el hombre. Un hombre "en el buen sentido de la palabra, bueno", de quien pudo decir Dos Passos que era "un hombre de una pieza".

En el vigésimo aniversario de su muerte un joven intelectual puso de relieve la transcendencia del poeta mucho mejor de lo que yo puedo hacerlo. Definiendo la posición de Machado para su propia generación, la de los nietos del 98, dijo que aunque todos los noventaiochistas son respetados, él es uno de los tres espíritus más vivos para la juventud de hoy. Y de los tres, Machado es el más querido, el que al margen de su transcendencia poética y dimensión humana despierta una ternura difícil de explicar.

Todo esto es lo que honramos hoy en este simposio al que deseo un gran éxito.

BERNARD SLIGER
Vicerrector de
The Florida State University

VICENTE ALEIXANDRE

UN RECUERDO

Convaleciente de una enfermedad, me adhiero con unas breves palabras al simposio en honor de Antonio Machado, además de estar ya integrado en él, como miembro del Comité de Honor por la bondad de sus organizadores.

Todos los poetas españoles tendrán algo que decir en relación con su contacto espiritual con el gran lírico sevillano. Para mí, y esto sólo quisiera añadir, Machado tiene el más emotivo de los recuerdos. Fue el primer poeta español que yo leí. Me había iniciado en el conocimiento de la poesía —lejanísima adolescencia— con Rubén Darío, en una antología del genial nicaragüense seleccionada con un gran tino por un escritor, Andrés González Blanco, muy injustamente, y casi por completo, olvidado. Era en un pueblecito de la Sierra de Guadarrama, verano de 1917. A las pocas semanas yo regresaba a Madrid. Recuerdo mi búsqueda de los maestros españoles de la época. Aquella tiendecita de libros viejos en la madrileña calle de la Bolsa al pie de la Escuela de Comercio donde yo estudiaba, y mi hallazgo del volumen en tela roja, selección de Machado hecha por el mismo autor y aparecida, si no me equivoco, aquel mismo año, en la Colección Calleja. Impresión pura e irrepetible de quien todavía no había escrito un verso. No he olvidado nunca el primer poema que recorrieron mis ojos: "El viajero", ni aquella sensación de dolor y misterio temporal que rezumaba toda la composición.

Volé a mi casa. Las primeras estrofas de un poeta hallado brillaron con inquietud y pasmo ante los ojos de aquel muchacho. Él leyó toda la larga tarde, repitió durante la prima noche y volvió a reiterar en el amanecer. Algo ciertamente amanecía en su corazón. Un sentimiento que no había de borrarse nunca. Gustos, escuelas, luces, variaciones, todo pasaría a través de aquel espíritu, pero aquel primer amor no se borró nunca. A través de todos los años, y no son ciertamente pocos, aquel muchacho, aquel hombre, sólo de un poeta español conserva en su memoria poemas enteros. Sólo en la memoria fidelísima han sido repetidos como palabras sin fallo en el corazón sin olvido.

¡Cuántos como él podrían contestar al poeta, negativamente, a su pregunta:

> ¿Los yunques y crisoles de mi alma
> Trabajan para el polvo y para el viento?

"No, Antonio Machado, no: trabajan para mí, para mí"! Y se oiría el eco de las generaciones.

RICARDO F. BENAVIDES

"ROSA DE FUEGO": EJERCICIO DE LECTURA

En 1958 se reúnen en la Universidad de Indiana críticos literarios, lingüistas, psicólogos y antropólogos para atacar, desde varias perspectivas, el duro hueso de la naturaleza y características del estilo en literatura.[1] Uno de los que clausura esta conferencia es Roman Jakobson y lo hace con unas reflexiones iluminadoras sobre "Lingüística y poética". La última dice:

> All of us here [...] definitely realize that a linguist deaf to the poetic function of language and a literary scholar indifferent to linguistic problems and unconversant with linguistic methods are equally flagrant anacronisms.[2]

En 1962, Lévi-Strauss y Jakobson publican "*Les Chats* de Charles Baudelaire". Brevemente, en un proemio justificativo, Lévi-Strauss explica la colaboración y agrega:

> chaque ouvrage poétique, considéré isolément, contient en lui-même ses variantes ordonnées sur un axe qu'on peut représenter vertical, puisqu'il est formé des niveaux superposés: phonologique, phonétique, syntactique, prosodique, sémantique, etc.[3]

Quiero apuntar al *etcétera* que, más que cerrar el número de posibles niveles por discernir en la obra poética, lo abre, invitando, en cierto modo, a proponer otros que prueben tanto la solidez como la flexibilidad de este asedio. Esto implica la posibilidad de elegir un estrato entre los cinco mencionados, de sumarles otros niveles o de ampliar el campo de los cinco primeros.

En 1970 aparece "On the verbal art of William Blake and other poet-painters",[4] donde al escrutinio de la palabra poética suma Jakobson una asombrosa perspectiva de la correspondencia de las artes.

Por último, en esta lista de hitos, menciono "Letter to Haroldo de Campos on Martin Codax's poetic texture"[5] del mismo Jakobson, carta en que se dilucidan los misterios del paralelismo lírico.

Este corto catálogo no quiere sino nombrar ciertos ensayos de importancia insuperable. No sólo abren caminos para aproximarse al entendimiento de la comunicación poética: diseñan una manera de leer que, por propia de nuestro tiempo, nos pertenece y que no podemos esquivar si profesamos fidelidad a nuestras circunstancias.

Propongo en este ejercicio de lectura de un soneto de Machado un método de acercamiento a su poesía que considere la vertical geología empleada por Jakobson y Lévi-Strauss, pero atendiendo sólo de manera sumaria al estrato fonológico, sumarísima al fonético, ampliando el nivel sintáctico para incluir consideraciones sobre la continuidad en el poema, agregando a estos niveles el simbólico, correlato inexcusable del semántico e integrando todo esto en una visión horizontal de la serie poética a que el soneto pertenece. Cerraré el ejercicio con algunas ideas sobre los vínculos entre mensaje poético y metalenguaje, necesarias por la índole de los textos que voy a emplear.[6]

"Rosa de fuego" es el soneto que voy a usar en este análisis.

1 Tejidos sois de primavera, amantes,
2 de tierra y agua y viento y sol tejidos.
3 La sierra en vuestros pechos jadeantes,
4 en los ojos los campos florecidos,

5 pasead vuestra mutua primavera,
6 y aún bebed sin temor la dulce leche

7 que os brinda hoy la lúbrica pantera,
8 antes que, torva, en al camino aceche.

9 Caminad, cuando el eje del planeta
10 se vence hacia el solsticio de verano,
11 verde el almendro y mustia la violeta,

12 cerca la sed y el hontanar cercano,
13 hacia la tarde del amor, completa,
14 con la rosa de fuego en vuestra mano.[7]

El texto supone un sujeto lírico que se manifiesta en el cuerpo del soneto en función predominantemente hortatoria, contaminada con la función referencial.[8] El tono imperativo linda con el mágico cuando el que ordena vaticina el futuro.

El tiempo del soneto es el presente del que habla y el presente de los amantes que reciben la exhortación. Al reforzarse este presente con el adverbio 'hoy' (7), se establece una primera temporalidad en el poema. Pero este presente actual y lleno de tensión aparece amenazado por una segunda temporalidad reiterativa y circular: es la manifestación de lo eterno expresada por la indiferencia de la sucesión natural. El territorio por el que los amantes van es sostén pero también peligro: faltan las flexiones verbales, los índices del tiempo, y la mención del vencimiento del planeta hacia el solsticio de verano coloca la acción en el plano del presente eterno, presente casi desprovisto de sentido porque sus bordes se diluyen en la repetición. El tiempo del soneto, pues, es un tiempo polar, tenso entre la aspiración a durar en plenitud y el riesgo de concluir disuelto en una dimensión donde el anhelo de la fusión interpersonal se diluye en la indiferencia de lo cósmico.

Pero el 'hoy' del locutor y de los amantes, el 'aquí' deíctico que circunscribe el espacio donde el 'hoy' se enuncia, sólo son comprensibles en cuanto se perciben como contrarios a la infinitud del espacio indiferenciado, a la eternidad de lo que vuelve a darse, territorio en que el tiempo queda abolido.

La desnudez verbal en las descripciones del *hortator* señala esta magnitud devoradora. Frente a ella, la precisión de los imperativos 'pasead', 'bebed', 'caminad', el empleo reiterado del imperativo como modo, llena la incitación de urgencia, empuja a los amantes a una acción que los salve de la pérdida de identidad. Más adelante se verá como esta doble temporalidad del poema es el correlato sintáctico del doble motivo poético que la tradición le ofrece a Machado: "Collige virgo rosas" como base de la incitación; la 'lúbrica pantera' como fundamento de la amenaza. O si se prefiere, el 'hoy' de la oferta frente al 'antes que' del acecho.

Ahora bien, los imperativos distribuidos a lo largo del texto no se construyen igualmente con sus respectivos complementos. En (5) el acusativo sigue inmediatamente a la forma verbal. En (6) se le interpone un modificativo adverbial 'sin temor'. Y en (9) el complemento está dislocado: se anticipa a su verbo en (8) 'camino' y se funde con él en el /k a m/ de la raíz. Esto significa que el 'caminad' aparece como una orden cuyo cumplimiento se convierte en duración no progresiva, en demora, que pareciera detener la imagen de los amantes en un gesto consumado antes de fundirlos en unidad tan singular, tan una, que lo mutuo de (5) se torna en 'vuestra mano' en (14).

Las observaciones sobre el nivel sintáctico llevan necesariamente a los problemas del lenguaje poético, con frecuencia considerados por el poeta: La función poética implica una sintaxis poética, distinta necesariamente de la sintaxis propia de la función denotativa. La diferencia, no obstante, no puede llegar a la autonomía so pena de destruir las opciones del poema a significar. Podrá el poeta desviarse de la norma sólo lo suficiente para manifestar "el partido que su corazón ha tomado".

La parataxis no progresiva como fundamento de la estructura del soneto es el ejemplo más saliente de este tipo de transgresión. "En lo lírico, el lenguaje parece renunciar [...] a muchas cosas que, en su desarrollo paulatino hacia la claridad lógica, ha ido adquiriendo al pasar de la construcción paratáctica a la hipotáctica, de los adverbios a las conjunciones, de las conjunciones temporales a las causales".[9] Este dejar de lado los elementos subordinantes no significa que cada paratagma sea una unidad independiente. Muy a la inversa: las partes dependen las unas de las otras, los sentidos se van imbricando sostenidos por la tensión del temple de ánimo hasta constituir una totalidad de significación lograda al margen de los nexos sintácticos. Ya la puntuación del poema hace esto evidente: dos puntos en el interior de los cuartetos y el punto final del soneto contra trece comas.

La función misma de las escasísimas conjunciones no siempre aparece con univocidad. En

de tierra y agua y viento y sol tejidos (2)

el polisíndeton podría considerarse como medio de retardar el movimiento expresivo, intensificando así la enumeración. Pero parece más satisfactorio entender la reiteración de la 'y' no como repetición sino como deíctico al servicio de una ordenación en un espacio infinito de unos elementos que, si tienden a volcarse en esa infinitud, se contienen ante el 'tejidos' que les cierra, con el punto, la senda al desbordamiento.[10]

Es necesario pasar ya a la exploración de las relaciones preposicionales.

Las preposiciones 'de' y 'en' establecen en el poema un sistema de relaciones que va del "dentro" que son los amantes al "fuera" que los entorna:

Tejidos sois de primavera [...] (1)
de tierra y agua [...] (2)
solsticio de verano [...] (10)
tarde del amor [...] (13)
rosa de fuego [...] (14)

opuesto a

> sierra en vuestros pechos [...] (3)
> en los ojos los campos [...] (4)
> en el camino [...] (8)
> en vuestra mano. (14)

'Sin' (6) y 'con' (14) identifican el beber despreocupado y la rosa de fuego. 'Hacia' orienta el 'Caminad' (9) a una consumación.

Mirado desde la perspectiva de la conjunción, podría decirse que el lenguaje poético remonta la corriente de la complejidad sintáctica y vuelve al "ur-period" en que, como opina Meillet,[11] las cláusulas relativas son las únicas cláusulas subordinadas que pueden considerarse propiamente indogermánicas. Estas cláusulas relativas no ocultan, por cierto, la carencia de un sistema de conjunciones claramente delimitado con el que expresar causa, consencuencia, coordinación, adversación.

En "Rosa de fuego", 'pasead (4) [...] y aun bebed' (5) es ejemplo de simple coordinación donde la secuencia apenas hilada por la 'y' se refuerza con la partícula incluyente [12].'aun'. Mayor complejidad ofrecen los versos del segundo cuarteto. El núcleo del complemento directo de 'bebed' va modificado por el adjetivo 'dulce' y por la subordinada adjetiva 'que os brinda hoy la lúbrica pantera' (7). Pero 'bebed' y su complemento van modificados a su vez por la subordinada adverbial introducida por 'antes que'. Este modificativo es de carácter temporal e indica "simple sucesión más o menos mediata".[13]

Por último, el imperativo 'Caminad' se instala en la subordinada adverbial de tiempo 'cuando el eje del planeta / se vence' (9-10).

Los elementos que rigen la hipotaxis son de naturaleza adverbial, donde la conjunción cargada de sobretonos semánticos todavía, evoca significados temporales. La función conjuntiva no es, pues, sólo sintáctica: como en el caso de las preposiciones, las relaciones espaciales dejan sitio a las temporales. El tránsito a la causación y al puro valor sintáctico raramente se da en lenguaje lírico.[14]

Se observará que el orden de los elementos sintácticos está regido no por la lógica sino por las exigencias musicales del verso y de la rima.

La parataxis dominante en esta modalidad del decir puede desembocar en una auténtica fragmentación sintáctica, vale decir, en paratagmas abiertos a una secuencia que no se da o en secuencias donde las palabras aparecen desconectadas, como faltas de un nexo necesario. Son "fragmentos de frases que no subsisten por sí mismos, sino tan sólo como ondas de la corriente lírica: antes de que se forme la cima, la ola ya está deshecha".[15] Literalmente, este hecho podría tomarse como un caso de elipsis. Pero la elipsis es signo de que falta algo en una estructura gramatical dada, algo cuya prescindencia daña, algo que puede suplirse para completar así el sentido. En

verde el almendro y mustia la violeta (11)
cerca la sed y el hontanar cercano (12)

agregar 'estando', por ejemplo, sería destruir el sutilísimo nexo que une (11) y (12) con el imperativo 'Caminad', nexo que, si suplido, nada "aclararía" y sólo echaría por tierra el establecimiento de la segunda temporalidad aludida más arriba. Además, anularía la simetría bilateral, necesaria aquí para traducir a sonido el equilibrio de lo natural inmutable.

La pobreza de articulaciones sintácticas podría llevar el decir lírico al balbuceo y acabar por disolverlo en el silencio. Riesgo que se conjura dentro del desembarazo paratáctico mediante una compleja red de repeticiones que se apoya, determinándolos, en los niveles fonológico y prosódico. Desde estos niveles, se produce la recíproca mutación de sonido en sentido, de sentido en sonido. Escribe Bruno Snell:

> Mientras en la oración es dominante el fenómeno de la acción y, por el contrario, en la palabra el fenómeno de la representación, domina en los sonidos el fenómeno de la expresión. Así no es extraño, que en la lírica [...] el juego de los sonidos, con sus asonancias y contrastes, se destaque más que en la épica o en el drama, ni que la lírica esté más cerca de la música que los otros géneros literarios.[16]

La orquestación fónica [17] de "Rosa de fuego" se despliega en un esquema prosódico que Machado llama "rima erótica" y que corresponde, laxamente, al del soneto. La distribución tipográfica de los versos se ofrece en dos cuartetos y dos tercetos, catorce versos endecasílabos de varia acentuación. Este cuadro empieza a diferir del "soneto-tipo" apenas se para mientes en las rimas: riman (1) y (3); (2) y (4); (5) y (7); (6) y (8); (9), (11) y (13); (10), (12) y (14). Una mirada a la puntuación denuncia una más profunda divergencia: más que en dos cuartetos y en dos tercetos, el poema se manifiesta en un dístico introductor, y en dos sextetos, distribución que fuerza al lector a imponer su lectura sobre el esquema distributivo, "engaño a los ojos", del autor. Dominan en el soneto los endecasílabos yámbicos y anapésticos, tanto en sentido vertical, (5), (6), como horizontal, (12) anapestos y troqueos. Hay tres endecasílabos yámbicos, el más pronunciado el (2). Y hay versos con predominio de cláusulas anapésticas, aunque la fluctuación rítmica no permita explícitamente organizarlos en forma más precisa. Se oponen, pues, en los versos los ritmos bisilábicos y los trisilábicos, con predominio de los segundos.

El verso (7)

antes que, torva, en el camino aceche,

eje matemático del poema, ofrece un ejemplo semejante al estudiado por Dámaso Alonso en un soneto de Góngora (*a*) y en un soneto de Gerardo Diego (*b*):

> Esa montaña que precipitante (*a*)
>
> yo insomne, loco, en los acantilados (*b*)

Escribe Dámaso Alonso:

> Los dos [versos] parece que se precipitan o se hunden en su final [...] El verso, a través del movimiento rítmico de la imaginación, da una virtualidad expresiva al significante, que exacerba el concepto significado: la vinculación entre significante y significado resulta, pues, por virtud del verso, motivada, no convencional.[18]

Semejante cosa ocurre en Machado: el acecho de la pantera nos la coloca en lo alto, torva, preparada a saltar. El salto se visualiza como un precipitarse que, iniciado con el gesto enemigo /t ó r/, dura desde la cuarta hasta la décima sílaba. Esta imagen de muerte, de zambullida en el abismo, une sonido y sentido de manera insuperable.

Oposición y repetición resultan obvias del análisis que precede y constituyen armazón suficiente para equilibrar la tendencia centrípeta de la lírica a la dispersión y al silencio. La rima contribuye también a este gobierno delicado.

Nos dice Mairena que la rima

> es el encuentro, más o menos reiterado, de un sonido con el recuerdo de otro. Su monotonía es más aparente que real, porque son elementos distintos, acaso heterogéneos, sensación y recuerdo, los que en la rima se conjugan [...] Es la rima un buen artificio [...] para poner la palabra en el tiempo.[19]

La conjunción de sensación y recuerdo explica meridianamente la función de enlace que ve Machado en este recurso.

Pero no debe limitarse el concepto de rima a la homofonía parcial o total de los finales de verso a partir de la última vocal acentuada. Hay que entenderlo como lo define la *Princeton encyclopedia of poetry and poetics*:

> The main meaning of the word is: a metrical rhetorical device based on the sound-identities of words [...] any kind of echoing between words [...].[20]

Ahora bien, las equivalencias sonoras patentes en una secuencia envuelven inevitablemente equivalencias semánticas:

> Words similar in sound are drawn together in meaning.[21]

Tres imperativos sostienen la arquitectura de este soneto: 'pasead', 'bebed', 'Caminad'. El primero y el tercero ocupan idéntica posición absoluta a principios de verso y comienzan con oclusiva sorda: /k/, /p/, tienen idéntica estructura vocálica /a/e/a/ – /a/i/a/ y portan el primer acento rítmico del verso en la misma sílaba. El segundo, modificado por el sintagma 'y aun' opone a las oclusivas sordas del primero y el tercero la oclusiva sonora /b/, y a la oposición fonemática entre /a/ de abertura máxima y timbre neutro y /e/ e /i/, fonema vocal de abertura media y timbre agudo y fonema vocal de abertura mínima y timbre agudo, la repetición de la /e/media aguda:

p a s e á d

frente a b e b é d

k a m i n á d

Los tres imperativos concluyen con el oclusivo sonoro /d/, con lo que se crea una tercera oposición:

sorda - sonora *frente a* sonora - sonora.

Como el primero y el tercero, el segundo carga el acento rítmico en la misma sílaba. Los imperativos presentan, pues, oposiciones fonológicas de sonoridad, apertura y timbre.

Estas oposiciones de sonido establecen imágenes de espejo [22] que, como la acentuación del octavo endecasílabo, refuerzan el nivel semántico de las palabras acentuadas: 'pasead' y 'Caminad' subrayan la progresión espacial en la dimensión del fuera: 'bebed' indica pausa y acción del fuera de la pantera al dentro de los amantes.

'Amantes' — 'jadeantes' ofrece idéntica factura vocálica y consonántica a partir del último acento. Gramaticalmente son formas verbales no finitas convertidas en sustantivo y en adjetivo respectivamente, pero sin perder el matiz de actividad de su origen. A esta pareja se opone 'tejidos' y 'florecidos' donde la abertura máxima, y el timbre neutro de la /a/ y la abertura media, el timbre agudo y la posición anterior de /e/ se oponen a la abertura mínima de timbre agudo de la /i/ y a la abertura media de timbre grave y posición posterior de la /o/.[23] También 'tejidos' y 'florecidos' son morfológicamente formas verbales no finitas, pero tan fuertemente adjetivizadas que apenas permiten vislumbrar el sentido verbal de pasividad original. Al respecto, conviene recordar lo que escribe Bruno Snell:

> Por el participio la acción se concibe como cualidad de aquel que la realiza, o por el participio pasivo como cualidad de aquel que es afectado por la acción.[24]

Si agregamos la noción de Sapir de que el sustantivo denota lo existente y el verbo lo ocurrente, y la copla de Machado

> El adjetivo y el nombre, remansos del agua limpia,
> son accidentes del verbo en la gramática lírica,[25]

proyectaremos en 'amantes' la significación activa de 'jadeantes', reforzando el erotismo que respira en el soneto. Por otro lado, 'Tejidos de primavera [...] tejidos', la textura primaveral de que están hechos, en que consisten, se connota en la existencia de los 'campos florecidos', reflejada pasivamente en los ojos de los protagonistas.

'ie', repetido en 'tierra' y 'viento' y realzado por el acento rítmico del verso, anticipa la aparición de 'sierra' (3), que colocada inmediatamente debajo de 'tierra' parece absorber, sumándolos, los elementos seriados en (2).

Igual homofonía, aunque ahora en forma de correlación, presenta el diptongo /ue/:

fuego (título)
vuestros (3)
vuestra (5)
fuego en vuestra (14)

donde el 'fuego' del título se une a los amantes no sólo por la significación léxica sino también por la identidad sonora que expande la semántica. 'hacia' en (10) se repite en (13) y ayuda a solapar el sentido de 'solsticio' con el de 'tarde del amor'.

Más tenue la oposición de abertura y timbre de las vocales en (4) y (6). Y todavía, como eco apenas perceptible, la oposición de timbre y abertura vocálicos en (5) y (8).

Y una brumosa imagen sonora conjurada por la estructura fonológica de (11) y (12): vocálicamente, los versos se organizan como sigue:

e e-e a é o-i / ú ia a io é a
e a a é // i-e ó a a e á o

Consonánticamente se reflejan /r/, /d/, /l/, /n/, /d/, /t/ y en (11) /b/ y en (12) el eco de /ser/ en 'cerca' resuena en el /ser/ de 'cercano', creando una homofonía que actúa sobre el étimo común y sobre la común función locativa de los términos.

La reiteración de elementos en quiasma sostiene también la unidad lírica del soneto. Di ya un ejemplo en que el diptongo /oi/ se oponía al diptongo /ie/. Pero hay instancias bastante más complejas.

Tejidos	sois	de primavera
A	B	C

frente a

de tierra y agua y viento y sol	(sois)	tejidos
C	B	A

Y

brinda	hoy	la lúbrica	pantera
A	B	C	D

frente a

(la pantera)	torva,	en el camino	aceche
D	C	B	A

El quiasma puede afectar la distribución de elementos en un solo verso:

cerca	la sed y	el hontanar	cercano
A	B	B	A

peraltado aquí por la clara bimembración del endecasílabo más la homofonía señalada más arriba.

Los quiasmas crean un ámbito rigurosamente trazado, ayudando a la composición circular insinuada ya en la correlación del diptongo /ue/ revisada más atrás. En esta circularidad confluyen los opuestos valores de las formas verbales no finitas y las dos temporalidades de los agentes y de las cosas. La manifestación lírica, pues, se nos abre como la atenuación del propósito denotativo y de la lógica del lenguaje, en la medida en que esto es posible, por medio de la disolución de las ataduras sintácticas, del cambio de frases por palabras aisladas que significan no por nexación sino por contigüidad, por la erosión del contorno semántico de la denotación y, sobre todo, por el tráfico continuo entre sentido y sonido, entre sonido y sentido.

Fue necesario extender la consideración de la sintaxis hasta abarcar los recursos necesarios al lenguaje lírico para seguir siendo lírico, sin caer en el despeñadero del aniquilamiento. Pero para cumplir esta tarea hubo de saltar de la sintaxis a la prosodia y de la prosodia a la fonología, con alguna alusión a la semántica.

Esta exigencia nos muestra que, si bien los niveles son susceptibles de análisis autónomos, para que cada nivel agote su mensaje habremos de trascender continuamente sus fronteras. Hay que asentir con Staiger cuando dice:

> En la poesía lírica [...] los metros, rimas y ritmos surgen en una unidad perfecta e indisoluble con los elementos que integran la composición. Es imposible disociar los unos de los otros, y por tanto tampoco se pueden considerar éstos como contenido y aquéllos como forma.[26]

Es la idea barthiana de que la forma no es un medio prescindible de expresar un contenido imprescindible sino que fondo y forma vienen a ser idénticos, el fondo como realidad sólo posible a través de una particular disposición de forma sólo válida en cuanto soporte de su específico contenido.[27] Se diría que no hay línea precisa entre un estrato y otro sino más bien bordes porosos, erosionados, que permiten la circulación libre y plena del auténtico espíritu de lo lírico.

Por cierto que el estrato semántico no carecerá de esta característica. Sólo se nos hará patente cuando considerado en relación comunicante con los niveles ya descritos y abierto, vocado casi, al nivel simbólico, que viene a ser el resonador último donde las palabras-diccionario se convierten en léxico lírico. En "Rosa de fuego" los amantes *son* en cuanto tejidos de primavera, en cuanto tejidos de 'tierra y agua y viento y sol'. El sentido de cada palabra es claro en cuanto consideradas una por una. Pero en la estructura que es el endecasílabo y en la estructura que resulta de las sumas parciales y totales de los endecasílabos hasta integrar la estrofa, este primer sentido se anula y deja lugar a un sentido nuevo. Se ha pasado de la denotación a la connotación.[28]

Los amantes son hebras que se tejen hasta integrar una fusión, un uno-en-otro. Consisten en un tejido de primavera, en un tejido cósmico en que se aúnan tierra, agua, viento y sol. Un juego complejo de metáforas y metonimias permite este tránsito de lo no lírico a lo lírico. Por contigüidad, la primavera del primer verso se expande a la tierra, el agua, el viento y el sol del segundo. La tierra del segundo, por homofonía y posición se hace sierra en el tercero. La pluralidad de elementos que son el tejido en que los amantes existen se hace reciprocidad primero en 'vuestra mutua primavera' y singularidad cuando los amantes aparecen vistos como una sola mano que porta la rosa de fuego como estandarte de plenitud y consumación (14). La 'mutua primavera' que los amantes pasean al pasearse, por oposiciones y homofonías tanto consonánticas como vocálicas, confunde su campo de significación con el de 'la lúbrica pantera' que ofrece su leche a los paseantes. Este cambio de límites de un concepto modifica los conceptos vecinos y, claro, las palabras que los expresan. Crean las palabras verdaderos sistemas de dependencia que deslindan, a su vez, campos conceptuales y expresan, así, una concepción del mundo perfectamente jerarquizada desde la perspectiva léxica. Es la idea del "campo lingüístico" propuesta y desarrollada por Trier ya en 1931.[29] Aunque Trier se limita al asedio conceptual del *Geist* de un período y de un dominio lingüístico, sus ideas valen para el derretimiento significativo que se da en el léxico lírico.

'Caminad' en (9) repite el 'pasead' de (5) ampliándolo y dotándolo de dirección, con lo que se hace posible el 'hacia' que orienta y lleva a 'la tarde del amor'. Esta continuación del sentido de una palabra en otra se enfila por homofonías y oposiciones que le marcan, desde la fonología, una ruta precisa. 'Planeta' sostiene a 'violeta' que define la extensión de su modificativo 'mustia' al encontrar su eco en 'completa' (13) aproximándolo al campo de la plenitud, de la consumación y alejándolo de la órbita de lo melancólico, de lo marchito a que de derecho pertenece. 'Mano', término del soneto, singularidad final de los amantes, se ha enriquecido al participar por mor de la rima en las irradiaciones de 'verano' (10) y de 'cercano': 'verano' le comunica la idea de exaltación; 'cercano' anuncia la fusión, la unificación de los amantes que se cimienta en la reflexión de /man/ de 'amantes' y /man/ de 'mano'.

Pero la semejanza sonora no sólo está al servicio de la equivalencia semántica. Puede también servir para delimitar el respectivo campo de los términos que consuenan. 'Leche' y 'aceche' polarizan sus significados opuestos por la comunidad de rima y posición, oposición ya adelantada por su diferencia de valor morfológico.

Por último, la ambigüedad como recurso poético contribuye a esta continua ósmosis de sentido. La define Empson como la posibilidad de leer en una palabra múltiples significados sin caer en error de lectura.[30] Philip Wheelwright prefiere hablar de "plurisignación", que define como

> [...] a group of verbal symbols, put together in a certain syntax and suggesting certain images, some more overtly than others, with the result that the interplay of meanings and halfmeanings is far more copious than any literal paraphrase could ever formulate.[31]

Esta ambigüedad es la atmósfera en que significa la palabra 'pantera', verdadero eje en que gira la doble significación del soneto: primavera, leche, vida, unión, por una parte; torvedad, acecho, vencimiento, por otra.

Lo que conduce al examen del campo simbólico.

Distingue Paul Ricoeur tres dimensiones en el simbolizar: la cósmica, la onírica y la poética. En la primera, la simbólica refiere a las manifestaciones de lo sagrado, a las hierofanías en que

> the sacred is shown in a fragment of the cosmos, which, in return, loses its concrete limits, gets charged with innumerable meanings, integrates and unifies the greatest possible number of the sectors of anthropocosmic experience.[32]

Manifestar es significar; significación y manifestación son fenómenos simultáneos y recíprocos.

En el plano de los sueños, el símbolo pasa del plano cósmico al plano síquico:

> Cosmos and Psyche are the two poles of the same "expressivity"; I express myself in expressing the world; I explore my own sacrality in deciphering that of the world.[33]

Esta doble expresividad cósmico-síquica se completa con la tercera modalidad simbolizadora: la poética. Aquí el símbolo desnuda la expresividad en su estado naciente, aparece fijado por el decir poético cuando pone el lenguaje en estado de emergencia.

> [...] there are not three unconnected forms of symbols. The structure of the poetic image is also the structure of the dream when the latter extracts from the fragments of our past a prophecy of our future, and the structure of the hierophanies that make the sacred manifest in the sky and in the waters, in vegetation and in stones.[34]

No será sorprendente descubrir estas tres dimensiones en la fuerza simbólica de "Rosa de fuego".

Tanto la tradición literaria de la rosa —verdadero correlato objetivo del soneto— como su sentido manifiesto en el poema apuntan más allá de la literalidad botánica de la flor. Pero el símbolo no es signo. A la transparencia significativa de éste, opone aquél una opacidad constitutiva de su inexhaustible profundidad. De manera que la rosa del soneto no podrá traducirse a una significación simbólica específica y unívoca sino que aludirá a una pluralidad de significados que abarca desde el campo de lo poético hasta el territorio de lo sagrado.

Desde el hondón del "uroboros", símbolos de la primordial unidad Padre-Madre, van a emerger lo Femenino arquetípico y lo Masculino arquetípico. Del primero nacerá la Magna Mater, buena, terrible, buena-mala. Muy temprano se hace diosa de la tierra y de la fertilidad, del cielo y de la lluvia, señora de la agricultura, reina de los frutos y de la flores. De ahí su conexión con la rosa. Y esta relación puede seguirse a través de todos los estadios del simbolizar humano.[35] En Dante,

> [...] the sacred white rose belonging to the Madonna is the ultimate flower of light, which is revealed above the starry night sky as the supreme spiritual unfolding of the earthly.[36]

'Rosa' es lo femenino, la fertilidad, la consumación, el cumplimiento. Pero es también jardín de Eros, emblema de Venus, abrazo carnal sancionado por la sacralidad del matrimonio.[37] Y también centro místico, corazón y mandala. Y la rosa en Machado es 'de fuego', fuego que funde color y calor, oponiendo el rojo de la entrega a la blancura virginal del símbolo cristiano.

En el plano onírico 'rosa' acoge el mensaje cósmico y manifiesta y significa lo femenino, en entrega cuando florecida, virginal cuando capullo, siempre instalado en el ámbito de la juventud.

Este universo que es la rosa sostiene a los amantes del poema haciendo que la primavera de que son tejidos se haga también rosa, fundiendo en una totalidad a los amantes y al mundo que los sustenta. Caminan irradiando la esencia primaveral en que consisten, jóvenes como la rosa, entregados como la rosa, fundidos hasta convertirse en una sola mano que la lleva cual estandarte de perfección. Esta perfección los hace coincidir, los hace ser el centro del universo, el ombligo del mundo que el amor ha creado.

Pero la perfección, si implica cumbre, implica también descenso. La primavera de los amantes se inclina en vencimiento planetario hacia el verano, término de la plenitud ascendente, tarde completa que cancela, inexorable, el jadeo de la sierra y el reflejo de los campos.

El tiempo durativo de los amantes no puede competir con la temporalidad circular, órbita eterna, de la naturaleza.

El viaje hacia la tarde será por el camino donde lo torvo aceche. Es la pantera quien nos lleva de la leche que mana a la torvedad del acecho. Cuando Plutarco habla de Dyonisos lo llama "el dios amistoso que derrama bendiciones" aunque para muchos fuera "el bestial y el salvaje". Y comenta Walter Otto que hasta los animales que lo acompañan y cuya apariencia suele el dios tomar, van en dos grupos antagónicos. Por un lado, están el toro, el cabrón y el asno, simbolizando el apetito sexual y la fertilidad; por el otro, el león, la pantera y el lince, representando el más sangriento deseo de matar. A la pantera, por su gracia y ligereza, se la compara con las Bacantes. Ella es la compañera más fiel del dios. Como las Ménades, también compañeras de Dyonisos, es la pantera mezcla de belleza y peligro. Las Ménades, a su vez, suelen ser nodrizas. Y las Bacantes pueden hacer saltar de la tierra leche y miel. Este juego de semejanzas e identidades se cierra con la afirmación de que la pantera que amamanta es el más sanguinario de los carnívoros.[38]

El león, compañero de la pantera y, en el territorio de los mitos su equivalente y su sustituto, se asocia a la Gran Madre para significar su doble aspecto: diosa benévola - diosa cruel. De los hititas viene una estatua de una diosa, de pie sobre un león y amamantando a un niño. Es lo femenino fecundo y bondadoso. Pero muerte y destrucción, peligro y desgracia, hambre y desnudez manifiestan el lado tenebroso de la deidad. Esta Madre Terrible crea y devora: es el tigre y el buitre. Y esta naturaleza terrible puede encarnarse de dos maneras: o la diosa se convierte en animal espantoso o su aspecto de horror puede mutarse en el animal que la acompaña y la domina: leona, tigre, oso. Asociada con el fuego, la diosa es el león que devora, como el fuego del desierto devora, como el ojo solar que juzga y quema. Y la Afrodita de Homero va rodeada de animales, de lobos, de leones, de leopardos, a los que la diosa enciende en deseos para que, buscando compañera, se emparejen.

Dyonisos, creador de la Primavera, cae en éxtasis en una tierra que mana leche, vino, néctar de abejas, tierra envuelta en aromas de incienso. La pantera de Dante, símbolo cristiano de la lujuria que mata, recoge esta alusión olfatoria.

Esta constelación significativa brilla sobre la pantera de Machado.

Los amantes se hacen uno en una bacanal simbólica proyectada al texto desde la plurisemia de la pantera. Les ofrece ésta leche para encender y alimentar el deseo, para mantener el frenesí de la entrega. No estamos ante los términos de la ecuación 'amamantar - apagar la sed - llover - jarro de agua' o de la serie 'vaca-mujer-tierra-primavera-manantial'. Lo que ofrece el poeta es la secuencia 'primavera-amantes-jadeo-pantera-leche-torvo-acecho-tarde'. La entrega concluye en sí misma. No se orienta hacia la fecundidad. La leche la estimula. La leche que es pantera que es Dyonisos que es orgía. Su conclusión no lleva a nueva vida: marca, más bien, el término del amor que es el término de los amantes en el término del día. El agua y el sol del comienzo es vencimiento, saciedad y tarde. Allí los amantes serán símbolo de sí mismos unificados en la mano singular que los porta transformados en rosa. La pasión ha encarnado en la pareja. Viviéndola, la pareja contribuye a su eternidad. Pero también se condena a desaparecer como pareja, dejando a la rosa ardiente en el fuego de su propio significado.

Fernández Moreno interpreta este soneto de manera muy diferente. Ve en su último verso una invocación vital y no una nota de melancolía. De las versiones del "Collige virgo rosas" se conservaría no la amenaza del tiempo que marchita sino la exaltación del goce del instante.

> [...] en este último verso, los amantes de "Rosa de fuego", portándola en la mano, triunfan sobre la muerte, sobre la pantera torva; acaban su aventura poética alzando el trofeo de su victoria, apretando la rosa inmarcesible, la de fuego.[39]

Disiento de esta interpretación porque no va de acuerdo con mi lectura. Pero me parece lícita porque la opacidad del símbolo y la ambigüedad del lenguaje poético difícilmente suscitarán idénticas respuestas.

Además, si el símbolo opera en quien lo capta, podrá postularse una inversión: el proceso simbolizador dirigido desde el que recibe hacia lo que recibe. Una lectura, pues, bien puede otorgar carácter simbólico a textos no simbólicos. Recuérdese que para Saussure todavía el símbolo era de naturaleza no arbitraria. Para Hjelmslev ya lo es.[40]

Si Machado partió de un diccionario de símbolos para componer "Rosa de fuego" o si de la subconciencia le brotó un chorro simbólico ineludible del que nació el soneto, es algo que, en buenas cuentas, podría interesar para una biografía de Machado pero que no interesa para una lectura de su obra. El texto existe independiente de su autor.

Tratar de ver en él reflejos de éste es un modo ejemplar de tomar el rábano por las hojas.

Entre el lector y el poema hay un autor apócrifo, Abel Martín, y un recopilador anónimo que edita rigurosamente en esta "memoria" los escritos, poemas y decires del poeta-filósofo. "Rosa de fuego" es el segundo de cuatro sonetos que integran las rimas eróticas del autor.

La experiencia que los genera se cuenta así:

> Existe una quinta forma de la objetividad, mejor diremos una quinta pretensión a lo objetivo que se da en las fronteras del sujeto mismo que parece referirse a un *otro* real, objeto, no de conocimiento, sino de amor.[41]

Por ser los sonetos fruto de una indagación que, en la prosa que los acompaña, se va desplegando a medida que el asedio a "la multiplicidad de sujetos [...] [al] apasionante problema del amor" procede, es posible proponer una lectura horizontal que los incluya a todos en una cadena intertextual en que la verticalidad del análisis precedente se extendería a todo el ciclo. De lo que hay que deducir que si la estructura sintáctica de "Rosa de fuego" es paratáctica, la estructura del ciclo también lo será y cada soneto se leerá como un "paratagma" vertical en la horizontalidad de la cadena. Para que la lectura intertextual no se desmorone, habrá entre los sonetos elementos que los unan, tal como vimos que los versos de "Rosa de fuego" constituyen un todo, pese a la fragmentación de su sintaxis, por medio de recursos repetitivos que ya se describieron.

La primera patencia del amor empieza

> [...] como un súbito incremento del caudal de la vida [...] la amada acompaña antes que aparezca o se oponga como objeto de amor: es, en cierto modo, una con el amante, no al término, como en los místicos, del proceso erótico, sino en su principio.[42]

"Primaveral" manifiesta este comienzo. El soneto está dicho por un *yo* lírico que describe su circunstancia mediante el tópico del lugar ameno [43] y que la incorpora a su propio vivir en una serie de preguntas, retóricas, a la amada todavía invisible. Los constituyentes del lugar ameno se revitalizan al entrar en un nuevo sistema connotativo y fundan el territorio en que se asentarán los sonetos siguientes. La sombra, el sol, el verde, el agua, el río, instalan un 'fuera'. Los caminos apuntan ya a una dirección. El *yo* lírico siente a la amada como florecimiento y resurrección. Y la anticipa en 'esa primera blanca margarita' de (107). Su mano siente ya un 'doble latido' (12). En "Rosa de fuego" el *yo* lírico se convierte en hortator. El *yo* de "Primaveral" va ya con la amada anticipada, tejidos ya de primavera, hechos, pues, el clima del primer soneto. La unión es fusión. Es preciso, entonces, inventar un narrador que, al exhortarlos, los haga existir. Recuérdese que el pronombre es siempre instancia de discurso y no clase de referencia; [44] la multiplicidad de sujetos es para Machado el problema del amor; la ambigüedad que en el discurso poético envuelve al *yo*, al *tú* o al *vosotros*, a los que el yo se dirige y a lo que dice y, con esto en cuenta, se aceptará que el cambio de pronombre no es multiplicación de personajes ni alteración del *yo* lírico.

Las imágenes recurrentes en los dos sonetos ya quedaron apuntadas. En el plano fonológico hay que atender al juego de espejos en las secuencias /ber/, /ben/, /bio/, /bues/, /orb/ que orientan el mensaje hacia la progresión horizontal.

En "Primaveral" el amor se anticipa como una especie de recuerdo del futuro. Este recuerdo irrumpe en "Rosa de fuego" y se instala en el presente, pero este presente limita, al abarcar el solsticio del verano, con la cancelación que lo volverá otra vez al pasado.

"Guerra de amor" es como el reverso del primero. No ya de recuerdo de futuro sino del pasado que se actualiza en el recuerdo. El latido que "acompaña antes que aparezca", la amada anticipada en "Primaveral", es ahora ausencia presente, está ahí en cuanto falta:

> La amada —explica Abel Martín— no acude a la cita; es en la cita ausencia.[45]

La fuente, el agua, el camino, el sol, el color siguen organizando la circunstancia, continúan la cadena horizontal. Pero el tiempo que platea la barba del *yo* lírico impone rasgos diferentes a cada uno de estos elementos. En "Guerra de amor" no es ya la amada quien resucita sino que la ausencia se convierte en la amada.

> El amor mismo es aquí un sentimiento de ausencia. La amada no acompaña: es aquella que no se tiene y vagamente se espera.[46]

Esta ausencia patentiza la soledad del *yo* lírico, soledad que exige la evocación de la expectativa de "Primaveral" y de la pareja humana realizada de "Rosa de fuego". Esta evocación le descubre al poeta

> la hora de la primera angustia erótica [...] a partir de este momento el amor comienza a ser consciente de sí mismo.[47]

Y el temple que esta toma de conciencia conlleva, muta los rasgos de paisaje que llegan al soneto de los dos anteriores. La luz otoñal, los caminos, agrios, el hontanar es sitio de presagio, la flor, blanca, de fuego, es 'olmos que noviembre dora' (13) y lo que resucita es la ausencia y no la amada que ya no florecerá. La conciencia del *otro* es en la metafísica de Abel Martín, más que la abertura del ser hacia la comunión, el hallazgo de *lo otro*. Es el tema del soneto final. No lleva éste título. En él confluyen imágenes ya usadas en los anteriores, pero el cambio de 'camino' en 'cammin', la dirección abierta transformada en deíctico por medio de 'Nel mezzo', cambian el tiempo de lo natural en tiempo personal, la duración sentida como extensión sin límites, como vuelta una medida ya anticipada en 'al ábaco del tiempo falta un hora' (11) de "Guerra de amor". La primavera incipiente, la primavera cumplida y vuelta al solsticio de verano, la luz del otoño, el sol poniente son ahora 'mezzo del cammin', instancia de tiempo desde la que el *yo* lírico pesa y mide. Los presentes verbales dejan el campo a los pretéritos. El pretérito existe como tal pretérito: lo pasado está concluso. Sólo viene al presente como memoria, no como recuerdo. La lúbrica pantera ha cumplido su acecho en el camino. Convertida en flecha, pasó el pecho del amante. Pero el objeto erótico no se deja penetrar. Es sólo en cuanto *otro*:

> Así un imán que, al atraer, repele (5)
> . . . .
> amor que [...] (7)
> [...] más se ofrece cuanto más esquivo. (8)

El amor es "conato del ser por superar su propia limitación". Intento condenado al fracaso porque aspira "a un ser que sea lo contrario de lo que es". Si el amor fracasa, "es el conocimiento el premio del amor".[48]

La parataxis en este soneto pierde la flexibilidad, la capacidad de fundir un verso en el siguiente que aparecía en los anteriores. El punto final, decisivo, separa las unidades rítmicas mostrando, desde el plano semántico, la insolidaridad irreparable de la pareja humana.

Las condicionales de los dos tercetos últimos de este soneto sin título proclaman esta imposibilidad:

> Quiere decir Abel Martín que el amante renunciaría a cuanto es espejo en el amor porque comenzaría a amar en la amada lo que, por esencia, no podrá nunca reflejar su propia imagen.[49]

El corazón quebraría la pantera de la lujuria, unidad de la carne engañosamente duradera, para aceptar el fracaso de su intento y conocer que el uno-en-el-otro es imposible, metafísicamente imposible. La fusión dionisíaca concluye y queda nada más que la irreductible oposición 'yo-lo otro'.

Una pregunta acuciante queda abierta al concluir este ejercicio de lectura. ¿Son estos sonetos mera alegoría de una metafísica que, una vez descubierto su sentido, anula la eficacia poética de los textos que la guardaban?

Una respuesta a esta pregunta está en la distinción entre función poética y función metalingüística. La primera nos lleva de un código a un mensaje que, al establecerse, modifica el código, que a su vez dirige al mensaje. Lo que importa es el decir, la consistencia significativa de este decir. La función metalingüística pone al lenguaje a hablar del lenguaje, inquiere en el código para aclarar el mensaje. Y

> Poetry and metalanguage [...] are in diametrical opposition to each other: in metalanguage the sequence is used to build an equation, whereas in poetry the equation is used to build a sequence.[50]

Los sonetos no son auxiliares del comentario. Unos y otros se orientan en direcciones divesas. La "insondable solear"

> Gracias, Petenera mía:
> en tus ojos me he perdido;
> era lo que yo quería [51]

hace translúcida la metafísica de Abel Martín no porque la explique sino porque la convierte en poesía, en pura, rica, permanente poesía.

University of Texas, San Antonio

NOTAS

1. Thomas A. Sebeok, ed., *Style in language*, M.I.T. Press, Massachusetts, 1960.
2. Roman Jakobson, "Linguistics and poetics", en Sebeok, ed., *op. cit.*, p. 377.
3. *L'Homme*, 2, 1, p. 5.
4. *Linguistic Inquiry*, I, n.º 1 (enero 1970), pp. 3-23.
5. S. Bann y J. E. Bowlt, eds., *Russian formalism*, Harper and Row, Londres, 1973, pp. 20-25. Este ensayo, según los editores, ha sido traducido al portugués y al francés, pero en este libro aparece por primera vez en inglés.
6. El soneto y la serie de que forma parte pertenecen a *De un cancionero apócrifo, Abel Martín.* Nos cuenta el narrador de este *Cancionero* la doctrina del poeta-filósofo, citando párrafos de sus obras y poemas que deben iluminar su doctrina.
7. Oreste Macrí, ed., *Poesie di Antonio Machado*, Lerici, Milán, 1969[3]. Igual en *Obras*, Laberinto, 1940, y en *Obras: Poesía y prosa*, Losada, Buenos Aires, 1964.
8. En los comentarios al soneto XXIII de Garcilaso por el Brocense y Herrera hay un muy buen estudio de la tradición clásica que acuña este tema. Véanse en A. Gallego Morell, *Garcilaso de la Vega y sus comentaristas*, Universidad de Granada, Granada, 1966.
9. Emil Staiger, *Conceptos fundamentales de poética*, Rialp, Madrid, 1966, p. 53.
10. Véase Bruno Snell, *La estructura del lenguaje*, Gredos, Madrid, 1966, pp. 169-179.
11. Citado en E. Cassirer, *The philosophy of symbolic forms*, I: *Language*, Yale, 1953, p. 313, n. 27.
12. Real Academia Española, *Esbozo de una nueva gramática de la lengua española*, Espasa-Calpe, Madrid, 1973, 1.5.4a, 9.º
13. Ibid., 3.21.3d.
14. B. Snell, *op. cit.*, pp. 170-171, y E. Staiger, *op. cit.*, p. 74.
15. E. Staiger, *op. cit.*, p. 58. Esta fragmentación corresponde, en el plano léxico, a la renuncia poética a usar palabras y a la entrega a un puro disparar de fonemas. Ejemplo admirable es el final del canto II de *Altazor*, de Vicente Huidobro.
16. B. Snell, *op. cit.*, p. 188.
17. Para la definición de este término véase Oldrich Belic, *Análisis estructural*

de textos hispánicos, Prensa Española, Madrid, 1969, p. 193. Lo llama también 'instrumentación fónica'.

18. Dámaso Alonso, *Poesía española*, Gredos, Madrid, 1950, p. 93.

19. *Juan de Mairena*. En *Obras*, Losada, Buenos Aires, 1964, p. 319. Todas las demás citas de Machado están tomadas de esta edición.

20. Princeton, 1965. Excelentes las pp. 367-370 de Jakobson, "Linguistics and poetics", cit.

21. En Jakobson, "Linguistics and poetics", en *op. cit.*, p. 52: "Idénticos sonidos hacen resaltar siempre de nuevo idéntico estado de ánimo".

22. Jakobson, "On the verbal art of William Blake...", cit., p. 8.

23. E. Alarcos Llorach, *Fonología española*, Gredos, Madrid, 1965, p. 146.

24. B. Snell, *op. cit.*, p. 97.

25. *Obras*, p. 713.

26. E. Staiger, *op. cit.*, p. 36.

27. R. Barthes, *Elements of semiology*, Beacon Press, Boston, 1970, II, 1.3.

28. Ibid., IV, 2-4.

29. J. Trier, *Der deutsche Wortschatz im Sinnbezirk des Verstandes*, I, Heidelberg, 1931.

30. Citado en n. 20, s.v. *Ambiguity*.

31. *Metaphor and reality*, Indiana University Press, Bloomington, 1962, p. 57.

32. *The symbolism of evil*, Harper and Row, Londres, 1967, pp. 10 y 11.

33. Ibid., p. 13.

34. Ibid., p. 14.

35. Erich Neumann, *The Great Mother*, Bollingen Series, 47, pp. 39-54.

36. Ibid., p. 326.

37. Ernest Crawley, *The mystic Rose*, Methuen and Co. Ltd., 1927.

38. Walter F. Otto, *Dionysus: myth and cult*, Indiana University Press, Bloomington, 1965, pp. 110-112. Mucho y muy bueno en (34) passim.

39. C. Fernández Moreno, *Introducción a la poesía*, FCE, México, 1962. Es reproducción del artículo publicado en *Revista Hispánica Moderna*, IIIVI (1960).

40. *Prolegomena to a theory of language*, University of Wisconsin Press, Madison, 1961, pp. 113-114.

41. *Obras*, p. 296.

42. Ibid., pp. 296-297.

43. Véase sobre 'lugar ameno' E. R. Curtius, *European literature and the Latin Middle Ages*, Bollingen Foundation, 36, pp. 195-202. Completado con muy acertadas observaciones por W. T. H. Jackson, *The Literature of the Middle Ages*, Columbia University Press, Nueva York, 1960, p. 225. Atiéndase a esta frase de J.: en el 'Natureingang' "there is no interest in the sound of winds, in clouds, in brooks". El ensayo de V. Gaos "En torno a un poema de A. Machado", *Claves de literatura española*, II, Guadarrama, Madrid, 1971, cojea, entre otras cosas, por no considerar más atentamente estas relaciones.

44. E. Benveniste, *Problèmes de linguistique générale*, Gallimard, París, 1966, p. 252.

45. *Obras*, p. 299.
46. Ibid., p. 299.
47. Ibid., p. 299.
48. Ibid., p. 306.
49. Ibid., p. 300. Me parece que se equivoca R. de Zubiría en *La poesía de A. Machado*, Gredos, Madrid, 1966, pp. 103-112, al simplificar este proceso reduciéndolo a dos instancias en vez de cuatro.
50. Jakobson, "Linguistics and poetics", en *op. cit.*, p. 358.
51. *Obras*, p. 300.

CARLOS BLANCO-AGUINAGA

DE POESÍA Y DE HISTORIA: EL REALISMO PROGRESISTA DE ANTONIO MACHADO

> Cierto que la guerra reduce el campo de nuestras razones, nos amputa violentamente todas aquellas en que se afincan nuestros adversarios, pero nos obliga a ahondar en las nuestras, no sólo a pulirlas y aguzarlas para convertirlas en proyectiles eficaces.
>
> A. MACHADO

Sabido es, aunque por algunos todavía a regañadientes, que lo característico de la vida y la obra de Antonio Machado —a diferencia de las de los más del 98— es su evolución desde un subjetivismo intuicionista de corte "bergsoniano", hacia una conciencia histórica del tiempo en la que, además de poesía, se genera un pensamiento sociocultural que por su rigor y humanismo llega a representar lo más avanzado de su tiempo.

Hace ya tiempo que Gabriel Pradal empezó a demostrar que tal evolución no dejaba lugar "a la más pequeña duda"; [1] dieciséis años después, el libro de M. Tuñón de Lara, *Antonio Machado, poeta del pueblo*, [2] vino a traer un orden que tal vez sea definitivo en la cuestión, tanto por las precisiones biográfico-textuales que aporta, como por ese acierto suyo —tema en realidad del libro— que consiste en acercar el pensamiento de Machado sobre cultura popular con ciertas nociones de Gramsci sobre el asunto. [3]

Larga es, pues, la historia crítica de la que partimos y no cabe ya insistir sobre ciertos datos o sobre ciertos textos tan fundamentales, como, por ejemplo, el Prólogo a *Campos de Castilla* o el de la segunda edición de *Soledades y galerías.*[4] Algunos textos, sin embargo, quizás merezcan todavía un comentario: por ejemplo, el borrador del discurso que Machado preparaba en 1931 para su ingreso a la Academia de la Lengua. Ha sido ya comentado, desde luego, pero tal vez insuficientemente[5] en cuanto que es una de las claves para entender cómo Machado fue llegando a establecer la relación entre poesía e historia, cultura e historia y, por lo tanto, para entender el significado todo de su obra en los años que importa volver a describir como los de la lucha mundial contra el fascismo. De ello, pues, tratamos en las páginas que siguen.

Recordemos apenas, para entrar al discurso, que de manera totalmente inesperada fue Machado elegido miembro de la Academia de la Lengua el 24 de marzo de 1927. Dado su carácter ajeno a todo lo publicitario y dado que el hecho sorprendente ocurre en plena Dictadura —la misma que tiene exilado a su amigo y "maestro" Unamuno—, no es de extrañar que Machado, por decirlo así, no acuse recibo: durante varios años no se da por enterado de la elección. Toma, en cambio, la cosa muy en serio con la llegada de la República, y durante el verano y otoño de 1931 va preparando un borrador para su discurso de ingreso. Creo que Tuñón se queda algo corto al sugerir que tal vez sea "interesante recordar" que fue precisamente entonces —es decir: con la República— cuando Machado pensó seriamente en ingresar a la Academia.[6] Las ideas centrales del discurso, según explica Tuñón, despuntan ya y van madurando en Baeza,[7] pero no puede concebirse la radicalización que sufrirán durante la guerra civil, si no tomamos en cuenta que entre Baeza y la guerra, la República significa la posibilidad de realización de esas ideas. Aquella República burguesa cuya bandera Machado levantó en Segovia al unísono del enorme entusiasmo popular de 1931, aquella República en la que "unos cuantos hombres de buena fe, nada extremistas, nada revolucionarios, tuvieron la insólita ocurrencia de gobernar con un sentido del porvenir [...] aceptando un mínimum de las más justas aspiraciones populares, entre otras la usuraria pretensión de que el pan y la cultura estuvieran un poco al alcance del pueblo" (IV, 134); [8] aquella República significaba, a pesar de todo, un radical avance hacia la idea de la poesía y la cultura que Machado venía desarrollando durante la Dictadura (es decir: *contra* la Dictadura). Si la guerra civil es la defensa que hace el pueblo español de sus derechos contra el fascismo, ello se debe a que el fascismo necesitaba destruir la República por cuanto ésta significaba la posibilidad de una transformación de la vida española y, por lo tanto, de su cultura; precisamente en la dirección en que Machado quería ver evolucionar esa cultura.

Así pues (y seguimos la cronología de Tuñón): se abre Machado a la Historia en *Campos de Castilla* (1907-1912); madura su visión durante su estancia en Baeza (1913-1919) y luego en Segovia; la llegada de la República, el entusiasmo comunicativo que trae consigo, le anima a querer expresar de manera más amplia y directa en qué forma y por qué el *yo* poético es inconcebible sin el *tú*, es decir, sin el *nosotros*; y durante la guerra, en que acabarán por verse momentáneamente destruidas tales posibilidades, lucha con su palabra y su persona en defensa de un *yo* que era ya inseparable de su compañía. El eje, el centro de toda la evolución es, precisamente, la República, como lo es para toda comprensión de la España moderna; y no hay modo de exagerar la enorme importancia que tuvo para Machado, como para los demás. En plena guerra, el 14 de abril de 1937, recordaba emocionado:

> ¡Aquellas horas, Dios mío, tejidas todas ellas con el más puro lino de la esperanza, cuando unos pocos viejos republicanos izamos la bandera tricolor en el ayuntamiento de Segovia![...] Recordemos, acerquemos otra vez aquellas horas a nuestro corazón. Con las primeras hojas de los chopos y las últimas flores de

> los almendros, la primavera traía a nuestra República de la mano. La naturaleza y la historia parecían fundirse en una clara leyenda anticipada, o en un romance infantil.
>
> La primavera ha venido
> del brazo de un capitán.
> Cantad niñas, en corro:
> ¡Viva Fermín Galán!
>
> . . . .
>
> Y la canción seguía monótona y gentil. Fue aquél un día de júbilo en Segovia. Pronto supimos que lo fue en toda España. [IV, 154.]

Maduran las ideas de Machado sobre poesía e historia durante la Dictadura; pero con inevitable razón histórica, es con la llegada de la Segunda República cuando siente que pueden ir a dar al papel y, de ahí, tal vez, a todos.

¿De qué trata el notable discurso que, a fin de cuentas, nunca fue pronunciado, ni siquiera acabado?

Don Antonio —y ello no es sorprendente dada su peculiar humildad— empieza por declarar que él no tiene méritos para ser académico. Y tal vez porque no es sabio, sino poeta, decide que, puesto que tiene que hablar ante los sabios, hablará de poesía. Y no se le ocurre nada menos que preguntarse ante los señores académicos: ¿qué es poesía?

Pero resulta enseguida que no puede nuestro poeta entrar al tema en general o en abstracto porque, según explica, la existencia misma de la poesía, "especialmente la lírica, se ha convertido para nosotros en problema". Es decir: se duda seriamente en aquellos años de que la poesía (por lo demás, como otras formas de arte) pueda sobrevivir a las tremendas transformaciones que entonces vivía el mundo. Parece ser, explica Machado, que, por oposición al siglo XIX, "los tiempos que corren", no son propicios para la lírica. ¿Cómo decidir si tal opinión es o no justificada? Quizás convenga, se dice Machado, preguntarse primero cómo y en qué sentido era, por el contrario, "lírico" el siglo XIX.

Con lo cual, de entrada, nos encontramos con que la pregunta acerca del "ser" de la poesía se nos da como pensable sólo en su historicidad. Así, la relación entre *poesía* e *historia* va a tener que ser captada acercándonos, por lo pronto, a la *historia de la poesía.*

Propone entonces Machado, de manera relativamente tradicional, que el siglo XIX fue propicio a la lírica porque fue, en general, propicio a "las formas subjetivas del arte". Ello debido a que el XIX es el siglo del "individualismo" y a que fue dominado intelectualmente por los "desmesurados edificios de las metafísicas postkantianas". Aunque tardíamente, explica este discípulo de Bergson, la metafísica de tan enorme y, a la larga, destructivo subjetivismo, fue formulada detalladamente por Bergson. (A lo cual añade para terminar la primera parte del borrador que, sin embargo, no hemos de despreciar a los poetas del siglo XIX, "desde los románticos hasta los simbolistas, porque nada hay en ellos que sea trivial".)

Ocurre, sin embargo, que desde Kant a los "metafísicos postkantianos", del romanticismo a su tardía formulación teórica extrema en Bergson, ha habido una evolución degenerativa. En su origen, el "individualismo romántico" de algún modo "no excluía la universalidad"; lo que el poeta romántico cantaba en los inicios del siglo XIX pretendía reflejar percepciones que trascendían su *yo*, y su lenguaje, por lo tanto, exhibía la voluntad de llegar a la conciencia del prójimo. Pero para finales de siglo el romanticismo ha derivado ya hacia el solipsismo. Hemos de suponer nosotros, ya que Machado no lo aclara, que este solipsismo tenía por fuerza que estar implícito de origen en el subjetivismo romántico; no dudaremos, sin embargo, que los primeros románticos piensan y hablan como si fuese posible una relación real entre ellos y su público. Según avanza el siglo, sin embargo, según la poesía se va alejando más y más de los lectores más cotidianos (que acuden a la prosa), va resultando evidente que, según lo dice Machado, "una buena fe, un tanto perversa, se inserta en la fe romántica en la soledad del sujeto".

Entiende Machado que el abismo que se abre a lo largo del siglo entre el *yo* del poeta y los demás empuja a una teoría aislacionista de la cual, por ejemplo, se originan las dificultades que encuentran los poetas modernos con el lenguaje: puesto que los poetas llegan a opinar que "Parler n'a trait à la réalité des choses que commercialement", según citaba Machado a Mallarmé ya en 1925 (II, 120), necesariamente han de llevar a la lírica hacia el silencio o, lo que es peor, hacia un lenguaje esotérico del cual queda ya excluida la posibilidad de participación (y por lo tanto de existencia) de los demás (de ahí que Mairena dijera que "el hombre del ochocientos no creyó seriamente en la existencia de su vecino" (II, 77). Tras el simbolismo, "comienza el período de la franca desintegración, la reducción al absurdo del subjetivismo romántico" (II, 66). Para cuando llega el fin de siglo es ya evidente que "la lírica estaba enferma de subjetividad" (II, 115). Falta decidir, sugiere Machado, si la enfermedad era de muerte: "se ha convertido para nosotros en problema", significa, por lo tanto, que debemos preguntar si cabe la posibilidad de la existencia de una nueva manera de lírica que, sin perder su subjetividad, intente volver a la comunicación universal característica del mejor momento romántico.

Tras esta introducción general al asunto del discurso, ocurre algo por demás curioso; y es ello que para mejor explicar lo que está afirmando, Machado escoge el ejemplo no de algún poeta, sino de dos novelistas: Proust y Joyce. Pero quizás podamos explicarnos tal selección: la novela es el género burgués y realista por excelencia, el género que, en sus ejemplares buenos y malos, llega a más gente a lo largo del siglo XIX, y he aquí, según termina el siglo (en verdad, según se abre el nuevo siglo), dos novelistas que rechazan tanto la realidad del mundo burgués y sus valores como la técnica realista de los novelistas burgueses que les han precedido. Con tal rechazo, se alejan también conscientemente del público más amplio. La elección ejemplar de Proust y Joyce ha de basarse, por lo tanto, en el siguiente pensamiento: si hasta la novela, que parecía presuponer irremediablemente la existencia de un *tú*, de un público (o mercado) a quien, por su razón misma de origen, había de dirigirse en un lenguaje que, en efecto, trataba la realidad "comercialmente", ha llegado a tales extremos, ¿qué podría esperarse de la poesía?

Y es en este momento, al tratar de los dos novelistas en quienes, en efecto, era entonces más clara la ruptura con el realismo, cuando Machado introduce dos términos claves para nuestra comprensión del proceso histórico que ha llevado a la "degeneración" de la lírica: esos términos —que nosotros ya hemos usado— son *burgués* y *burguesía*. Se nos explica ahora, pasando de una superficial historia de las ideas a la de la relación entre éstas y la historia social, que la curva de la evolución degenerativa que va del subjetivismo con pretensiones de universalidad hasta el solipsismo, corresponde exactamente a la que va de una burguesía dinámica, y joven, "con zapatos nuevos", a una burguesía "agonizante": el fin del siglo XIX en Europa, que es nada menos que el momento cimero del imperialismo, Machado lo ve —al igual que los más duros críticos de la izquierda de entonces— como el de "una fenecida primavera social".

Ya en 1922 Machado le había escrito a Pérez de Ayala que *À la recherche du temps perdu* era el "fruto pocho y final de aquella novela iniciada alegremente por Stendhal" (II, 217). Pero la decadencia y podredumbre habían aún de llegar más lejos; tras de la obra de Proust —que, a fin de cuentas, "es un gran psicólogo" y un "gran poeta de la memoria"—, en 1922 aparece el *Ulises*, novela de la cual Machado escribe en el borrador del discurso que en ella "el lenguaje no tiene nada que comunicar", puesto que no es sino "el callejón sin salida del solipsismo lírico del mil ochocientos", "la gran chochez del sujeto consciente que termina en un canto de cisne": "bodrio psíquico" en que "el sujeto se fragmenta, se corrompe y se agota por empacho de subjetivismo". La novela de Joyce es, por todo ello, "un libro sin ética".

La relación entre subjetivismo, poesía que ya no pretende comunicar ni comunica nada, individualismo y burguesía decadente, la había establecido ya Machado en un diálogo de 1928 entre Juan de Mairena y Jorge Meneses. Dice ahí Meneses:

> La lírica moderna, desde el declive romántico hasta nuestros días [se supone que habla Meneses en época del simbolismo], es acaso un lujo, un tanto abusivo, del hombre manchesteriano, del individualismo burgués, basado en la propiedad privada. El poeta exhibe su corazón con la jactancia del burgués enriquecido que ostenta sus palacios, sus coches, sus caballos y sus queridas. El corazón del poeta, tan rico en sonoridades, es casi un insulto a la afonía cordial de la masa, esclavizada por el trabajo mecánico [II, 148-149].

El humorista inventor de la máquina de trovar que fue Meneses va aquí derecho al meollo del asunto al establecer una relación directa entre economía burguesa (hombre "manchesteriano", propiedad privada), comportamiento burgués (jactancia, ostentación, lujo) y el comportamiento estético de los poetas burgueses de fin de siglo que, engañosamente, pretenden estar en lucha contra la burguesía. En este esquemático análisis se revela, por supuesto, como ficticia —según demostraría años más tarde Walter Benjamin— la lucha toda de los románticos tardíos y simbolistas contra las relaciones de producción que llevan a y se basan en la propiedad privada. La esotérica poesía simbolista resulta ser así, no "revolucionaria", sino la otra cara de la moneda de cambio burguesa, y entendemos que Théophile Gautier, en su declaración de que la literatura no sirve para hacer sopa, o Rubén Darío en su crítica al Rey Burgués, pongamos por caso, operan exactamente igual que el burgués a quien desprecian: en sus obras, al igual que en la noción de "propiedad privada" queda negada, no la sociedad burguesa, sino "la masa esclavizada por el trabajo mecánico". Pretender separarse del comportamiento burgués negándose a la palabra, o a la palabra cotidiana, bajo el pretexto de que sólo sirve para tratar con la realidad "comercialmente", es encerrarse en la propiedad privada de un *yo* cuyos levantados muros y verjas excluyen a todos los demás. No otra cosa, según pensaba Machado explicar a los académicos, significa lo que llamaba la declaración de "guerra" de la poesía simbolista "a la razón y el sentimiento" (II, 64), a "lo inteligible" (II, 124).[9]

Ahora bien, ha de entenderse por lo demás, que con tales ideas Machado no pretende negar todo valor histórico a la burguesía. Con absoluto realismo entiende que la burguesía ha jugado un papel decisivo en la historia y que "con su liberalismo, su individualismo, su organización capitalista, su ciencia positiva, su florecimiento industrial, mecánico, técnico; con tantas cosas más —sin excluir el socialismo, nativamente burgués— no es una clase tan despreciable como para que Monsieur Jourdain siga avergonzándose de ella" (I, 58). Lo que ocurre, el fenómeno característico de principios del siglo XX que se necesita entender, es que así como el subjetivismo ha degenerado en solipsismo, la burguesía, al igual que sus poetas, está también a la defensiva: "con el escudo al brazo —después de siglo y medio de alegre predominio— se defiende de ataques fieros y constantes" (I, 57-58). El tema se repite varias veces en la prosa de Antonio Machado. Así, por ejemplo, al hablar de un cierto personaje de una novela de Baroja, Machado explica que "ha nacido al declinar el mundo burgués, en época de cansancio y agotamiento de una clase que vive ya en actitud defensiva y en la cual todo napoleonismo[...]se hace imposible" (II, 212). Estas palabras son de 1922, o sea, el año de la marcha sobre Roma de Mussolini y el año de la publicación del *Ulises* de Joyce; cinco años después de la Revolución rusa, cuatro después del final de la guerra mundial y a los dos años del ingreso del Partido Socialista español en la Tercera Internacional (ratificado en 1921). Pero incluso antes, ya en 1919, o sea, muy cerca de la Revolución Rusa y del final de la primera Guerra, ya Machado había empezado a hablar de "la agotada burguesía" (II, 110): tema obsesivo de su tiempo.

Si éstas son las condiciones históricas de una lírica que a lo largo del siglo XIX había venido ligada al subjetivismo e individualismo burgueses; si la burguesía está en tal decadencia que sólo puede moverse a la defensiva y, con ella, la lírica (al igual que la novela) se encierra en sí misma como con el escudo bajo el brazo, ¿qué futuro puede haber para la poesía? El borrador del discurso se acerca a su fin con una proyección hacia la posible poesía del futuro:

> El mañana, señores —escribe Machado—, bien pudiera ser un retorno a la [...] objetividad, por un lado, y a la fraternidad, por el otro. Una nueva fe [...] se ha iniciado ya. Comienza el hombre nuevo a desconfiar de aquella soledad que fue causa de su desesperanza y motivo de su orgullo. Ya no es el mundo mi representación [...] Se tornó a creer en *lo otro* y en *el otro*, en la esencial heterogeneidad del ser. El yo egolátrico de ayer aparece hoy más humilde ante las cosas. Ellas están ahí y nadie ha probado que las engendre yo cuando las veo.

En los orígenes de este realismo ya Machado había rechazado claramente en 1919 la ideología subjetivista finisecular en la que "el arte se atomizaba y el poeta, en cantos más o menos enérgicos[...]sólo pretendía cantarse a sí mismo, o cantar, cuando más, el humor de su raza". "Yo amé con pasión —añade— y gusté hasta el empacho esta nueva sofística" —pero "amo mucho más la edad que se avecina y a los poetas que han de surgir, cuando una tarea común apasione a las almas" (II, 109).

Diez años más tarde (dos antes de la República), en 1929, e insistiendo en sus ataques "contra el subjetivismo desmesurado del arte burgués en sus postrimerías" (II, 158), llegaba en una carta pública a Giménez Caballero a la conclusión de que "en suma, esa lírica artificialmente hermética" recibida de la decadencia del siglo XIX, "es una forma barroca del viejo arte burgués que aguarda *piétinant sur place* en las fronteras del futuro arte comunista —no nos asuste la palabra— a que le sea impuesto el imperativo de la racionalidad, las normas ineludibles del pensamiento genérico" (II, 159).

Nuevo realismo u objetivismo de *Campos de Castilla* y de la segunda edición de *Soledades*; comentario de 1922 a una obra de Baroja; certeras palabras de Meneses en 1928; carta pública a Giménez Caballero de 1929; discurso para la Academia de la Lengua, cuyo borrador se escribe en los inicios de un tiempo republicano cuya bandera izó Machado en Segovia el 14 de abril de 1931: ¿termina ahí la clara trayectoria del realismo histórico por el que avanzaba, como quien va de la soledad a la compañía, el pensamiento de Antonio Machado?

En plena guerra todo se agudiza. Por lo pronto, y no sin razón, volvemos a encontrarnos con la imagen de la burguesía a la defensiva: al hablar de las llamadas democracias de la no-intervención, nota Machado que su comportamiento, en rigor contrario a la República española, se debe a que quienes las dirigen son políticos conservadores que "sólo representan a una clase que lleva el escudo al brazo, una plutocracia en posición defensiva" (IV, 139). Pero se introduce ahora un factor nuevo. Machado entiende perfectamente que los adversarios directos contra quienes se defienden ahora esos "conservadores" (es decir: Hitler y Mussolini) son también hombres "con el escudo al brazo" que, en rigor, no representan nada contrario a la clase "conservadora" a la que parecen oponerse: no son sino "el momento de la suprema tensión defensiva de la burguesía (fascio) que se permite el lujo de la agresión" (IV, 139). Son unos y otros, por lo tanto, "lobos de la misma camada" (IV, 139); "defensores de una misma causa: el apuntalamiento del edificio burgués, minado en sus cimientos" (IV, 140).

Y Machado entiende perfectamente que esta "suprema tensión defensiva" que es el fascismo, resulta de lo que llama "la ideología batallona de la burguesía", el "struggle for life" implícito en el capitalismo (IV, 42), cuya forma última, para Machado como para la Internacional, era el "imperialismo"; al cual define como conjunto de las "ambiciones desmedidas y forzosamente homicidas de la plutocracia" (IV, 97). Desde este "darwinismo social", según lo llama en otra parte, no es extraño que, a nivel cultural, la actitud defensiva de la burguesía ya decadente se caracterice no ya sólo por negar la posibilidad de la cultura a los demás, sino, según hemos visto, por negarse a la comunicación encerrándose en sus privilegios: en el contexto de esta idea se entiende perfectamente que Machado califique al *Ulises* de libro falto de "ética". De ahí que en el borrador del Discurso en que escribe tales palabras, diga también que "la defensa de la cultura como privilegio de clase implica [...] defensa inconsciente de lo ruinoso y muerto, defensa de prestigios caducos" (II, 74): lo contrario de aquella "insólita ocurrencia" que tuvieron algunos hombres de la Segunda República. Frente a los ideales del pueblo que apoyaba a aquella República, quienes se empeñan en la defensa de lo que ya en 1919 Machado llamaba una "economía social definitivamente rota" (II, 110) se empeñan también en la defensa de una poética y una política cultural reaccionarias.

Pero contra todo ello "la clase proletaria reclama su derecho a dirigir el mundo", explica Machado: se trata, añade, de una "aspiración" de las "masas trabajadoras" a alcanzar "la perfección por medio de la cultura" (I, 212). En esa aspiración, en esa lucha, explicará mucho después, en 1938, "el arte tomará una actitud profundamente humana" (IV, 97): esperanza en la que se recoge el hilo de sus ideas de 1928, 1929 y 1931. No nos sorprenderá, por lo tanto, que quien así llegó a entender entre cultura e historia, poesía e historia, entienda que toda meditación sobre el asunto ha de girar sobre la cuestión de la lucha de clases y que, acerca de esa lucha, nos dejara por lo tanto el siguiente consejo: "Si alguna vez tenéis que tomar parte en una lucha de clases, no vaciléis en poneros del lado del pueblo" (I, 119). Pensamiento que completaba con la idea más pragmática, si se quiere, de que oponerse "avara y sórdidamente a que las masas entren en el dominio de la cultura y de lo que en justicia les corresponde, me parece un error que siempre dará funestos resultados" (I, 212-213).

Ya Sánchez Vázquez había asociado ciertos aspectos claves del pensamiento de Machado acerca de la cultura popular con algunas ideas básicas de Gramsci;[10] hemos visto que Tuñón de Lara recoge la indicación y la amplía; pero, además acerca a Machado a la teoría gramsciana del "bloque de poder" histórico.[11] Se trata de un verdadero acierto, de especial interés quizás por la importancia que tienen hoy ciertas conceptualizaciones de Gramsci; pero tal vez podamos dar mayor precisión histórica a la relación existente entre el objetivismo poético que inicia Machado en *Campos de Castilla* y el antifascismo cultural y político que madura durante la República y se expresa plenamente durante la guerra civil, si referimos ese proceso a la noción de Frente Popular, ya que, a fin de cuentas, fue el Frente Popular la forma específica que tomó el "bloque" antifascista en los años treinta.

Hemos de recordar las cosas más elementales para entender el contexto de las ideas de Machado: que Mussolini llevaba ya nueve años en el poder cuando nace la Segunda República española; que Hitler asciende a la Cancillería del Reich en enero de 1933; que entre 1934 y 1935 Francia se encuentra también al borde del fascismo (*affaire* Stavinski y sus consecuencias); y que en 1934 reaparece violentamente la contrarrevolución en España. Por lo demás, ya desde octubre de 1934 el periódico *L'Humanité* emplea la frase "Frente Popular" y para el 14 de julio de 1935 se crea tal Frente en Francia. En agosto del mismo año, durante el Séptimo Congreso de la Internacional Comunista, se adopta el informe Dimitrov sobre el "Frente Unido" que, según ese mismo informe, se consideraba necesario para unir en la lucha contra el fascismo a comunistas, socialistas, católicos, anarquistas, campesinos, pequeños burgueses e intelectuales (no siempre considerados como categorías diversas). Mucho antes, ya en 1932, se había celebrado en Amsterdam un Congreso contra la Guerra y el Fascismo bajo la presidencia de dos escritores respetados por Machado: Romain Roland y Henri Barbusse. Fascismo y Frente Popular son las dos fuerzas que se van gestando en Europa a lo largo de los años treinta para enfrentarse por primera vez en guerra abierta en España en 1936, como consecuencia, precisamente, del triunfo electoral del Frente Popular.

Dado este contexto, importa hacer hincapié en el hecho de que en las páginas ya citadas del 14 de abril de 1937 en que recordaba la llegada de la Segunda República, a la que llama "gloriosa", hable de una "no menos gloriosa tercera República" que es la del "triunfo en las urnas del Frente Popular" el 16 de febrero (IV, 153) y la que lucha en la guerra civil. Sólo desde esta perspectiva, equivalente, por ejemplo, a la de su admirado Thomas Mann en Europa,[12] o a la del Paul Rivet (que el 5 de marzo funda en Francia el Comité de Vigilancia de los Intelectuales Antifascistas), perspectiva que no comparten otros miembros de la burguesía española cuando ya las posiciones se iban extremando, cabe entender que Machado relacionara el fascismo con el hecho de que "toda la Europa occidental está hoy en actitud defensiva contra la Revolución rusa" (IV, 116). Y por supuesto que, sólo desde una mayor compenetración con la historia revolucionaria de España y de Europa de lo que generalmente se le reconoce, es comprensible que ya en 1934 escribiera Machado un mesurado elogio de Stalin (y crítica de Roosevelt) y que llegara incluso a aceptar la posible necesidad, en condiciones revolucionarias, de "la dictadura del proletariado".[13] Aceptación de ciertas ideas básicas de la izquierda del Frente Popular que vemos ya como inseparables de las ideas sobre poesía y cultura de que hemos tratado. Importa en este sentido tener en cuenta que sólo uno entre los intelectuales de su generación, Unamuno, y ello en su remota juventud (entre 1894 y 1898), había en España concebido de tal manera las relaciones entre cultura, literatura y realidad socioeconómica del capitalismo.[14] En cambio, quien establecía por aquellos años tales relaciones era Lukács; y en 1934, en el Primer Congreso de Escritores Soviéticos, las establecieron férreamente tanto Gorki como Bukharin, coincidiendo los tres con Machado hasta en las referencias a Proust y Joyce.

Hay que recordar siempre, sin embargo, que Machado no fue nunca marxista. Bien claro lo escribió varias veces, por ejemplo en 1934: "Yo no soy marxista ni puedo creer, con el dogma marxista, que el elemento económico sea lo más importante de esta vida" (I, 212). Ni siquiera, diría en otro lugar, soy socialista; a lo que, sin embargo, añade que "es el socialismo la gran esperanza humana ineludible en nuestros días, y toda superación del socialismo lleva implícita su previa realización" (IV, 52). Y otro texto muy conocido de los que se citan, digamos, "negativamente", el del 1 de mayo de 1937:

> Mi pensamiento no ha seguido la ruta que desciende de Hegel a Carlos Marx [...] Veo, sin embargo, con entera claridad, que el socialismo, en cuanto supone una manera de convivencia humana, basada en el trabajo, en la igualdad de los medios concedidos a todos para realizarlo, y en la abolición de los privilegios de clase, es una etapa inexcusable en el camino de la justicia; veo claramente que ésa es la gran experiencia humana de nuestros días, a que todos de algún modo debemos contribuir [IV, 166-167].

Y más aún: "El marxismo contiene las visiones más profundas y certeras de los problemas que plantea la economía de todos los pueblos occidentales".[15]

En suma, la evolución de Machado desde un pensamiento poético centrado en la subjetividad hacia la concepción de una posible "lírica comunista"; su análisis de la relación entre arte solipsista y burguesía protofascista a la defensiva; su avance desde una idea de la cultura vagamente folklorista hasta la noción casi gramsciana de cultura nacional-popular; su reconocimiento de la relación entre cultura y lucha de clases: son todos aspectos de la progresiva radicalización de su pensamiento desde un simple republicanismo progresista hasta la izquierda del Frente Popular antifascista. En este sentido me parece innegable que la vida y la obra de Machado avanzaron al ritmo justo de la vida española y europea del siglo xx. Caso notable, ya que bien podría ser en esto el único intelectual español no-proletario anterior a la generación del 27 que así se comporta: dicho sea por comparación con quienes, como Ortega, proclamaban que la cuestión social no era el problema central de la vida o de la historia; o, en general, por comparación con quienes una vez que se alcanzaron los extremos de una radicalización que sólo podía terminar, como terminó, en la revolución o en la derrota, decidieron que su participación en lo que hoy podríamos tal vez llamar el "bloque histórico" terminaba al aparecer la necesaria disciplina antifascista del Frente Popular.

Siempre resulta algo sorprendente encontrar a Machado a partir de 1934, y especialmente de 1936 a 1939, entre las gentes entonces más jóvenes y radicales de la lucha política y cultural; lejos de Ortega, de Baroja, de Azorín, de Menéndez Pidal, o de los más de los académicos a los que hubiera tenido que dirigir su discurso de 1931. ¿A quién de su generación encontraremos en el centro de la lucha y escribiendo —por ejemplo— en homenaje a Lister, Galán, El Campesino y Modesto, las extraordinarias páginas de gesta que Machado dejó acerca del Quinto Regimiento? Son estas páginas sin duda pensadas contra quienes podían temer "la rebelión de las masas", ya que leemos en ellas que

> Convendría no olvidar nunca cuando se habla de la obra del pueblo, toda la parte que en ella pone la inteligencia y la cautela [...] Cuando se evoca el río popular, apenas si se piensa más que en sus posibles desbordamientos. Se olvida el amplio y flexible lecho por donde corre, sus esclusas y compuertas y las acequias, regatos y atanores que conducen y distribuyen sus aguas. Se piensa que lo popular en España es la anarquía, en el sentido peyorativo de esta palabra. Yo he pensado siempre precisamente lo contrario. Siempre creí que, sin la más directa intervención del pueblo, nada completo, nada fuerte, nada orgánico y vital podríamos realizar. Lo anárquico en España es siempre *señoritismo.*

Y el ejemplo que nos ofrece Machado de estas virtudes es, precisamente, el del Quinto Regimiento, del cual escribe:

> Cuando llegue el día de las grandes simplificaciones, cuando los tópicos actuales hayan adquirido su más profunda significación, se dirá: fue el Quinto Regimiento el alma de la guerra de España, el firme sostén de la más gloriosa República española, fue España misma, frente a los traidores de casa.[16]

Palabras que resultarían incomprensibles si no logramos ver cómo don Antonio Machado llegó a entender, a la manera del Frente Popular, las relaciones entre pueblo, clase, cultura, poesía e historia.

Don Antonio Machado: el sobrio poeta que en certero diálogo "con su tiempo", y casi a la manera de Maiakovski o de Brecht, dejó escrito que la obligación "inmediata e imperativa" de todo intelectual era "la de ser un miliciano más con destino cultural" (IV, 43).

University of California
La Jolla, California

NOTAS

1. Cf. Gabriel Pradal, *Antonio Machado. Vida y obra*, Hispanic Institute, Nueva York, 1951, p. 13.

2. Nova Terra, Barcelona, 1967.

3. *Op. cit.*, pp. 265-269.

4. Tampoco debería ser necesario insistir en que el cambio o evolución es una superación en la que, en sentido estricto, se mantiene vivo lo esencial de lo negado. Se trata de una evolución en la que no se niega la unidad dialéctica de la personalidad y la obra de Machado, de modo que, por ejemplo, según tratábamos de demostrar hace años, la estructura imaginativa del poeta uno que fue Antonio Machado no cambia de *Soledades* a *Campos de Castilla.* (Cf. "Sobre la 'autenticidad' de la poesía de Machado", *La Torre*, n.º 45-46 [enero-junio 1964], pp. 387-408.)

5. En su reciente libro, *Antonio Machado* (Siglo XXI, Madrid, 1975), Valverde le dedica un capítulo por demás insuficiente. Tuñón, por supuesto, trata también del Discurso, pero un tanto circunstancialmente, tal vez porque de tantas otras cosas trata en detalle.

6. Ibid., p. 221.

7. Ibid., p. 129.

8. La numeración entre paréntesis corresponde a tomo y página de la edición temática de Aurora de Albornoz, *Antonio Machado. Antología de su prosa*, Cuadernos para el Diálogo, Madrid, 1970. Mantendré este sistema de referencias siempre que cite de tal fuente, salvo que no daré referencias para las citas del borrador del discurso, que aparece en t. II, pp. 55-79.

9. Esta exigencia de racionalidad, lo que más adelante Machado llamará "las normas ineludibles del pensamiento genérico" (cf. supra, p. 65), podría tal vez compararse con las tesis posteriores de Della Volpe y ha de encuadrarse, desde luego, en el contexto de la lucha del pensamiento progresista de entreguerras contra el "irracionalismo" fascista.

10. Cf. *Las ideas estéticas de Marx*, México, 1965, pp. 270-271.

11. Ibid., pp. 136-137.

12. Cf. sus palabras sobre Mann en t. IV, pp. 128-129, de la edición que aquí usamos.

13. Cf. A. Machado, *Obras*, Séneca, México, 1940, pp. 809-810.

14. Cf., en nuestro *Juventud del 98* (Siglo XXI, Madrid, 1970), "El socialismo de Unamuno".

15. Cf. edición de Séneca, p. 891.

16. Cf. Marrast y Martínez López, *Prosas y poesías olvidadas de Antonio Machado*, París, 1964, pp. 99 ss.

JUAN CANO-BALLESTA

ANTONIO MACHADO Y LA CRISIS DEL HOMBRE MODERNO

Antonio Machado al teorizar sobre problemas contemporáneos adopta los más variados enfoques a través de sus diversos desdoblamientos: Juan de Mairena, Jorge Meneses, Abel Martín, etc., y se muestra con frecuencia vacilante, descreído o escéptico. Desmitifica creencias que gozaban del peso de una larga tradición o pone un inquietante signo de interrogación ante verdades consideradas inconmovibles. Machado no es el huracán que barre con todo lo que se le pone por delante, pero su actitud crítica sí que podría compararse con una fuerte corriente tormentosa que todo lo conmueve, lo sacude y lo purifica. En su soledad vive intensamente la crisis o las crisis de su tiempo, de la filosofía, el pensamiento, la política, la religiosidad, el hombre. Le duele ver la injusticia triunfante ante el silencio culpable de las instituciones que debían levantar su voz de protesta y que, por el contrario, callan cobardemente, confirmando a la humanidad en la impresión de que tal vez Dios está realmente muy lejos:

> Esta piedad erguida
> sobre este burgo sórdido, sobre este basurero,
> esta casa de Dios, decid, ¡oh santos
> cañones de von Kluck!, ¿qué guarda dentro?
>
> (*OC*, 192)

Machado piensa que la poesía, toda poesía, tendrá que girar necesariamente en torno al hombre, ya que éste es la auténtica y central ocupación del poeta: "Ningún espíritu creador en sus momentos realmente creadores pudo pensar más que en el hombre" (*OC*, 321). Su obra es esencialmente antropocéntrica. El hombre es su obsesión, el hombre contemporáneo, inmergido en el tiempo, con sus problemas, dudas, sueños, temores y angustias, ya que la poesía debe ser "expresión integral del hombre de cada tiempo" (*OC*, 824).

La creación artística es en esencia sinceridad, es el momento en que el hombre se desnuda, se nos revela en su más recóndita intimidad. Las afirmaciones, creencias o vacilaciones del hombre deberán aparecer sin velos. "El momento creador en arte [...] —dice el poeta de Segovia— es también el momento de nuestra verdad, el momento de modestia y cinismo en que nos atrevemos a ser sinceros con nosotros mismos" (*OC*, 453). Por eso la verdadera poesía jamás será un entretenimiento intrascendente. Es la vida en su constante fluir y vibrar. Es el mismo fuego de la existencia en su chisporroteo incandescente:

—¿Mas el arte?...
—Es puro juego,
que es igual a pura vida,
que es igual a puro fuego.
Veréis el ascua encendida.

(*OC*, 269)

Estas reflexiones nos dan pie para emprender con cierta confianza nuestro estudio de la crisis existencial del hombre y del mismo poeta. No nos extraña ya la intensidad, franqueza y fuerza con que el alma de Machado asoma a través de sus versos. Hombre de su tiempo, abre los ojos al mundo que le rodea y siente la vida gris en su palpitar de cada momento, cual fría nota marcada en el pentagrama del tiempo (*OC*, 240). Su percepción de la realidad no es entusiasta, el mundo no le arranca gritos de júbilo, sino una reflexión tranquila, un interrogante sobre el creador de esa belleza. ¿Hay una preocupación teológica detrás de estas preguntas insistentes? Es indudable:

> ¿Quién puso, entre las rocas de ceniza,
> para la miel del sueño,
> esas retamas de oro
> y esas azules flores del romero?
> La sierra de violeta
> y, en el poniente, el azafrán del cielo,
> ¿quién ha pintado?
>
> (*OC*,. 242)

Las evocaciones paisajísticas suelen cargarse de tristeza, hastío. Incluso la aurora es descrita con una nota siniestra:

> La tarde caía
> triste y polvorienta.
>
> (*OC*, 90)

> Recuerdo que una tarde de soledad y hastío.
>
> (*OC*, 93)

> La aurora asomaba
> lejana y siniestra.
>
> (*OC*, 91)

No es un mundo desbordante, de maravilla y portento. ¡Qué lejos de Jorge Guillén! La misma trasparencia del firmamento deja ver no un cosmos en plenitud, sino el vacío más desolador:

> El mundo es, un momento,
> trasparente, vacío, ciego, alado.
>
> (*OC*, 242)

Ya desde la época de *Soledades* (1903) el fluir de las vivencias y sensaciones revelan en el relato confidencial de su poesía una existencia que por momentos se roza de modo escalofriante con el vacío. El poeta habla del "amargo retablo de la vida" (*OC*, 40), percibe el silencio agobiante de las lentas horas del atardecer, su existencia triste y monótona (*OC*, 177), vive el enigma del presente (*OC*, 33), llama amarga a la tierra, a la vida y hasta a la primavera. En sus paseos de las tardes soñolientas se ve asaltado por preguntas en apariencia simples, pero inquietantes:

> Yo voy soñando caminos
> de la tarde. ¡Las colinas
> doradas, los verdes pinos,
> las polvorientas encinas! [...]
> ¿Adónde el camino irá?
>
> (*OC*, 64)

Pesadez, hastío, cansancio. "La vieja angustia que hace el corazón pesado" (*OC*, 66) le oprime. Ve el mundo como en un "irremediable bostezo universal" (*OC*, 93 y 99) y muy lejos de toda existencia paradisíaca. "No fue por estos campos el bíblico jardín" (*OC*, 129), habría que decir prestando mayor amplitud a sus palabras. Machado no vive en un mundo firme, bien sentado sobre sus pilares. La existencia se le ofrece insegura y acosada por mil cuestiones. Los valores establecidos sufren fuertes sacudidas y el hombre se siente envuelto en la borrascosa crisis. Sus versos no reflejan, no pueden reflejar una adhesión entusiasta a la vida, sino malestar, decaimiento, vacilación y duda.

Y es que el ser humano vive y anda sobre el terreno movedizo de la temporalidad. Este tema obsesionante de la psicología, de las artes, las letras y de todo el pensamiento contemporáneo es también —como se ha dicho mil veces— la raíz de la poesía de

Machado, el "poeta del tiempo", que orienta su creación en torno a lo que es la esencia misma del ser humano según las filosofías existenciales. Recién casado (1911), escuchó durante varios meses a Henri Bergson. Éste divulgaba por entonces desde el Collège de France una filosofía muy al gusto de la época que entusiasmaba a toda una sociedad culta fatigada de las tendencias positivistas. Anatole France, D'Annunzio, Charles Péguy, Georges Sorel, Raïssa Maritain, como Machado, asistían a sus lecciones que logran un extraordinario éxito. Éste queda impresionado (*OC*, 185, 561, 567 y 826). Lo más popular del bergsonismo es su denuncia de la ciencia decimonónica y de la "vieja filosofía", su desconfianza ante la razón y el intelecto, que el catedrático poeta encuentra muy atractiva y acepta en numerosos ensayos. "La inteligencia sólo puede pensar —según Bergson— la materia inerte, como si dijéramos las zurrapas del ser, y lo real, que es la vida (*du vécu = de l'absolu*) sólo alcanzarse con ojos que no son los de la inteligencia, sino los de una conciencia vital, que el filósofo pretende derivar del instinto" (*OC*, 826). La intuición bergsoniana es el medio que permite captar las más profundas realidades de la vida en su continua fluidez o perpetuo devenir.[1] Machado cree en ella como sentido que nos ofrece una "íntima revelación de la vida" (*OC*, 930) y asigna a la lírica la misión paralela de captar la existencia y el tiempo en su perpetuo fluir [2] fundando sobre la dicotomía intuición-concepto toda una teoría de la expresión poética. Distingue las imágenes conceptuales, inertes, sin inventiva, carentes de todo valor emotivo, y las intuitivas, fluidas, temporales, cargadas de viva experiencia psíquica y de emotividad.[3]

El bergsonismo venía además a abrir nuevos horizontes a la mente humana. Revelaba un cierto respeto por el espíritu (tan menospreciado por toda la ciencia positivista) al que Bergson consideraba la máxima sublimación de las actividades vitales, frente a la materia que es un residuo petrificado de ellas. Deja abiertas las puertas al misterio, importante preocupación de las corrientes artísticas simbolistas y postsimbolistas, respondiendo a una cierta hambre de "emoción sacra". Como formuló Julien Benda: "¡Cuántas almas acoge el bergsonismo que, sedientas de misterio, no pueden, no obstante, aceptar un 'verbo que se hace carne' o la 'unción que nos comunica una ciencia infusa'".[4] Antonio Machado asimila concepciones fundamentales de Bergson de modo tan vital que las llega a convertir en algo propio. Nada extraño que a veces nos tropecemos con obritas o versos como los siguientes:

> Todo se mueve, fluye, discurre, corre o gira;
> cambian la mar y el monte y el ojo que los mira.
>
> (*OC*, 127)

¿No es esto bergsonismo asimilado y vivido, de la mejor calidad, que recuerda aquellos pasajes de *L'évolution creátrice*?

> L'objet a beau rester le même, j'ai beau le regarder du même côté sous le même angle, au même jour: la vision que j'ai n'en diffère pas même de celle que je viens d'avoir, quand ce ne serait que parce qu'elle a vieilli d'un instant.[5]

Cambio incesante de objeto y sujeto, movimiento, temporalidad. Machado de la mano de Bergson aprende el hábito de la reflexión filosófica, la interpretación del tiempo psíquico como "durée" o vivencia consciente del devenir y la atención particular que le concede a éste. Asimismo orienta su atención hacia el continuo fluir dentro de la propia conciencia, que le ha inspirado tan valiosos poemas y que le conecta con las corrientes del pensamiento fenomenológico de donde brotan las filosofías existenciales al igual que la visión machadiana del mundo.

Tanto Kierkegaard como Heidegger están de acuerdo en que "en sus raíces últimas la existencia es temporalidad".[6] Heidegger habla del "enraizamiento de la existencia en la temporalidad" y de la "constitución temporal del ser-en-el-mundo".[7] Absorbido como está el hombre en su propio existir, éste es el único medio que le queda para comprender el ser. Existencia y temporalidad van a ser los dos principales temas de meditación filosófica de la primera mitad del siglo xx. Machado podemos decir que antes que filosófica capta poéticamente esta esencial temporalidad de la existencia que con tanta precisión formula después de conocer a Heidegger: "Ser en el tiempo y en el mundo [...] es la existencia humana" (*OC*, 567). Pero ya mucho antes tuvo que sentir con intensidad desacostumbrada y tremenda la angustia del tiempo y de la espera: "Vivir es devorar tiempo: esperar; y por muy trascendente que quiera ser nuestra espera, siempre será espera de seguir esperando" (*OC*, 373). Percibe tan angustiosamente esta vivencia temporal que no concibe el infierno sino como "la espeluznante mansión del tiempo, en cuyo círculo más hondo está Satanás dando cuerda a un reloj gigantesco por su propia mano" (*OC*, 373).

Machado había vivido y cantado la existencia del hombre descarriado y en crisis que busca un norte en la obscuridad, pero como Heidegger se confiesa incapaz de precisar el origen de este sentimiento angustioso:

Y es que ésta, según Heidegger, no es el simple "temor" que experimentamos frente a una amenaza concreta; aquí no se trata de un peligro particular, sino de la sensación de que el mismo control sobre nuestra propia existencia[8] se nos escapa de las manos:

> La causa de esta angustia no consigo
> ni vagamente comprender siquiera [...].
>
> (*OC*, 112)

> Lo que nos espanta ante este mundo "tan sobrecogedoramente inmenso", tan exterior a nosotros al parecer, y al cual somos entregados sin defensa ni recurso, es [...] el simple hecho, brutal, inexorable e insuperable de nuestro "ser-en-el-mundo".[9]

Heidegger afirma pues rotundamente que la causa de esta angustia es el mismo "ser-en-el mundo" como tal,[10] sin más determinaciones. Veamos ahora cómo expresa el poeta esta sensación de soledad y angustia al verse perdido en la vastedad del existir como un perro o un niño, sin nadie a quien recurrir, en unos versos que, según él mismo, "pueden tener una inequívoca interpretación heideggeriana" (*OC*, 563):

> Es una tarde cenicienta y mustia,
> destartalada, como el alma mía;
> y es esta vieja angustia
> que habita mi usual hipocondría.
>
> La causa de esta angustia no consigo
> ni vagamente comprender siquiera;
> pero recuerdo y, recordando, digo:
> —Sí, yo era niño, y tú, mi compañera.
>
> Y no es verdad, dolor, yo te conozco,
> tú eres nostalgia de la vida buena,
> y soledad de corazón sombrío,
> de barco sin naufragio y sin estrella.
>
> Como perro olvidado que no tiene
> huella ni olfato y yerra
> por los caminos, sin camino, como
> el niño que en la noche de una fiesta
>
> se pierde entre el gentío
> y el aire polvoriento y las candelas
> chispeantes, atónito, y asombra
> su corazón de música y de pena,

así voy yo, borracho melancólico,
guitarrista lunático, poeta,
y pobre hombre en sueños,
siempre buscando a Dios entre la niebla.

(*OC*, 112)

Mientras la angustia era en Kierkegaard más bien una especie de torbellino interior, aparece en Heidegger "ligada a un hecho cósmico", [11] al igual que la que agobia también el alma del poeta:

Señor, me cansa la vida
y el universo me ahoga.

(*OC*, 745)

Es el abandono del hombre, el sentimiento de verse arrojado en el mundo (*Geworfenheit*). La soledad y la angustia revolotean sin cesar por los versos de Machado (*OC*, 452). Este llega a afirmar que nuestro tiempo, por haber revelado al hombre su desnudez y abandono, es el "siglo [...] que inventó la soledad" (*OC*, 755). Si éste no es el siglo que inventó la soledad, sí que es el inventor de un tipo especial de desamparo que deja al hombre solo frente a la vida y sin algo o alguien a quien recurrir, realidad que también plasma el poeta en la imagen precisa de un "barco sin naufragio y sin estrella" (*OC*, 112).

En este contexto vale la pena que volvamos nuestra atención al tema del camino tan detalladamente estudiado por varios críticos,[12] que se convierte en viva proyección de este sentido angustioso de la existencia "por los caminos, sin camino" (*OC*, 112), y cobra una fuerza tremenda al recurrir a la comparación del perro sin olfato y del niño perdido entre el gentío. Ese caminar amargo y cansino entre "yertos árboles" y "montes lejanos" (*OC*, 113) se ha convertido en símbolo de la vida humana y se carga de una intensidad emocional que supera en mucho a la metáfora paralela de Jorge Manrique "nuestras vidas son los ríos" al proyectar el sentir del hombre moderno en su derelicción, sin oriente y a oscuras:

> Amargo caminar, porque el camino
> pesa en el corazón. ¡El viento helado,
> y la noche que llega, y la amargura
> de la distancia!... En el camino blanco
> algunos yertos árboles negrean;
> en los montes lejanos
> hay oro y sangre... El sol murió...
> ¿Qué buscas,
> poeta, en el ocaso?
>
> (*OC*, 113)

El caminante experimenta un hondo escalofrío ante la total oscuridad e incertidumbre de esa "noche que llega" (¿la muerte?, ¿el más allá?) insinuando preocupaciones metafísicas que sabemos eran muy vivas en el poeta.

Por todo esto me cuesta aceptar el siguiente pasaje del por lo demás excelente estudio de Sánchez-Barbudo cuando dice:

> El error está en creer que el existencialismo de Machado consiste en la angustia que hay encerrada en sus poemas, especialmente los primeros, y no en una *meditación* sobre esa angustia, meditación posterior, angustiada seguramente, pero meditación. De ser sólo por sus poemas, lo mismo podría decirse de otros muchos poetas, empezando, en España, por Jorge Manrique, y no habría motivo alguno, pese a lo que Machado dijera, para hablar de él como especialmente heideggeriano.[13]

Yo creo que frente a Heidegger que formula y estructura una filosofía de la existencia del hombre moderno, Machado es el hombre que vive la incertidumbre y la angustia humana de su tiempo y la expresa con una intensidad angustiosa que no sufre comparación con la vivencia del cristiano Jorge Manrique, seguro y confiado en cuanto al sentido y al fin de la vida humana.

La muerte como posibilidad inminente de la existencia es el otro tema en que Machado y Heidegger llegan a concepciones muy próximas. Precisamente la angustia arranca de nuestra propia situación originaria de existencias arrojadas al mundo, de seres que existen para morir.[14] Heidegger añade que el ser, por el simple hecho de existir se halla ya abocado a esta posibilidad y que "el-ser-para-la-muerte es esencialmente angustia".[15] Lo que Heidegger sabe formular en una teoría arquitectónicamente estructurada, que ha alimentado durante decenios la reflexión filosófica de todo el mundo occidental, es en Machado honda vivencia y conmovedora expresión. ¡Con qué intensidad serena sabe sugerir la constante presencia de la muerte, la angustia de la espera y su inminencia inevadible!

> Al borde del sendero un día nos sentamos.
> Ya nuestra vida es tiempo, y nuestra sola cuita
> son las desesperantes posturas que tomamos
> para aguardar... Mas Ella no faltará a la cita.
>
> (*OC*, 79)

Al oir estos versos no podemos menos de constatar la perfecta correspondencia entre su contenido y la actitud ante la muerte de toda existencia auténtica en el sentido heideggeriano según la exposición de Waelens:

> La aceptación auténtica de la muerte será una *espera* (*Erwarten*) constante de ésta. El existente auténtico vive en la presencia perpetua de una muerte que entrevé a cada instante, cuya inminente posibilidad no pierde de vista [...] El existente auténtico mira la muerte como algo que afecta cada una de sus acciones y

cada modalidad de su ser. Vive en la *incesante anticipación* de la muerte.[16]

El otro descubrimiento estremecedor a que llega Machado es la nada, el vacío, el cero, el silencio, al que llama "el aspecto sonoro de la nada".[17] De hecho el morir, según la imagen machadiana, equivale a desembocar en "la inmensa mar" de la nada:

> Apenas desamarrada
> la pobre barca, viajero, del árbol de la ribera,
> se canta: no somos nada.
> Donde acaba el pobre río la inmensa mar nos espera.
>
> (*OC*, 66)

La idea de Dios no se interfiere en ésta su cosmovisión. La mónada humana, según Machado, ha perdido definitivamente a Dios y sólo le ha quedado un ansia o búsqueda insatisfecha de él. Antonio Sánchez-Barbudo tiene palabras definitivas al respecto:

> Era, pues, Machado de los fideístas que, más propiamente, con más claridad al menos, podríamos llamar ateos, aunque ciertamente ateos insatisfechos: hombres que sienten la falta de Dios [...] Pero hay también quien deseando muy sinceramente a Dios, definitivamente no cree en Él. Tal es el caso de Machado, que [...] creía sobre todo en la nada. Del sentimiento de la nada brotaban, para él, metafísica y poesía.[18]

Machado parece verdaderamente obsesionado con esta cuestión: "Dios regala al hombre el gran cero, la nada o cero integral, es decir, el cero integrado por todas las negacioones de cuanto es" (*OC*, 311). Abel Martín, el apócrifo poeta y filósofo, muere pidiendo a Dios:

ahógame esta mala gritería,
Señor, con las esencias de tu Nada,

(*OC*, 346)

para terminar apurando el cáliz de la pura sombra:

Abel tendió su mano
hacia la luz bermeja
de una caliente aurora de verano,
ya en el balcón de su morada vieja.
Ciego, pidió la luz que no veía.
Luego llevó, sereno,
el limpio vaso, hasta su boca fría,
de pura sombra —¡oh, pura sombra!— lleno.

(*OC*, 347)

Machado se siente como Unamuno fascinado por la incógnita de la nada, el gran problema del pensamiento occidental que con tanta brillantez expone uno de sus mejores intérpretes al construir su filosofía existencial sobre la nada y la finitud como fundamento.[19] ¿Es por esto por lo que cuando Machado la descubre en su vejez queda tan fascinado? ¿Es que como las mariposas —y es una imagen suya— le gusta revolotear ante la luz cegadora, el vislumbre del abismo, el vacío? ¿Es que le atrae como hombre y como artista lo que él llama esa "angustia esencialmente poética de ser junto a la nada"? (*OC*, 464). Esto revelaría que ha llegado a las raíces de la gran crisis del hombre de nuestro siglo, tan lúcidamente descrita por Heidegger en un ensayo sobre Nietzsche.

Para Heidegger el grito *Gott ist tot!* significa que el Dios cristiano, pero también todo el mundo suprasensorial o metafísico con sus valores, ética, ideales, ha perdido su vigencia o fuerza vivificadora hasta el punto de que al hombre no le queda nada a que atenerse o por qué orientarse. La nada se extiende como ausencia de un mundo suprasensorial con vigencia reguladora.[20]

> Nihilism as the *eskaton* of the entire tradition, is a summary word for everything that is happening and must happen at the moment of the birth of the new tradition that is upon us. All the devaluations —the birth of art for art's sake, the birth of a notion of culture, the flowering of research, the debasing of man to a unit within the complexus of the *Maschinentechnik*, the death of God— are only consequences of the *Vollendung* of the consummation which is the birth of a new era.[21]

Por otra parte, no todo el que invoca una fe, dice Heidegger, o una convicción metafísica, está fuera del nihilismo. Recordemos a Unamuno. Y al contrario, tampoco todo el que reflexiona sobre la nada y su esencia es un nihilista.[22] Podemos pensar en Machado. La esencia de la crisis nihilista a que ha llegado el mundo occidental consiste en la total "desvalorización de los valores supremos", [23] que lleva a un estado de inseguridad y a una "radical desorientación", como diría Ortega y Gasset. Pero lo más grave no es esto. No. Lo que ha desaparecido es no sólo todo un sistema de valores, sino la misma región de donde podían surgir estos valores: el mundo suprasensorial, teológico o metafísico.[24]

Podemos decir que Machado, muy representativo de su época, se debate en este vacío, agobiado por todo un diluvio de cuestiones (*OC*, 450). Como hombre sensible y alerta ha tomado el pulso a su tiempo, ha vivido sus problemas, los ha cantado y se los ha planteado reflexivamente llegando a desarrollar concepciones filosóficas que, como ha demostrado Sánchez-Barbudo,[25] se adelantan en muchos aspectos a las de Heidegger y vienen a encajar con bastante precisión en sus categorías. Nada extraño, ya que ambos, filósofo y poeta, hunden sus raíces en el pensar y sentir de su siglo.

El poeta taciturno es consciente de vivir en una época de

honda crisis (*OC*, 711), ya que habla de fe y ateísmo, filosofías trasnochadas y ciencias en descrédito, poesía y pragmatismo, y siempre nos da la misma impresión insegura y preocupada de quien tiene miedo de que todo el edificio se le desmorone.

Al llegar aquí nos podemos preguntar cuándo conoció Machado la obra de Heidegger. La primera alusión a él data de junio de 1935 cuando habla de la "intuición de las esencias, la *Wesenschau* de los fenomenólogos de Friburgo".[26] Sánchez-Barbudo sugiere muy plausiblemente que Machado conoció *¿Qué es metafísica?* de Heidegger, publicada en *Cruz y Raya* en septiembre de 1933, y que tal vez empezó a leer *Sein und Zeit* en el original alemán.[27] Esto es posible, pero yo creo que el poeta no llegó a un conocimiento profundo de *Sein und Zeit* hasta 1937, en que Gallimard publicó la versión francesa de algunos capítulos con una buena introducción expositiva del pensamiento de Heidegger.[28] Algún ejemplar debió llegar a manos de Machado, muy bien relacionado con París a través de escritores y amigos que habían asistido durante el verano de 1937 al II Congreso Internacional de Escritores Antifascistas en Valencia. Es a raíz de esta lectura cuando percibe de veras el alcance filosófico del pensador de Friburgo, se queda maravillado de las muchas coincidencias que los unen y escribe el conocido artículo sobre él que se publica precisamente en diciembre de 1937.[29]

Esta filosofía venía a dar una formulación perfectamente estructurada a toda una serie de meditaciones que Machado, interesado por cuestiones filosóficas desde que escuchó a Bergson en la Sorbona, venía rumiando desde hacía tiempo. Eran problemas que se planteaba el hombre de principios de siglo, de vueltas del kantismo, desengañado de los extremos a que había llevado el culto exorbitado a la razón y a la ciencia, y un poco desvalido y perdido después de sacudir el yugo de Dios y de toda metafísica. El poeta queda sorprendido al descubrir tales paralelismos: "¿Es que somos algo heideggerianos sin saberlo?" (*OC*, 563), se pregunta. Si la poesía ha de hablar a lo más íntimo, si ha de hacer vibrar las capas más profundas del ser humano, ha de ser poesía existencial. Y la de Machado lo es. Poetas y filósofos se dan la mano en un esfuerzo común por interpretar y cantar la existencia en crisis del hombre del siglo XX.[30]

Tal vez antes de terminar debíamos preguntarnos: ¿Cómo intenta Machado superar esta crisis? El hombre histórico ha pasado, según él, de "la fe en la iluminación del mundo", el mejor de los mundos de Leibnitz, a "la fe, no menos arbitraria, en su total acefalía" (*OC*, 703), desorden o caos. ¿Cómo escapar de éste? A veces, como ya se ha constatado alguna vez, tenemos la impresión, sobre todo cuando habla Juan de Mairena, de que éste conduce a sus discípulos a un laberinto ideológico y los deja allí para que cada uno trate de hallar la salida por su cuenta.[31] Pero ¿hay de hecho salida? No se puede dudar de que Machado tiene fe profunda en la nobleza del ser humano, en sus altas aspiraciones espirituales, en la necesidad de "devolver su dignidad de hombre al animal humano". Le fascina el que Heidegger ponga precisamente la existencia humana en el centro de toda su meditación filosófica (*OC*, 566) y simpatiza con este su "nuevo humanismo, tan humilde y tristón como profundamente zambullido en el tiempo" (*OC*, 567). Como hombre culto y reflexivo se da perfecta cuenta de que lo que está en crisis es el mismo concepto de lo humano.[32] Estamos ante un auténtico "cambio de dioses", como aquel de que acusaron a Sócrates sus conciudadanos. El poeta comenta al respecto:

> Los hombres han comprendido siempre que sin un cambio de dioses todo continúa aproximadamente, como estaba, y que todo cambia, más o menos catastróficamente, cuando cambian los dioses [*OC*, 444].

El hombre moderno deberá arriesgar una posible catástrofe si está decidido a cambiar sus "dioses", mitos o valores básicos.[33] Pero tal vez sea ésta la única solución que le queda.

En la total desorientación, Machado mantiene firme su fe en los esenciales valores humanos:

> Cierto que las inmutables estrellas que orientan el alma humana: amor, justicia, conocimiento, libertad, no han desaparecido. Se pregunta no más por la validez de las cartas marinas que el hombre había trazado para su propio navegar, bajo el impasible esplendor de esas inasequibles constelaciones [*OC*, 696].

Como escritor sabe también comprometerse en la defensa de esos valores y conoce que en momentos de crisis "lo peor para un poeta es meterse en casa con la pureza, la perfección, la eternidad y el infinito" (*OC*, 831). Su condena de la torre de marfil es decidida. "El arte se ahoga entre superlativos" y la musa se vuelve estéril entre cuatro paredes (*OC*, 831). El cantor romántico solía exhibir "su corazón con la jactancia del burgués enriquecido que ostenta sus palacios, sus coches, sus caballos y sus queridas" (*OC*, 324). Esta expresión del sentimiento individualista burgués está fracasada y resulta ofensiva. "Un corazón solitario no es un corazón; porque nadie siente si no es capaz de sentir con otro, con otros [...] ¿por qué no con todos?" (*OC*, 325). Machado percibe la urgencia de un cambio. El poeta habrá de convertirse en intérprete del espíritu colectivo. Para esto sirve su ingenioso invento de la máquina de trovar. Habrá de saltar sobre su propia sombra y convertirse en portavoz de sus hermanos los hombres. En un mundo en crisis abierta y en medio de serias convulsiones sociales tendrá que estar alerta y en actitud muy receptiva ya que "una nueva poesía supone una nueva sentimentalidad y ésta, a su vez, nuevos valores" (*OC*, 325). La guerra civil va a demostrar que Antonio Machado está interiormente preparado para enfrentarse con estas exigencias y reaccionar de manera responsable ante los problemas de su pueblo y de su tiempo, mientras que modestamente espera a los poetas que harán posible la nueva canción social del "grupo humano" (*OC*, 326).[34]

Pone su esperanza en un mañana que pudiera traer "una nueva fe" en la fraternidad humana y constata cómo esto ya lo anuncian ciertas filosofías contemporáneas que abandonando su soledad ególatra, "causa de su desesperanza", vuelven a creer en *el otro*, "en la esencial heterogeneidad del ser" (*OC*, 856).

El amor tiene además de esta dimensión social bien conocida otra dimensión personal. Ante el desmoronamiento de su mundo en torno, Machado responde también construyéndose si no una torre de marfil, sí un "jardín soñado [...] que inventan dos corazones al par" (*OC*, 340), donde se logra vencer el olvido y la muerte. El amor surge como uno de los pocos valores que permanecen firmes, que no se desmoronan ante los ataques del tiempo. Su presencia, al contrario, da vida y sentido a todo cuanto le rodea (*OC*, 340 y 341). Como para ciertas filosofías griegas (Empédocles de Agrigento) el amor es una fuerza de cohesión del universo. Frente a la disgregación del mundo moderno, la desintegración social e individual, el poeta, uno de los hombres más auténticos y generosos de su tiempo, cree en esta maravillosa fuerza creadora (*OC*, 378) del amor personal y fraterno, de donde podría venir un remedio para el mundo. Su poesía, como dice Aranguren, "consiste en caminar al paso de la vida", de sus palpitaciones. Es poesía de experiencia, poesía existencial.[35] No es ciertamente un acto entusiasta de fe en la vida. La incertidumbre y la duda la ensombrecen. Refleja tal vez esperanza o a lo sumo confianza en un mundo mejor. Lo que sí podemos decir es que no hay probablemente en toda la poesía del siglo XX un sentimiento tan intenso de la vida del hombre como ser en el tiempo, como espera constante, no hay una vivencia tan agobiante del "ser-para-la-muerte" y una conciencia más clara y angustiosa de la finitud temporal de la existencia humana que en Machado.

Boston University

NOTAS

1. Henri L. Bergson, *L'évolution créatrice* (Librairie Félix Alcan, París, 1930): "Tandis que l'intelligence traite toutes choses mécaniquement, l'instinct procède, si l'on peut parler ainsi, organiquement", p. 179. También pp. 179-192. Véase José Ferrater Mora, *Introducción a Bergson* (Sudamericana, Buenos Aires, 1946), y sobre la gran controversia en torno a la obra de Bergson: Julien Benda, *Une philosophie pathétique* (Cahiers de la Quinzaine, París, 1913). Cito la obra de Machado mediante la sigla *OC* (*Obras completas*), seguida del número de la página, refiriéndome a la edición de Antonio Machado, *Obras. Poesía y prosa*, Losada, Buenos Aires, 1964.

2. Carlos Clavería afirma que el intuicionismo bergsoniano "inspira y constituye el fondo de toda la poética" machadiana ("Notas sobre la poética de Antonio Machado", *Hispania*, XXVIII [1945], p. 172), sin descender a una exposición detallada de los diversos elementos de coincidencia. Juan López-Morillas ("Machado's temporal interpretation of poetry", *Journal of Aesthetics and Art Criticism*, VI [1947], pp. 161-171) estudia a fondo su raíz temporal, tema que después es desarrollado en el libro de Ramón de Zubiria *La poesía de Antonio Machado* (Gredos, Madrid, 1959).

3. "A mi juicio, conviene reparar en que la poesía emplea dos clases de imágenes, que se engendran en dos zonas diferentes del espíritu del poeta: imágenes que expresan conceptos y no pueden tener sino una significación lógica, e imágenes que expresan intuiciones, y su valor es preponderantemente emotivo. A veces pueden revestir el mismo indumento verbal, pero, a pesar de ello, sólo un análisis grosero suele confundirlas. La intención del poeta, que es preciso descubrir y señalar, las hace radicalmente distintas" (*OC*, 822). "Estos elementos lógicos, conceptos escuetos o imágenes conceptuales —insisto en llamar así a las que sólo contienen conceptos, juicios, definiciones, y no intuiciones, en ninguno de los sentidos de esta palabra— podrán ser asociados, disociados, barajados, alambicados, trasegados, pintados con todos los colores del iris o abrillantados con toda suerte de charoles, pero nunca alcanzarán por sí mismos un valor emotivo. Son elementos constructivos que pueden y hasta, en rigor, deben estar ocultos, marcando la estructura genética, proporciones y límites. Pero el organismo del poema requiere, además, los elementos fluidos, temporales, intuitivos del alma del poeta, como si dijéramos la carne y sangre de su propio espíritu. No es la lógica lo que el poema canta, sino la vida, aunque no es la vida lo que da estructura al poema, sino la lógica" (*OC*, 823). "Conceptos e imágenes conceptuales —pensadas, no intuidas— están fuera del tiempo psíquico del poeta, del fluir de su propia conciencia" (*OC*, 316).

4. Julien Benda, *Une philosophie pathétique*, Cahiers de la Quinzaine, París, 1913, p. 30.

5. Henri L. Bergson, *op. cit.*, p. 2. En otro lugar, p. 6, dice: "Notre personnalité, qui se bâtit a chaque instant avec de l'expérience accumulée, change sans cesse".

6. A. de Waelhens, *La philosophie de Martin Heidegger*, Éditions de l'Institut Supérieur de Philosophie, Lovaina, 1946, p. 346.

7. "Verwurzelung des Da-seins in der Zeitlichkeit"; "[...] der zeitlichen Konstitution des In-der-Welt-seins". "Dieselbe Zeitlichkeit im vorhinein schon die Bedingung der Möglichkeit des In-der-Welt-seins ist". Martin Heidegger, *Sein und Zeit*, Max Niemeyer Verlag, Tubinga, 1967, p. 351.

8. Véase Thomas Langan, *The meaning of Heidegger. A critical study of an existentialist phenomenology*, Columbia University Press, Nueva York, 1966, p. 29.

9. A. de Waelhens, pp. 122-123. La traducción es mía.

10. "Das Wovor der Angst ist das In-der-Welt-sein als solches". "Das Wovor der Angst ist völlig unbestimmt". M. Heidegger, *op. cit.*, p. 186.

11. A. de Waelhens, *op. cit.*, p. 127.

12. Concha Zardoya, "Los caminos poéticos de Antonio Machado", en *Poesía española del 98 y del 27* (Gredos, Madrid, 1968), pp. 102-134, y Emilio Orozco-Díaz, "Antonio Machado en el camino" en *Paisaje y sentimiento de la naturaleza en la poesía española* (Ediciones del Centro, Madrid, 1974), pp. 173-242.

13. Antonio Sánchez-Barbudo, "El pensamiento de Antonio Machado en relación con su poesía", en *Estudios sobre Unamuno y Machado*, Guadarrama, Madrid, 1959, p. 311.

14. "Sondern, wenn Dasein existiert, ist es auch schon in diese Möglichkeit *geworfen.* Dass es seinem Tod überantwortet ist und dieser somit zum In-der-Welt-sein gehört, davon hat das Dasein zunächst und zumeist kein ausdrückliches oder gar theoretisches Wissen. Die Geworfenheit in den Tod enthüllt sich ihm ursprünglicher und eindringlicher in der Befindlichkeit der Angst". "[...] das Dasein als geworfenes Sein zu seinem Ende existiert". M. Heidegger, *op. cit.*, p. 251.

15. "Sein zum Tode ist wesenhaft Angst". M. Heidegger, *op. cit.*, p. 266.

16. A. de Waelhens, *op. cit.*, pp. 147-148. La traducción es mía.

17. Son incesantes las alusiones a esta rica variedad de temas que en el fondo se reducen a uno solo: la nada: *OC*, 66, 330, 346, 347, 450, 464 y 499; el cero: *OC*, 311, 312 y 345; el vacío: *OC*, 196 y 242; el silencio: *OC*, 311 y 336. Resulta difícil aclarar con precisión lo que significan "nada", "cero" y "vacío" para Machado. Cotejando diversos textos saltan a la vista las inconsistencias. No olvidemos que estamos tratando de definir el pensamiento de un poeta "heraclitano", cuya esencia es estar en continuo cambio.

18. A. Sánchez-Barbudo, *op. cit.*, p. 235, y también pp. 207-209.

19. Th. Langan, pp. 37 y 93-98.

20. M. Heidegger, *Holzwege* (Vittorio Klostermann, Frankfurt am Main, 1963), pp. 199-200: "Gott ist der Name für den Bereich der Ideen und der Ideale. Dieser Bereich des Übersinnlichen gilt seit Platon, genauer gesagt, seit der spätgriechischen und der christlichen Auslegung der Platonischen Philosophie, als die wahre und eigentlich wirkliche Welt. Im Unterschied zu ihr ist die sinnliche Welt nur die diesseitige, die veränderliche und deshalb die bloss scheinbare, unwirkliche Welt [...] Das Wort "Gott ist tot" bedeutet: die übersinnliche Welt ist ohne wirkende Kraft. Sie spendet kein Leben[...] Wenn Gott als der übersinnliche Grund und als das Ziel alles Wirklichen tot, wenn die übersinnliche Welt der Ideen ihre verbindliche und vor allem ihre erweckende und bauende Kraft eingebüsst hat, dann bleibt nichts mehr, woran der Mensch sich halten und wonach er sich richten kann". Véase también M.

Heidegger, *Der europäische Nihilismus*, Verlag Günther Neske, Pfullingen, 1967.

21. Th. Langan, *op. cit.*, pp. 185-186.

22. "Nicht jeder, der sich auf seinen christlichen Glauben und auf irgend eine metaphysische Überzeugung beruft, steht deshalb schon ausserhalb des Nihilismus. Umgekehrt ist aber auch nicht jeder, der über das Nichts und sein Wesen sich Gedanken macht, ein Nihilist." M. Heidegger, *Holzwege*, p. 201.

23. "Nietzsche versteht unter Nihilismus die Entwertung der bisherigen obersten Werte. Aber Nietzsche steht zugleich bejahend zum Nihilismus im Sinne einer 'Umwertung aller bishering Werte'. Der Name Nihilismus bleibt daher mehrdeutig[...]". M. Heidegger, *Holzwege*, p. 207 y 205-206.

24. M. Heidegger, *Holzwege*, pp. 205-207; Th. Langan, *op. cit.*, p. 186.

25. A. Sánchez-Barbudo, *op. cit.*, pp. 202 y 307-312.

26. Véase *OC*, 448. Estas notas de Juan de Mairena, a lo que hemos podido constatar, aparecen bajo el título "Sigue hablando Mairena a sus amigos de retórica" en *Diario de Madrid* (julio 1935).

27. A. Sánchez-Barbudo, *op. cit.*, p. 307.

28. Se trata de una versión parcial que comprende los párrafos 46-53 y 72-76 de *Sein und Zeit* publicados por Gallimard, París, en *Les essays* n.º 3, que debió aparecer durante 1937 ya que *Les essays* n.º 7 se publica en 1938.

29. *OC*, 561-567. Éste fue publicado con el título "Miscelánea apócrifa: Notas sobre Juan de Mairena" en *Hora de España*, Valencia, n.º 13 (diciembre 1937). A. Sánchez Barbudo, p. 307, 313.

30. No es que Machado incorpore "la filosofía existencial de Heidegger a su propia poesía" como quiere Carlos Clavería, art. cit., p. 180. El existencialismo de ambos puede considerarse más bien un fenómeno paralelo.

31. J. López-Morillas, art. cit., p. 164. A. Machado se hace eco en numerosos pasajes de ideas o actitudes características de Schopenhauer: el pesimismo y la visión de un mundo caótico, absurdo, opuesto a toda razón son las principales. Véase Clément Rosset, *Schopenhauer, philosophe de l'absurde*, Presses Universitaires de France, París, 1967, sobre todo cap. II.

32. "[Éste][...] cambia con la fe de cada época, con la metafísica —no asuste la palabra— más o menos consciente o formulada que encierra nuestras creencias últimas. Épocas hay en que es este concepto de lo humano lo que está en crisis. Esto lo expresa el arte, a su manera, por una aparente inseguridad o desorientación" (*OC*, 825).

33. Heidegger habla también de que esta crisis del nihilismo por que atraviesa Europa es tan profunda que "su desarrollo puede traer sólo catástrofes de alcance mundial" (M. Heidegger, *Holzwege*, p. 201). El tema de los dioses como símbolos de ciertos valores era común en Nietzsche, quien cierra la primera parte de *Also sprach Zarathustra* con el grito *Tot sind alle Götter* ("todos los dioses han muerto"). Machado se hace eco de ambos pensamientos.

34. Ya en su escrito "Problemas de la lírica" (1917) Machado había llegado hasta el punto de no concebir el verdadero sentimiento poético sino en comunidad: "Mi corazón, enfrente del paisaje, apenas sería capaz de sentir el terror cósmico, porque aun este sentimiento elemental necesita, para producirse, la congoja de otros corazones entelеridos en medio de la naturaleza no comprendida. Mi sentimiento ante el

mundo exterior, que aquí llamo paisaje, no surge sin una atmósfera cordial. Mi sentimiento no es, en suma, exclusivamente mío, sino más bien *nuestro*. Sin salir de mí mismo, noto que en mi sentir vibran otros sentires y que mi corazón canta siempre en coro, aunque su voz sea para mí la voz mejor timbrada. Que lo sea también para los demás, éste es el problema de la expresión lírica" (*OC*, 714). "La *Máquina de trovar*, en suma, puede entretener a las masas e iniciarlas en la expresión de su propio sentir, mientras llegan los nuevos poetas, los cantores de una nueva sentimentalidad" (*OC*, 328).

35. José Luis L. Aranguren, *Crítica y meditación*, Taurus, Madrid, 1957, p. 69.

BIRUTÉ CIPLIJAUSKAITÉ

LAS SUB-ESTRUCTURAS EN "CAMPOS DE CASTILLA"

No toméis demasiado en serio nada de cuanto oís de mis labios, porque yo no me creo en posesión de ninguna verdad que pueda revelaros.[1]

Los sentimientos cambian a través de la historia, y aun durante la vida individual del hombre. En cuanto resonancias cordiales de los valores en boga, los sentimientos varían cuando estos valores se desdoran, enmohecen o son sustituidos por otros.[2]

Juan de Mairena, profesor de escepticismo poético, señalaba a sus alumnos la inevitable evolución de los sentimientos y los valores, es decir, el constante cambio del punto de vista al enfocar el mundo o, para nuestro caso, la obra literaria. Dada su desconfianza inicial frente al crítico:

> Entre nosotros —digámoslo muy en general, sin ánimo de zaherir a nadie y salvando siempre cuanto se salva por sí mismo— la crítica o reflexión juiciosa sobre la obra realizada es algo tan pobre, tan desorientado y descaminante que apenas si nos queda más norte que el público,[3]

todo intento de ofrecer una interpretación nueva de su poesía habría sido acogido con una benévola sonrisa irónica. Y sin embargo él mismo ha insinuado casi proféticamente caminos hasta entonces poco explorados: crítica psicoanalítica, "nostalgia esencial" en lo subconsciente de la "esencia *hermes*" producida por la carencia de *aphrodites*,[4] la descomposición mecánica del poema. Si de Juan de Mairena se dice escuetamente que fue "inventor de una Máquina de Cantar", la explicación detallada por Jorge Meneses del funcionamiento de su *Máquina de trovar* preanuncia los cursos de literatura generada por computadoras ofrecidos hoy en universidades que se precian de más adelantadas. Machado mismo invita, pues, a la aplicación de métodos nuevos una vez que la crítica tradicional ha sacado —al parecer— todo el jugo de sus versos. Seguramente lo hubiera aceptado como *divertimento*, o como ejercicio para llenar los cincuenta minutos de una clase.

Las teorías de Freud, remozadas por Lacan y Mauron, producirían muchas "evidencias" acerca de sus impulsos reprimidos, de las "pulsaciones eróticas" reflejadas en el texto, al paso que estudiarían la base generadora de sus símbolos,[5] no menos fructífera sería una indagación fonológica de sus poemas, explorando la significación de la preponderancia de las vocales sobre las consonantes,[6] el simbolismo de los sonidos,[7] o los significantes constituidos por el ritmo: posibilidad señalada por Machado mismo, aunque recalcando que él nunca busca adrede lo fónico ni se interesa por la estructura externa.[8] Los límites de este trabajo no permiten adentrarse seriamente en ninguno de estos aspectos, que piden análisis de la obra total. Lo que me propongo es explorar muy someramente y de manera muy libre una vereda llena de posibilidades que señala Julia Kristeva en su *La révolution du langage poétique*:[9] la del texto generador subyacente en el texto escrito. En líneas generales, puede ser relacionada con algo que Saussure comentaba ya a principios de siglo: la presencia de palabras no articuladas claramente debajo de aquellas que constituyen el texto escrito,[10] y en realidad recuerda algo aún más elemental: las "estructuras profundas" que están en la base de las "estructuras de superficie" según Chomsky. Alguna vez será útil tener en cuenta la teoría de los opuestos, aunque sin el virtuosismo desplegado por su autor, Michael Riffaterre.[11] Para ello, voy a limitarme a *Campos de Castilla*, y dentro de este libro, a dos poemas representativos inspirados por Soria y Leonor.

Kristeva define lo que ella llama "géno-texte" como sigue:

> Le géno-texte se présente [...] comme la base sous-jacente au langage que nous désignerons par le terme de *phéno-texte*... le langage qui dessert la communication et que la linguistique décrit en "compétence" et en "perfomance". Il reste toujours dissocié, scindé, irréductible par rapport au procès sémiotique qui agit le géno-texte. Le phéno-texte est une structure, [...] obéit à des règles de la communication, suppose un sujet de l'énonciation et un destinataire. Le géno-texte est un procès, traverse des zones à limitations relatives et transitoires, et consiste en un *parcours* non bloqué par les deux pôles de l'information univoque entre deux sujets pleins.[12]

Lo que importa aquí es lo no estructurado, el proceso. Se podría hablar de un "ambiente general generador" subyacente. Dejando a un lado todas las consideraciones psicoanalíticas que forman una parte considerable de sus investigaciones, trataremos de descubrir lo permanente y lo variable en la estructura interna de los dos textos.

Antonio Machado criticaba a los poetas barrocos por su amor a la profusión de imágenes que de intuitivas pasaban a ser conceptuales. No sorprende, pues, constatar que su propia poesía es muy parca en imágenes. Se podría casi afirmar que la repetición de unas cuantas de ellas forma la base más importante de su poesía. Leyendo los poemas donde presenta a Soria, llaman la atención los mismos elementos descriptivos, la misma tonalidad de colores. El texto escrito parece ser casi idéntico en varios de ellos. La diferencia reside en su disposición, en las omisiones y en los sobreentendidos: en el contexto. Como ejemplo, examinaremos dos imágenes del poema CXXI,[13] repetidas casi palabra por palabra de poemas anteriores. Y mientras continuamos las indagaciones, recordaremos que los poemas escritos después de la muerte de Leonor llevan todos ciertas características de base: se desarrollan en dos niveles temporales distintos y usan el diálogo para la transición del uno al otro. Casi todos están estructurados a base de imágenes ya usadas, y es la repetición textual lo que destaca más claramente el cambio en el campo afectivo.

> Allá, en las tierras altas,
> por donde traza el Duero
> su curva de ballesta
> en torno a Soria, entre plomizos cerros
> y manchas de raídos encinares,
> mi corazón está vagando, en sueños...
>
> ¿No ves, Leonor, los álamos del río
> con sus ramajes yertos?
> Mira el Moncayo azul y blanco; dame
> tu mano y paseemos.
> Por estos campos de la tierra mía,
> bordados de olivares polvorientos,
> voy caminando solo,
> triste, cansado, pensativo y viejo.

La primera imagen clave de este poema es la descripción del Duero: vv. 2-4, imagen traída desde el poema CXIII, "Campos de Soria", y formulada por vez primera, con ligera variante, en XCVIII, "A orillas del Duero". Mientras que en XCVIII tiene función puramente descriptiva, en CXIII aparece rodeada de puntos de exclamación. La función conativa se intensifica —y adquiere valor profético— con las modificaciones subsiguientes:

> ¡Colinas plateadas,
> grises alcores, cárdenas roquedas
> por donde traza el Duero

su curva de ballesta
en torno a Soria, obscuros encinares,
ariscos pedregales, calvas sierras,
caminos blancos y álamos del río,
tardes de Soria, mística y guerrera,
hoy siento por vosotros, en el fondo
del corazón, tristeza,
tristeza que es amor! ¡Campos de Soria
donde parece que las rocas sueñan,
conmigo vais! ¡Colinas plateadas,
grises alcores, cárdenas roquedas!...

En "hoy siento por vosotros, en el fondo / del corazón, tristeza" el acento principal, reforzado por el encabalgamiento, cae sobre "corazón". La explicación que sigue: "tristeza que es amor", funciona luego como texto subyacente en CXXI, aunque invirtiendo la situación. En la segunda modificación también se puede observar una inversión cuando se confrontan los dos poemas. "Campos de Soria / donde parece que las rocas sueñan, / conmigo vais" humaniza la naturaleza y transpone el estado de ánimo del poeta a ella. En CXXI, ya sin esta transposición, es el corazón del poeta quien, metonímicamente, "está vagando, en sueños". Sueño de segundo grado: el sueño de las rocas del primer texto evocado por el corazón en sueños del segundo. La profecía se ha cumplido: el "conmigo vais!" es realidad actual en CXXI. Al comparar los dos textos vemos que, aunque la imagen se repite idéntica, surge de una situación totalmente distinta. Ilustra de manera muy persuasiva una de las máximas del poeta:

De toda la memoria, sólo vale
el don preclaro de evocar los sueños.[14]

Las dos descripciones, aisladas, *dicen* lo mismo. En el contexto, y sobre todo teniendo en cuenta el texto subyacente, *significan* dos situaciones opuestas: presencia-ausencia, tristeza que es amor-pérdida de amor que causa tristeza. Mientras que en CXIII toda esta sección se presenta directamente, formando un círculo en el que se encierra la emoción producida por el paisaje contemplado, en CXXI la presentación del paisaje evocado está enmarcada por lo circunstancial. La palabra inicial "allá" introduce la evocación y crea el clima afectivo, sustituyendo el "hoy" de CXIII; "mi corazón en sueños", con la indefinición doble "está vagando", intensifica la sensación de lo irreal. Los puntos de exclamación de XCIII han sido sustituidos por los de suspensión que se presentan como un puente hacia el diálogo con la figura evocada: diálogo imaginado en un paisaje ofrecido por la imaginación, con un interlocutor imaginado.

La segunda imagen del poema: "los álamos del río / con sus ramajes yertos", es mucho más condensada y tiene más potencial evocador. En realidad, pide ser entendida desde la sección VIII de "Campos de Soria":

> He vuelto a ver los álamos dorados,
> álamos del camino en la ribera
> del Duero, entre San Polo y San Saturio,
> tras las murallas viejas
> de Soria —barbacana
> hacia Aragón, en castellana tierra—.
>
> Estos chopos del río, que acompañan
> con el sonido de sus hojas secas
> el son del agua, cuando el viento sopla,
> tienen en sus cortezas
> grabadas iniciales que son nombres
> de enamorados, cifras que son fechas.
> ¡Álamos del amor que ayer tuvisteis
> de ruiseñores vuestras ramas llenas;
> álamos que seréis mañana liras
> del viento perfumado en primavera;
> álamos del amor cerca del agua

que corre y pasa y sueña,
álamos de las márgenes del Duero,
conmigo vais, mi corazón os lleva!

Los "ramajes yertos" en CXXI simbolizan el estado actual del poeta. Son los mismos ("las yertas ramas", CXIII, II) "que acompañan / con el sonido de sus hojas secas / el son del agua" en CXIII. Su significado para el poeta, sobreentendido en CXXI, es enunciado en el texto de CXIII: "tienen en sus cortezas / grabadas iniciales que son nombres / de enamorados, cifras que son fechas". Aquí, lo principal es la permanencia: iniciales que quedan, álamos que con cada primavera se vuelven "liras / del viento perfumado". La repetición anafórica sigue acumulando valores emotivos para terminar con la misma exclamación que cerraba la descripción del Duero: "conmigo vais, mi corazón os lleva!". El significado de los once versos de CXIII se condensa en un solo nombre en CXXI: "Leonor". Como la primera imagen comentada en este texto, la de los álamos —detalle paisajista concreto, ampliado por "el Moncayo azul y blanco", también concreto— está rodeada de dos formas verbales: una pregunta y un imperativo a nivel imaginario. El poder de evocación se ha vuelto más intenso: trae no sólo la imagen del paisaje y de la amada, sino también la sensación de su presencia corporal: su mano. El último imperativo, "paseemos", representa el "géno-texte" presente, aunque no enunciado, ya en CXIII: el detalle biográfico de los paseos de la pareja, antes y después del matrimonio. Tenemos, así, una experiencia subyacente en tres tiempos: álamos vistos con la esperanza del amor, con su realización, con la sensación de su pérdida.

Así como las imágenes comentadas, la estructura total del poema CXXI representa una evocación enmarcada por circunstancia real. Abriéndose con "allá", que introduce transposición espacio-temporal, termina con una indicación de tiempo, lugar y estado de ánimo actuales. La rima interior y exterior —"ejercicio de una función esencial: poner la palabra en el tiempo [...] el encuentro de un sonido y el recuerdo de otro"—[15] del último verso de las dos secciones del poema pone de relieve muy claramente el contraste entre los dos tiempos: vagando-cansado, en sueños-viejo. La sinécdoque "mi corazón" cede a la constatación escueta y directa "voy"; la indefinición doble "vagando, en sueños", a la precisión por acumulación de cinco adjetivos. El "s*o*l*o*" final del penúltimo verso se refuerza por el mismo elemento fónico a su principio: "v*o*y", que además, invirtiéndolo, produce "yo". La casi total ausencia de la vocal aguda "*i*" en la parte evocativa se compensa con dos, acentuadas, en la representativa: "triste", "pensativo". La sucesión de oclusivas y sibilantes: *t*, *k*, *p*, *b*, *s*, coronada por la consonante final, *j*, confirma este significante afectivo.

Los últimos versos de este poema traen a la memoria otra subestructura posible e invitan a una comparación con "Noche de verano", CXI, escrito, según Sánchez Barbudo,[16] probablemente en 1908, o sea, antes del matrimonio. A pesar de una similaridad aparente debida a la sensación final de soledad y abandono en los dos poemas, su "géno-texte" es muy diferente. La yuxtaposición de los dos tiene cierto interés: ayuda a definir el sentimiento de la soledad, tan comentado siempre al tratarse de Antonio Machado.

Es una hermosa noche de verano.
Tienen las altas casas
abiertos los balcones
del viejo pueblo a la anchurosa plaza.
En el amplio rectángulo desierto,
bancos de piedra, evónimos y acacias
simétricos dibujan
sus negras sombras en la arena blanca.
En el cenit, la luna, y en la torre,
la esfera del reloj iluminada.

Yo en este viejo pueblo paseando
solo, como un fantasma.

Como se ha visto, el eje emotivo y estructural de CXXI es el recuerdo y la evocación, el sentimiento de soledad debido a una circunstancia concreta: la pérdida de Leonor. En CXI, al contrario, tal abandono no existe, aunque la circunstancia no es menos concreta: un paseo solitario de noche. El verso que abre el poema no sugiere de ningún modo su final: es el único francamente afirmativo. Lo que sigue es una descripción detallada —basada en impresiones directas, no en recuerdos— de la realidad que le rodea. La extensión espacial es limitada: la plaza de un viejo pueblo. Para ampliarla, la vista del poeta se eleva hacia la torre con su reloj y alcanza la luna. La gama de colores es muy reducida: blanco-negro, luz-sombra. Todo aquí es concreto, como lo indica la primera palabra del poema: "es". (En CXXI el verbo aparece sólo en el sexto verso.) Con una excepción: el protagonista. El poeta, real, en ambiente concreto, se *siente* un fantasma: efecto de la soledad. Todo transcurre en este poema en un solo nivel temporal.

En CXXI, la descripción de los contornos concretos está reducida al mínimo y se presenta más bien genéricamente: "campos de la tierra mía, / bordados de olivares polvorientos". Tiene más color y más detalles precisos el paisaje evocado, emocionalmente más importante, que ostenta, además, una amplitud espacial considerable: la curva del río abarcada desde cierta distancia (imagen básica traída de XCVIII, que describe la subida), los montes que ciernen el horizonte. Frente a la realidad concreta, percibida directamente en su limitación en CXI, la imaginación abre campos ilimitados en CXXI. Lo más curioso en estos dos fines de poema es quizás el papel del fantasma. En el primer poema representa reducción, insatisfacción, cuyos orígenes se pueden rastrear en LXXII, de *Soledades, galerías y otros poemas.* En el segundo da lugar a una transformación completa: no es ya el poeta, caminante concreto en un paisaje real, sino la figura evocada. Representa una posibilidad de diálogo, una apertura. La vaga angustia que se presentaba como "presentimiento" se ha vuelto dolor concreto. Y aquí interviene el proceso poético: la ausencia de un ser concreto, Leonor[17] le procura un arma de defensa que no tenía antes: la evocación de una experiencia vivida, no imaginada. El fantasma que evoca es, en el "géno-texte" de este poema, más real que el protagonista real en CXI aprehendido como fantasma. Parece que aquí se ha seguido el consejo formulado por Juan de Mairena: "Cuando una cosa está mal, debemos esforzarnos por imaginar en su lugar otra que esté bien; si encontramos, por azar, algo que esté bien, intentemos pensar algo que esté mejor. Y partir siempre de lo imaginado, de lo supuesto, de lo apócrifo; nunca de lo real".[18]

El poema CXXI se revela —así nos parece— como una estructura extraordinariamente densa. El texto escrito, operante a dos niveles temporales, combina la técnica de evocación con la de percepción inmediata, la presentación directa con diálogo imaginario, la yuxtaposición descriptiva con la emotiva. El texto subyacente, resultante de la lectura de poemas anteriores, vuelve más evidente el proceso de condensación y confiere precisión a las emociones expresadas que, a su vez, pueden ser percibidas como un eco en textos posteriores en prosa y en la poética de Juan de Mairena. Así, comparando más detenidamente todos los poemas de Machado que hablan de Soria y del Duero, se constata una progresión gradual desde el IX —primaveral y lleno de esperanzas—, a través de XCVIII y CII —rebosantes de preocupaciones noventayochistas y de consideraciones sobre la esencia de Castilla, con visión realista y objetiva del presente desde el cual se evoca un pasado *histórico*—, a CXIII —donde se pone más énfasis en lo emotivo *particular*—, a CXVI —construido, como indica el título, de recuerdos: recuerdos no sólo de impresiones o emociones, sino de sus propios versos escritos a través de varias etapas— y finalmente a CXXI, condensación de su experiencia amorosa personal, inseparablemente unida con este paisaje.

Una yuxtaposición de otros tres textos, de los cuales se examinará más detenidamente sólo uno, los tres de *Campos de Castilla* y escritos en épocas distintas, permite constatar una gradación semejante, llegando un paso más allá. Es conocida y ha sido comentada con frecuencia la importancia que Machado adscribía a la naturaleza: "Pero a quien el campo dicta su mejor lección es al poeta".[19] Siempre está presente en su obra, frecuentemente en forma de árboles, frente a la ausencia total de lo urbano. Adela Rodríguez cuenta que Juan Ramón Jiménez incluso llegó a sugerir que Machado "quería parecerse a los árboles".[20] Sin ir tan lejos, proponemos una lectura comparativa de tres poemas dedicados a árboles distintos, que pueden ser considerados como tres jalones en el camino: CIII, "Las encinas"; CXV, "A un olmo seco", y CXXXII, "Los olivos". Estos textos son sobre todo interesantes por los cambios de enfoque que señalan y representan una traducción del fondo generador característico de cada época. Una gradación semejante se encontraría en los poemas de viaje esparcidos a través de la obra.

Lo que llama la atención enseguida, yuxtaponiendo los textos, es el uso del artículo definido en el título del primero y del último, y su presentación en plural, es decir, el intento de definirlos genéricamente, en su esencia. El de en medio, al revés, se refiere a *un* árbol particular, estrechamente vinculado a una experiencia personal del poeta.

"Las encinas" se publicó, según Sánchez Barbudo (pp. 193-195), primero en 1918, probable resultado de "una expedición al Pardo" en 1914, e "implica toda una visión de España —la tierra, la gente campesina, la pobreza— bastante noventayochista". En sus preocupaciones y su manera objetiva de exposición se parece a otros poemas escritos entre 1907 y 1912. Lo que importa aquí es su intención primaria de condensar la esencia de

Castilla en este árbol representativo, ni "lindo ni arrogante", en el que "nada brilla", pero que tiene "humildad que es firmeza". Lo identifica con el espíritu de la tierra en que crece, y en su descripción detallada se hallan varias cualidades que solían poner de relieve los noventayochistas. Para Adela Rodríguez, da no sólo la quintaesencia de Castilla, sino que representa "un retrato moral de nuestro poeta" (p. 178). La relación íntima del poeta con estas encinas se indica sólo en los primeros versos y en la segunda parte del poema: por la primera sección exclamativa, seguida de una interrogación, y por el paso del tono expositivo, correspondiente a la parte comparativa donde se describen otros árboles, al diálogo directo en la segunda, donde se vuelve a las encinas. El contacto íntimo queda subrayado por el último verso: "que cortan vuestra leña con sus manos". Recalca aquí la esencia funcional de las encinas, rechazando lo ornamental: su importancia para la vida y el hombre, no su interés estético. El poema queda sin situar temporal ni espacialmente. Su forma de romance con algún pie quebrado confirma el enfoque casi épico.

Muy diferente se presenta "A un olmo seco", en realidad anterior a "Las encinas", aunque publicado sólo más tarde. Fue escrito en días de crisis personal: la enfermedad de Leonor; está fechado (4 mayo 1912) y tiene situación concreta: a orillas del Duero. Su importancia es tal que en poemas posteriores aparece ya como "aquel olmo del Duero":

> Al olmo viejo, hendido por el rayo
> y en su mitad podrido,
> con las lluvias de abril y el sol de mayo,
> algunas hojas verdes le han salido.
>
> ¡El olmo centenario en la colina
> que lame el Duero! Un musgo amarillento

le mancha la corteza blanquecina
al tronco carcomido y polvoriento.

No será, cual los álamos cantores
que guardan el camino y la ribera,
habitado de pardos ruiseñores.

Ejército de hormigas en hilera
va trepando por él, y en sus entrañas
urden sus telas grises las arañas.

Antes que te derribe, olmo del Duero,
con su hacha el leñador, y el carpintero
te convierta en melena de campana,
lanza de carro o yugo de carreta;
antes que rojo en el hogar, mañana,
ardas de alguna mísera caseta,
al borde de un camino;
antes que te descuaje un torbellino
y tronche el soplo de las sierras blancas;
antes que el río hasta la mar te empuje
por valles y barrancas,
olmo, quiero anotar en mi cartera
la gracia de tu rama verdecida.
Mi corazón espera
también, hacia la luz y hacia la vida,
otro milagro de la primavera.

La presentación de este olmo en la primera parte, que en realidad es un soneto, rebosa de detalles concretos. Casi sorprende por la profusión de sustantivos y adjetivos en el autor de la afirmación siguiente: "el adjetivo y el nombre, / remansos del agua limpia, / son accidentes del verbo / en la gramática lírica".[21] La segunda parte se ocupa de las varias posibilidades de aniquilación de este árbol. Su "géno-texte" sería, pues, la usual preocupación de Machado por la muerte, y el olmo aparecería como símbolo de lo transitorio. Los tres últimos versos cambian el enfoque, sin embargo, apuntando a una sub-estructura más concreta: la inquietud del poeta no ya por la muerte en general, sino por su mujer mortalmente enferma. El árbol, así, adquiere polivalencia: no representa sólo lo mortal genérico, sino también la esperanza que el poeta sostiene a pesar de las contrapruebas de los hechos. Por extensión, se podría ver en él una imagen del poeta mismo, viejo y triste antes de su encuentro con Leonor, y regenerado por ella: las hojas verdes. Es de notar que casi todas las imágenes que apuntan a la vida en este poema aparecen en femenino. Volveremos a analizarlo más específicamente al intentar encontrar en este texto otras sub-estructuras. Por ahora quede anotado como la expresión de una experiencia y preocupación específicas, a pesar de su situación en el paisaje castellano que en otras ocasiones ha sugerido al poeta más de una consideración típicamente noventayochista.

El tercer poema, "Los olivos", es cronológica y espacialmente posterior a los dos: se publicó en 1917 y se refiere al paisaje andaluz. Machado vuelve en él a la presentación genérica, y se traslucen preocupaciones hasta ahora aún no observadas. Sánchez Barbudo hace notar "la conciencia que él tiene de las injusticias sociales" (p. 295) y señala también la diferencia formal entre sus dos partes. La primera corresponde a la presentación del paisaje, y su estructura hace recordar "Las encinas": el mismo romance con pie quebrado intercalado, el mismo principio exclamativo, una semejante división entre tono expositorio y paso al diálogo que transparenta la participación afectiva del poeta. También aquí el hombre y la referencia al hogar aparecen en la sección dialogada. Lo nuevo es la crítica, la protesta que se anuncian: "los benditos labradores, / los bandidos caballeros, / los señores [nótese cómo les pone de relieve con el pie quebrado] / devotos y matuteros [...]".

La segunda parte representa un cambio brusco: de lo genérico a lo concreto, de romance a silva con esquema de romance.

El diálogo se ha interrumpido, cede al tono de denunciación. Al repertorio de otros temas noventayochistas se añade una crítica feroz de la Iglesia. La técnica es la de constante antítesis. Toda intimidad ha desaparecido. Lo que predomina hasta el fin es escepticismo, o más bien sarcasmo. El efecto final, con los "santos cañones de von Kluck" que vienen a sustituir a "hermanos" del contexto idéntico precedente, recalca lo absurdo, y la pregunta con que termina el poema no abre, sino cierra el horizonte: transmite desconfianza total. Pasando otra vez a nivel general, apunta no sólo a la casa descrita, sino a todas las "casas de Dios" y al problema de la piedad como tal así como al de la verdadera hermandad.

La disposición de los tres poemas parece probar la existencia de un fondo subyacente considerablemente diferente en cada uno de ellos. Éste influye en la elección de las formas gramaticales ("los"-"un"), del tono (exposición-diálogo-interpelación), de la forma (romance-soneto-silva), de palabras ("*unce* la tierra al cielo", "*orgía* de harapos"). El enfoque se sugiere a través de las actitudes del hablante, transmitidas fonológicamente. La diferencia se ve claramente al comparar los últimos versos de los tres poemas: "con sus manos" — "otro milagro de la primavera" — "cañones de von Kluck, ¿qué guarda dentro?". Las oclusivas faltan casi por completo en el primero, y las vocales de la palabra final, en combinación con *m* y *n*, producen la impresión de calma. También en el segundo la imagen fonológica total, en parte debida al ritmo producido por las palabras trisilábica y tetrasilábica, con acento en *a* y *e*, es de sosiego. La aliteración en el tercero es probablemente inconsciente e intuitiva, no por eso menos eficaz. Al escribir el último poema, el poeta se encuentra en la situación anímica más baja, casi desesperado, y esto transparece en el texto.

Antes de terminar, quisiera examinar una posibilidad más del "texto subyacente": la presencia consciente o subconsciente de la persona o del acontecimiento que inspira el poema. Las observaciones de Saussure en este respecto, refiriéndose a textos latinos, son muy sugeridoras. Él creía, después de llevar a cabo análisis de textos variados y observar su persistencia, que el anagrama —o, más precisamente, hipograma— formaba parte de las reglas de composición en aquella época, aunque no pudo dar con ningún texto en prosa que lo confirmara. Al presentar esta teoría, Starobinski procede con más cautela y prefiere ver el fenómeno como "un aspect du *processus* de la parole, —processus ni purement fortuit ni pleinement conscient [...] une itération, une palilalie génératrices, qui projetteraient et redoubleraient dans le discours les matériaux d'une première parole à la fois non prononcée et non tue".[22] Los textos de Machado no se prestan con la misma docilidad a un análisis como los de Saussure que descubren una regularidad sorprendente en la distribución de los fonemas constituyentes del nombre criptográfico. Sin embargo, en varios poemas dedicados a Leonor se deja rastrear la presencia subterránea de su nombre. Sirva de ejemplo el ya visto "A un olmo seco".

La regla que establece Saussure es encontrar un "maniquí": una concentración de los fonemas componentes en un área concentrada, y luego señalar partes del lexema distribuidas a través de los versos de cada unidad sintáctica. El primer verso de CXV no presenta gran dificultad (Saussure admite algunas licencias):

AL oLmo viEjO, hENdido pOR

Por otra parte, estas letras también aparecen diseminadas en cada hemistiquio de los primeros seis versos: AL/ y En/ cOn/ alguNas/ El Olmo/ que lame el DueRo. No es un ejemplo perfecto de versos acrósticos, pero tampoco se trata de un autor que escriba en latín, esté cerca de esta tradición o quiere hacerlo conscientemente. Lo que no se conforma con las exigencias de

Saussure es la distribución regular de fonemas bifónicos en *cada* verso. Ateniéndonos sólo a áreas de concentración mayor, volvemos a encontrar el nombre en

LE mANcha la cORteza
al trONco carcomido y polvORiento

La repetición de *o* a través del último verso refuerza la asonancia. Con cierta modificación, se halla también en el segundo terceto:

hiLEra
va trepANdo pOR él

y luego en

oLmo dEl Duero
cON su hacha el LEñadOR

En realidad, con un poco de benevolencia, "leñador" daría el nombre completo. Abundan *l*, *r*, *e*, *o* a través de este verso y medio.

La frecuencia del grupo —*or* a lo largo del poema evoca resonancias de otros vocablos con la misma terminación: amor, temor. Si se hace el recuento de todas las vocales y consonantes, resulta que entre las consonantes, las más numerosas son las componentes del nombre: 53 *l* más 4 *ll*, 49 *n* más 5 *ñ*, 57 *r* más 5 *rr*. (La *s*, componente inevitable del plural, parece ser menos significativa; las otras son mucho menos numerosas: 24 *m*, 22 *d*, 27 *k*, 31 *t*, 12 *p*, 10 *q*, 16 *b-v*, 6 *j*.) A su vez, si descontamos la preponderancia total de la *a* —que podría apuntar a otra palabra clave del poema: milagro—, las 70 *o* y las 98 *e* muestran superioridad decisiva sobre las 37 *i* y las 16 *u*.[23] Dejando a un lado los hipogramas, observaremos, además, que los grupos compuestos con *-r*: *tr*, *br*, *gr* —transmisión fonética del esfuerzo, de la lucha— son mucho más frecuentes que los fluidos *bl*, *pl*. La *i* —el elemento masculino—, aunque menos frecuente, aparece repetidamente en posición de rima final o interna, casi siempre en oposición —o alternancia— con *a*. Hemos aludido ya a la oposición semántica entre lo masculino y lo femenino: casi todas las fuerzas destructivas, amenazadoras aparecen en género masculino: "leñador", "ejército", "torbellino", "soplo", mientras que las fuerzas que simbolizan vida se presentan en femenino: "lluvia" (regeneradora), "hojas nuevas", "gracia", "rama verdecida", "luz", "vida" (excepción: "la mar" = muerte, así como en masculino: "milagro" = esperanza). Esto parece confirmar el posible símbolo de Leonor como fuerza regeneradora en la existencia del poeta. A su vez, la constante encadenación de lo masculino con lo femenino trae a la memoria la imagen clásica del olmo con la vid, o la hiedra. Parece quedar poca duda de que los dos ejes de la sub-estructura de este poema sean lo masculino y lo femenino.

El poema presenta una estructura curiosa. La primera parte, enteramente descriptiva, consta de un soneto con su división tradicional entre los cuartetos y los tercetos, y con unidades sintácticas regulares en cada estrofa. En el primer cuarteto incluso la distribución de las vocales tónicas es casi regular: e a — (a) i — i a — e i. La rima no sigue el modelo más corriente, pero no se sale de los límites del soneto: *abab cdcd efefgg*. El ritmo es muy lento: transmite la impresión que deja la contemplación —hasta aquí objetiva— de un objeto muerto. A cada estrofa le corresponde sólo un verbo principal, salvo el último terceto —donde el encabalgamiento que lo divide en dos partes iguales refuerza la significación de hendidura— que ostenta dos: más actividad, pero actividad unida a la destrucción. El efecto de lentitud se intensifica con colocar el verbo del primer cuarteto sólo al final del cuarto verso. Su ausencia total en la unidad sintáctica siguiente para la acción por completo. A su vez, los tres participios pasados: el resultado, el fin de un proceso, son subrayados por su posición estratégica de rima interna y final. El retardamiento se consigue también por medio de inversión sintáctica de las estructuras del segundo hemistiquio del primer verso y el verso siguiente. Esta inversión podría ser considerada, además, como el presagio de algo inusitado. El contraste se vuelve más evidente en el tercer verso: aquí, la cláusula modificante se encuentra en oposición semántica con la de los versos precedentes: destrucción en la primera, circunstancia regeneradora en la segunda, que encamina hacia la consecuencia positiva en el cuarto verso.

Llama la atención en este cuarteto la profusión de grupos nominales: seis frente a un solo verbo. Es curioso observar, dentro de estos grupos, la parquedad de adjetivos "puros" y su valor pleonástico, o sea, retardativo: "viejo", "verdes". Los demás modificantes son resultado de un proceso o precisiones temporales ("de abril", "de mayo"). A pesar del ritmo retardante, hay una progresión semántica innegable en la estrofa: "hendido", "podrido" → "lluvias de abril" → "sol de mayo" → "hojas verdes".

En el segundo cuarteto continúa la descripción objetiva, excepción hecha del primer verso y medio que combina, casi anafóricamente, la reiteración de la figura principal, añadiendo precisión topográfica, intensificación del primer epíteto (viejo-centenario), y el elemento afectivo transmitido por los puntos de exclamación. En la unidad sintáctica siguiente se reitera la oposición entre algo vivo: el musgo que mancha (nótese la aliteración en *m*) y el tronco muerto, cuya decrepitud se subraya por acumulación de oclusivas en combinación con *r*: t r k — k r k — p v r t.

La única negación categórica: el único futuro directo que abre el primer terceto enuncia una realidad objetiva: en las ramas de un árbol muerto no anidan pájaros. Nótese otra vez el contraste: el verbo negativo es seguido de una descripción de un fenómeno positivo, puesto de relieve por la rima: cantores-ruiseñores.[24] Niega la posibilidad de ver un signo afirmativo

—vida ajena— en sus ramas, pero en el terceto siguiente presenta actividad ajena —símbolo de destrucción— en el tronco. El encabalgamiento, que hemos comentado ya, reanuda con la división del primer cuarteto por medio de una reiteración semántica: "en su mitad podrido" — "sus entrañas". Otra vez, los últimos dos versos ostentan una profusión de *r*.

La segunda parte del poema es totalmente diferente en cuanto a la versificación (silva), a la rima (esquema mucho más original, con significación semántica), al ritmo (sólo dos oraciones en dieciséis versos, cuya unidad se subraya por la reiteración "olmo" al principio y al final), al tono (se inicia el diálogo), al uso del tiempo verbal (futuro supuesto). La estructura anafórica, con gradación marcada, transmite claramente la tensión creciente.[25] La base de la anáfora actúa por sí como una premonición: *antes que* implica que algo *ha de venir*. Al repetirse con intervalo cada vez menor: cuatro versos, tres, dos, dos, sugiere la emoción subyacente. Mientras se acorta la unidad sintáctica, se va ensanchando el horizonte: del hacha del leñador se pasa a las sierras y al mar. Todas las imágenes se refieren a la desaparición; en todas, el olmo sigue, como en la primera parte, pasivo, aunque con resultado invertido: si antes era testigo de continuidad de vida, ahora se somete a la destrucción: "te derribe", "te convierta", "ardas", "te descuaje", "tronche", "te empuje". Es de notar la originalidad de la rima: *hh i j i j kk lml nonon.* En todo el poema, sólo un verso no tiene rima correspondiente, precisamente el que habla del corte final —recuerdo compuesto de Jorge Manrique y de Quevedo—: "el río hasta la mar te empuje". La rima señala una peculiaridad más de la estructura interna: la encadenación forzosa de los últimos versos de la primera oración —apóstrofe al olmo— con la referencia personal directa. En este contexto, "gracia", apuntando hacia "otro milagro", adquiere polivalencia: no es su apariencia juvenil lo que importa, sino el don de vida. La correspondencia entre los dos queda reforzada por el lugar sintáctica y gráficamente destacado de "olmo", que nos devuelve al principio del poema, añadiendo un significado nuevo,[26] y "también", que apoya "otro milagro" en el verso siguiente. La lucha por este milagro se trasluce por la acumulación de *r* en el último verso, mientras que el penúltimo, que se concentra sobre la esperanza, no contiene ni una sola, pero sí tres *a*. La última palabra del poema, con el fonema *er* repetido en dos versos precedentes: "esp*er*a", "v*er*decida", reanuda semánticamente con las lluvias de abril y el sol de mayo que hicieron brotar las hojas v*er*des en el primer cuarteto. Es de notar que lo insólito, el milagro que se espera, se subraya también fónicamente: el acento tónico principal en "luz" es el único en todo el poema con énfasis en *u*, posible resonancia de *tú*. Sólo este *tú*, sólo esta presencia subterránea de Leonor completa el significado total del texto escrito.

NOTAS

1. *Juan de Mairena* (Espasa-Calpe, S. A., Madrid, 1936), XLIV, pp. 302-303. Se citará siempre por esta edición, con la sigla *JM*.

2. "Discurso de ingreso en la Academia de la Lengua", *Los complementarios y otras prosas póstumas*, ordenación y nota preliminar de Guillermo de Torre (Losada, S. A., Buenos Aires, 1957), p. 113. (Edición usada para todas las citas: *Compl*). Véase también "La metafísica de Juan de Mairena", *Cancionero apócrifo*, en *Poesías completas* (Espasa-Calpe, Buenos Aires, 1952 [6]), p. 313 (abreviada seguidamente como *PC*).

3. *JM*, XXI, p. 135.

4. *JM*, XXXIX, p. 270.

5. Recuérdese que Machado es miembro de la generación dicha "poco erótica", y ténganse en cuenta las repetidas quejas de Baroja acerca del ambiente social que les imponía una represión total —oficialmente— de la sexualidad.

6. Véase T. Todorov, "Le sens des sons", *Poétique*, n.º 11 (1972), pp. 446-459.

7. El estudio más interesante en este respecto es probablemente el de Iván Fónagy, *Die Metaphern in der Phonetik*, Mouton, La Haya, 1963. No hay que olvidar tampoco que Machado conocía las teorías de su tiempo, o influyentes en su tiempo: Mallarmé, Rimbaud, Kahn.

8. "Las aliteraciones de que mis versos están llenos son inconscientes; no responden al trivial propósito de producir un efecto musical" ("Apuntes", *Compl*, p. 15);

"Pero no es la forma externa lo que a mí me preocupa, sino la estructura interna" (carta a Juan Ramón Jiménez, en Antonio Machado, *Antología de su prosa*, II: *Literatura y arte*, Prólogo y selección de Aurora de Albornoz [Cuadernos para el Diálogo, Madrid, 1972 [2]], p. 84).

9. Éditions du Seuil, París, 1974.

10. Véase Jean Starobinski, *Les mots sous les mots. Les anagrammes de Ferdinand de Saussure*, Gallimard, París, 1971.

11. *Essais de stylistique structurale*, Flammarion, París, 1971; trad. cast. en Seix Barral, Barcelona, 1976.

12. *Op. cit.*, p. 84. Lo que dice de las estructuras fluidas, con contornos indeterminados recuerda el sugeridor ensayo de Émile Benveniste acerca de los orígenes del ritmo (*Problèmes de linguistique générale*, Gallimard, París, 1966).

13. *PC*, p. 150.

14. *PC*, LXXXIX, p. 85.

15. *Los complementarios*, edición crítica por D. Yndurain (Taurus Ediciones, S. A., Madrid, 1972), t. II p. 232.

16. Antonio Sánchez Barbudo, *Los poemas de Antonio Machado*, Lumen, Barcelona, 1967, p. 233.

17. Decía Abel Martín que el amor "es un sentimiento de soledad, o, mejor, de pérdida de una compañía" (*Cancionero apócrifo*, en *PC*, p. 281).

18. *JM*, XXIII, p. 144. Recuérdese la definición que da Zubiría del "pasado apócrifo" en Machado.

19. *JM*, XXVII, p. 174.

20. Adela Rodríguez Forteza, *La naturaleza y Antonio Machado*, Cordillera, San Juan de Puerto Rico, 1965, p. 178.

21. "De mi cartera", VII, en *PC*, p. 267; también en "Para un estudio de la literatura española", *Compl*, p. 40.

22. *Les mots sous les mots*, p. 154.

23. Si la distribución de las vocales puede parecer natural y no varía excesivamente en otros poemas de Machado, la de las consonantes no es igual, ni mucho menos. Abriendo el libro al azar, véanse, por ejemplo, LXXI o CIV.

24. Aquí se podría ver una relación directa con el poeta, si se recuerda "A Xavier Valcarce", donde confiesa que con la muerte de Leonor "se ha dormido la voz en mi garganta".

25. En esta parte se vuelve mucho más difícil descubrir los hipogramas.

26. Véase lo que dicen acerca de este cambio de significación Sánchez Barbudo (*op. cit.*, pp. 245-246) y Arthur Terry (*Antonio Machado. Campos de Castilla*, Tamesis Books Ltd., Londres, 1973, p. 56).

GUSTAVO CORREA

UNA "LIRA INMENSA": EL RITMO DE LA MUERTE Y DE LA RESURRECCIÓN EN LA POESÍA DE ANTONIO MACHADO

La "lira" constituye una de las imágenes estructurantes en la poesía de Antonio Machado. Un breve poema de *Soledades, galerías y otros poemas*, de 1907, nos hace súbitamente la revelación de toda una teoría poética, dentro de un contexto de imágenes, cuyo elemento principal es el de la lira. El poema dice:

> Tal vez la mano, en sueños,
> del sembrador de estrellas,
> hizo sonar la música olvidada
> como una nota de la lira inmensa,
> y la ola humilde a nuestros labios vino
> de unas pocas palabras verdaderas.
>
> (LXXXVIII) [1]

El poeta es en este *Ars poetica* el receptor de sonidos musicales que vienen de fuera, en cuanto percibe la "música olvidada" que ha vuelto a sonar y llega hasta él en la forma de una "nota de la lira inmensa". Una mano distante pulsa las cuerdas de esta lira y él, a su turno, pone en consonancia las palabras del poema con las vibraciones del instrumento musical. Por otra parte, la metáfora musical se halla vinculada a imágenes de la vegetación. Los sonidos producidos, o sea, las notas, vienen a ser semillas sembradas por la mano que pulsa las cuerdas de la lira. A su vez, la identificación de las notas con las estrellas luminosas produce la fusión mágica de sonido y luz. El acto de pulsación de las cuerdas es equivalente así al de sembrar y fecundar los vastos espacios del universo cósmico, dentro de un contexto de configuraciones que son a la vez de carácter musical y lumínico. Ahora bien, puesto que el poeta pulsa sus propias notas humildes ("y la ola humilde a nuestros labios vino"), en consonancia con las de la "lira inmensa", su acto de escribir poesía conlleva, por esta misma razón, el efecto mágico de la siembra. Sus propias semillas, las palabras, habrán de crear un universo luminoso y de fruta en sazón: el poema. El acto de la siembra, en su fusión de música y luz, se hallará también en correspondencia con la naturaleza específica de las ondas musicales, las cuales en el mundo de la física se miden en vibraciones acústicas. Esto es, las notas, las palabras, deben ser verdaderas: "unas pocas palabras verdaderas". La determinación de ser "verdaderas" las palabras se refiere, una vez más, a la calidad de las semillas y a la autenticidad en el acto de la siembra. En el caso de Machado, tal postulación implica que el poeta se halla alerta a captar con toda exactitud la honda verdad del universo, el ritmo de la vida, el significado de la realidad y el sentido del destino en el hombre. También significa dicha determinación que su poesía ha de constituir la revelación de su ser más íntimo, a través de un estilo transparente, que se encuentre desprovisto de redundancias y artificios puramente formales. La "música olvidada" alude al acto subitáneo de escuchar el poeta la voz dormida de la inspiración auténtica, dentro de una tradición órfica y pitagórica que daba al universo una constitución numérica y musical.[2] En cuanto a la expresión "en sueños" ("Tal vez la mano, en sueños"), ésta se refiere, sin duda, a la actitud de receptividad por parte del poeta, quien se halla en estado de "ensoñación" y, por tanto, en situación propicia para captar los sonidos, ritmos, palabras e imágenes que han de estar en concordancia con la música oída. El adverbio "Tal vez" del comienzo del poema acentúa el carácter gratuito de este estado de contemplación, el cual es de pasividad, en cuanto el poeta escucha las voces que llegan de fuera, pero también de activa intervención, por cuanto él procede a la pulsación consciente de sus propias notas musicales.

El crítico Gaston Bachelard ha puesto de manifiesto, en su *Poética del espacio*,[3] que es el estado de "ensoñación" el más propicio para que la facultad de la imaginación forje aquellas imágenes que pueden considerarse como las más específicamente poéticas, a saber, las que se hallan más libres de contenidos psicológicos, espirituales o conceptuales. Según Bachelard, el ensueño es principio unificador y lleva consigo la marca de valores de profundidad. Por el ensueño, el hombre se ve a sí mismo como individuo que anda y se sitúa en las múltiples encrucijadas y caminos que llevan del dentro hacia afuera y viceversa, en un dinamismo que es a la vez ascensional y expansivo, y verticalmente reconcentrador e íntimo. El ensueño lleva a los "centros de soledad", donde se encuentran las galerías subterráneas de la intimidad personal, poblada ésta de imágenes sonoras y de luces lejanas con sus "colores peculiares" y sus mágicas vislumbres. Allí contemplamos los "seres de nuestro pasado" en caluroso albergue con nosotros mismos y los vemos desfilar como figurillas acogedoras que nos tienden su mano protectora. Al mismo tiempo, estos centros se expanden, dentro de un silencio apto para transmitir las ondas sonoras, a los espacios ilimitados que se identifican con el universo sideral.[4] Tales movimientos de reconcentración y de expansión los hallamos precisamente en las "galerías", "criptas" y "grutas" de que nos habla Machado en sus poesías de *Soledades, galerías y otros poemas*. En el poema "Sobre la tierra amarga" (XXII), los "caminos laberínticos" y las "sendas tortuosas" del sueño conducen a las "criptas hondas" que, a su vez, llevan a "escalas sobre estrellas". Estas imágenes nos indican el doble movimiento de interiorización y de expansión al exterior. Es allí, en los espacios de la ensoñación, donde el poeta ve desfilar las "figurillas que pasan y sonríen", las "imágenes amigas" que se pierden en una extensión ilimitada, "que hacen camino... lejos...". Los "retablos de esperanzas y recuerdos" que aparecen aquí constituyen una configuración visual, marcada por la lejanía, la cual ha de repetirse con multitud de variaciones en otros poemas. Los "parques en flor y en sombra y en silencio" se hallan en correspondencia, asimismo, con el "paisaje familiar soñado" de otros lugares.[5] La luz mágica que inunda los espacios interiores, a la vez íntimos y distantes, es la que permite contemplar los "naranjos encendidos / con sus frutas redondas y risueñas" (III), en el poema "La plaza y los naranjos encendidos", desde la perspectiva de los "pequeños colegiales" que salen de la escuela a la "plaza en sombra" de una ciudad muerta. Esta luz es también la que da la *coloración* propicia para el buceo del poeta en el ámbito del misterio. En el poema que sirve de introducción a la sección de "Galerías", Machado define la función poética de esta *coloración* que proviene de una iluminación extraña:

El alma del poeta
se orienta hacia el misterio.
Sólo el poeta puede
mirar lo que está lejos
dentro del alma, en turbio
y mago sol envuelto.

(LXI)

La peculiar iluminación de las bóvedas interiores del alma encuentra su correspondencia en la irización del cosmos, la cual se halla captada en momentos en que un paisaje de tormenta y lluvia descubre súbitamente el fanal húmedo y brillante del arco iris: "Desgarrada la nube / el arco iris / brillando ya en el cielo, / y en un fanal de lluvia / y sol el campo envuelto" (LXII). El poeta despierta como de un hondo sueño temiendo que se hayan enturbiado los "mágicos cristales" de su sueño (luz), pero al mismo tiempo consciente de la representación mágica de su visión, que no es otra que la de la niñez en el huerto de su casa: "...¡El limonar florido, / el cipresal del huerto, / el prado verde, el sol, el agua, el iris..., / ¡el agua en tus cabellos!...". La visión fascinante de una figura femenina (¿la madre?), que se destaca en el centro de este paisaje mágicamente iluminado, en el interior y el exterior, viene a ser la misma que flota con "vagar de túnica ligera" en el poema que Machado compuso al visitar de nuevo el patio de la casa de su niñez, años más tarde, en 1903, y cuya iluminación en una tarde de primavera es la de un paisaje encantado, dominado por los "frutos de oro" del limonero familiar y la fuente en la cual se hallan reflejados:

> El limonero lánguido suspende
> una pálida rama polvorienta,
> sobre el encanto de la fuente limpia,
> y allá en el fondo sueñan
> los frutos de oro...
>
> (VII)

Este paisaje, a la vez presente y distante, proyecta un doble signo al "alma luminosa" del poeta, el de la esperanza, puesto que musita la voz de un "espera", en la aptitud que esta visión tiene para ser reconstruida y aun vivida en el futuro, pero también de la desesperanza, por cuanto esta misma voz, que proviene de un "aroma de ausencia", claramente pronuncia la palabra amenazadora: "nunca". En el poema "Renacimiento" (LXXXVII), las "galerías del alma" se identifican con el "alma niña" que ahora, estando ya vieja, quisiera "volver a nacer" para recobrar la "perdida senda", sintiendo en sí el "latido de la mano buena", la de la madre que lo dejó en orfandad. La imagen del "umbral" en otro poema, "Desde el umbral de un sueño me llamaron" (LXIV), confirma el signo de entrada a la casa paradisíaca de la infancia, a través de la "escueta galería", donde el poeta siente "el roce de la veste pura" y "el palpitar suave de la mano amiga".

Este descenso a los centros de la intimidad personal se proyecta en ocasiones en imágenes de gran vitalidad y energía que anuncian el tema de la resurrección, dentro de un contexto de muerte espiritual, que es característico del estado de vigilia del poeta, cuando éste no se halla dominado por el embrujo de los estados de ensoñación. En el poema "Y era el demonio de mi sueño, el ángel / más hermoso" (LXIII), la figura de brillantes y acerados ojos, que porta en sus manos una antorcha de "sangrientas llamas", domina la actitud pasiva del soñador, quien, "cegado por la roja luminaria", termina por obedecer la llamada ineludible que le anuncia el signo de la liberación. La entrada a la "honda cripta del alma", por consiguiente, ya sea para recobrar el paraíso perdido de la infancia, mágicamente iluminado y poblado en la distancia de figuras amigas y de frutos encantados, o bien para sentir el roce de las fuerzas vitales que se hallan adormecidas, significa que el poeta ha encontrado imágenes de profundidad, extensión y vigor que dan unidad y fuerza a su ser interior. Esta reconstrucción luminosa y confortadora del yo sumido en las honduras de la intimidad contrasta con el abatimiento que domina al poeta en el mundo de la realidad ordinaria, el cual se refleja en imágenes de tumbas, paisajes en sombra, frutos podridos, rincones muertos de ciudades, escenas de decaimiento, dobles de campanas, tic-tac monótono del reloj, voces funéreas, presencia de mendigos y fantasmas. Un ritmo alternante de muerte y resurrección se anuncia, así, como una estructura de profundidad en la poesía de Machado. La "música olvidada", pulsada en la "lira inmensa" por el "sembrador de estrellas", suena, una vez más, en consonancia con las vibraciones sonoras dentro de los espacios interiores en el alma del poeta y con las de los vastos espacios en el mundo de la naturaleza y en el cosmos.

Machado parece estar escuchando en este momento ecos del "arpa olvidada" de Bécquer y resonancias de la "inmensa cítara" de Fray Luis de León. En la rima VII de Bécquer, el "arpa" que yace "olvidada, / silenciosa y cubierta de polvo", en el "ángulo oscuro" de un salón, es apta para hacer sonar las notas que duermen en sus cuerdas, si una mano atenta ("mano de nieve") viene a arrancarlas. El genio del poeta debe despertarse al roce de su propia voz íntima que "duerme en el fondo del alma".[6] En Fray Luis, la "inmensa cítara" pulsada "con movimiento diestro" por el "gran maestro" (cf. la mano del "sembrador de estrellas") produce el "son sagrado" que sustenta el templo del universo. Fray Luis deja oír en su poesía acordes que se hallan en consonancia con "la música estremada" de Francisco Salinas y la "no perecedera / música" de las esferas celestiales.[7] En Machado, las imágenes acústicas (lira, sonar, música, notas) se mezclan con las luminosas (estrellas), y con las de la vegetación ("sembrador de estrellas"). La poesía es vibración de resonancias musicales, pero es también luz, y fértil siembra. El ritmo pitagórico del cosmos se halla, así, asimilado al de la naturaleza, como también al de la vida humana, en su alternancia de muerte y resurrección ("palabras verdaderas").

Resulta significativo el hecho de que en la primera edición de las *Soledades* de 1903 hay una serie de poemas, algunos de ellos suprimidos en la edición de 1907, en los cuales se encuentra una terminología estructurante y contrapuntística de notaciones musicales, que se expresa también en variaciones colorísticas y de perfumes, como también en la distribución acompasada de objetos en el paisaje. El breve poema que sirve de introducción a la sección "Salmodias de abril" (suprimida como tal en la edición de 1907) lleva el título significativo de "Preludio",[8] y presenta la alternancia de dos instrumentos musicales, el "pífano de abril" con su sonido "lento y sibilante y suave" que anuncia el reverdecer del corazón, en consonancia con el de la naturaleza, y la campana, cuyo tañido es "como un suspiro seco y sordo y grave", el cual contradice la voz del pífano. En otro de los poemas suprimidos, "La tarde en el jardín",[9] contrastan igualmente dos melodías diferentes. Por una parte, el agua tiene un "sollozar riente" al brotar de las "alegres gárgolas", el cual se torna en son doliente al correr por "estrecho surco" entre verdes evónimos. Por otra, las "recónditas rapsodias" que *pulsa* Primavera en un rincón de "rosas / frescas y blancas entre lirios" y que el "verde salterio" eterniza en la tarde, sólo llegan al "corazón cobarde" en "estrecho ritmo". A los espacios donde el sol esplende en "alegre soledad florida" y a la risa del campo en la extensión, corresponde una notación de signos en el paisaje, marcada por la "amarga simetría del llano", el "cipresal oscuro" y el sauce que llora. En el poema "Nocturno",[10] la terminología musical contrapuntística se revela en una estructura compacta en vinculación con el paisaje. Las huellas del crepúsculo se extienden en ondulaciones colorísticas ("gemas" en correspondencia con notaciones musicales): "la noche ardía / de gema en gema en el azul". El *laúd* del viento *tañe* un doble acorde: "de tierra en flor y sideral lamento". El árbol cantor, solitario en la llanura ("Era un árbol sonoro en la llanura"), "negro y de plata" *vibra* "como un *salmo* escondido de una estrella". El corazón del poeta también cantaría el salmo de Abril, si no tuviera su alma un "ritmo estrecho" que conduce a oír notas de augurios sombríos. El poema "Nevermore",[11] también uno de los suprimidos, introduce en el paisaje vespertino de la primavera un vocabulario de notación musical que tiene el contexto de una partitura. A las melodías del "sollozar riente" del jardín, de la alegre y "tremula voz de agua" de la fuente, y del "rápido silbo" de las golondrinas que pasan, corresponde en la lejanía un "plañido solitario" que se revela como nota musical: "cual nota de recóndito *salterio*". Por otra parte, las salmodias de abril tienen su propia partitura escrita: "¡Salmodias de abril, música breve, / *sibilación escrita* / en el silencio de cien mares". A su vez, la Fiesta de Abril sólo provoca contrapuntos de una campana que tañe en el corazón del poeta: "¡Fiesta de Abril... Y el eco le responde / un nunca más, que dolorido plañe". En el poema "Crepúsculo",[12] las coloraciones del "flamígero horizonte", a la hora del atardecer, quedan identificadas con los "ígneos astros" que brotan a la superficie de las profundidades caóticas del subconsciente del poeta. Las configuraciones colorísticas del horizonte constituyen una "inmensa teoría / de gestos victoriosos", esto es, una notación de signos que, implícitamente, corresponde a los versos dictados al poeta por la *musa* ("Y la musa caminaba, / en polvo y sol envuelta, sobre el llano"). El vocablo *teoría* tiene aquí, por consiguiente, el significado de una *notación* escrita, significación que se halla confirmada, por aparecer el mismo vocablo con igual sentido, en el poema "Horizonte",[13] que también se encuentra en la edición de 1907 (XVII). La primera estrofa de la versión ya corregida de este último poema dice:

> En una tarde clara y amplia como el hastío,
> cuando su lanza blande el tórrido verano,
> copiaban el fantasma de un grave sueño mío
> mil sombras en teoría, enhiestas sobre el llano.

La "teoría" viene a estar constituida aquí por las configuraciones formadas por las sombras de los árboles. Estas últimas se hallan inscritas, literalmente, por la *lanza* del sol, la cual, a modo de pluma, las *copia* sobre el llano, en la figura de un "fantasma", en el que el poeta se reconoce a sí mismo. Finalmente, otro poema de 1903 que también pasa a la edición de 1907, como introducción a la sección "Del camino", lleva el significativo título de "Preludio" (XX), y se halla estructurado por una terminología musical que entra en fusión con otra de carácter religioso. El poeta sitúa en contrapunto dos melodías musicales, proveniente la una del "pífano de abril" y la otra del "órgano severo", a compás del cual él *reza* su *salmo* que, a su turno, él ha colocado sobre su viejo *atril* ("hoy quiero / poner un dulce salmo sobre mi viejo atril"). La fragancia de abril, con su fresco perfume de rosales y del huerto en flor se mezcla con la mirra, el incienso y el aroma que se elevan en su propio *altar*. El *salmo* del poeta, el cual no es otro que el poema mismo, conlleva así la significación original de ser el salmo un himno religioso que debe ser cantado en una ceremonia religiosa. El hecho de colocar el poeta el salmo sobre el atril implica la presencia del *salterio*, o sea, un libro de salmos con una notación musical.[14] El salmo es, al mismo tiempo, plegaria de amor ("palabra blanca"), la cual se halla santificada, en mezcla de música, perfumes, colores y modulaciones del canto. Es evidente, por consiguiente, que en las primeras *Soledades* encontramos un contexto de configuraciones musicales de precisa significación, reforzadas por un abundante vocabulario de sonidos, vibraciones, ritmos, partitura, melodías en contrapunto, e instrumentos musicales, las cuales nos revelan estructuras profundas en la poesía de Machado.

Podemos señalar la poesía de Rubén Darío como una de las fuentes inmediatas de este pitagorismo inicial de Machado, y en particular de este vocabulario de notación musical. En el prólogo a *Prosas profanas* (1896), Darío califica sus propios poemas, en efecto, como "antífonas", "secuencias" y "prosas" que han sido dichas en "la misa rosa" de su juventud.[15] Siguiendo una terminología de origen medieval, Darío habla de la construcción de su "breviario" (equivalente al "salterio" de Machado), en cuyas páginas debieran figurar letras mayúsculas dibujadas por "buen monje artífice". Con todo, él oficiará con su "viejo clavicordio pompadour", en vez del "órgano", ya que su canto es de celebración y se hallará acompañado con "campanas de oro" y "campanas de plata". También Darío utiliza aquí una terminología densamente sensorial de perfumes, inciensos y colores. Es un hecho que Machado dará su propia interpretación y alcance a este núcleo de imágenes iniciales, dentro de un contexto de mayor amplitud, profundidad y variaciones, como ha sido patente en sus primeras *Soledades*. Por otra parte, es importante notar que, en la edición posterior de *Soledades, galerías y otros poemas* de 1907, es la "lira" pitagórica la que se halla a la base de su *Ars poetica* ("Tal vez la mano, en sueños"), libro en el cual Machado alcanzó su madurez poética. Mas, aún aquí también podemos señalar a Rubén Darío como el sugeridor de esta más lúcida concepción poética, fuera de las posibles incitaciones ya indicadas de Fray Luis y de Bécquer. Darío, en efecto, había postulado en su prólogo a *Prosas profanas* la naturaleza musical de la poesía: "Como cada palabra tiene un alma, hay en cada verso, además de la harmonía verbal, una melodía ideal. La música es sólo de la idea, muchas veces".[16] El soneto "Ama tu ritmo" [17] constituye, a su vez, una verdadera formulación de doctrina pitagórica de la poesía. Para Darío, el poeta es en sí un "universo de universos", y su alma una fuente de canciones y de ritmos que deben gobernar todas sus acciones. El poeta contiene en su interior "la celeste unidad", de la cual brota la diversidad de mundos. Con el vibrar de sus propios "números dispersos", él habrá de "pitagorizar" en sus constelaciones. El poeta debe escuchar la "retórica divina" del pájaro en el aire y descifrar la "irradiación geométrica" en la noche. También el poeta debe saber engarzar las perlas cristalinas que resultan de volcar la verdad de su propia urna: "Y engarza perla y perla cristalina / en donde la verdad vuelca su urna". Estas imágenes nos hacen recordar la "lira inmensa" y las "pocas palabras verdaderas" de Machado. Además, en el largo poema "Coloquio de los Centauros" de Darío,[18] encontramos asimismo una postulación de doctrina pitagórica, que se encuentra relacionada con las fuerzas generativas de la naturaleza, ejemplificadas éstas en el erotismo de los Centauros, y con el ritmo de resurrección y muerte también de la naturaleza. El lugar en que aparecen los Centauros es la "Isla de Oro", a la cual llega "el argonauta / del inmortal Ensueño" (el poeta) a soñar sueños inmortales (cf. la expresión "en sueños" de Machado). Allí se escucha la "eterna pauta" de las "eternas liras", las voces de las sirenas, y el "caracol sonoro" del tritón. La aparición de los Centauros se realiza también como expresión de una armonía musical: "se oye un tropel vibrante de fuerza y de harmonía". El mensaje del centauro Quirón es el de que debemos aprender a descifrar las notas, el ritmo y la armonía que se encuentran en todas las manifestaciones de la Naturaleza, incluyendo las más diminutas:

> ¡Himnos! Las cosas tienen un ser vital: las cosas
> tienen raros aspectos, miradas misteriosas;
> toda forma es un gesto, una cifra, un enigma;
> en cada átomo existe un incógnito estigma;
> cada hoja de cada árbol canta un propio cantar
> y hay un alma en cada una de las gotas del mar.

El nacimiento de la diosa Venus significa no solamente la aparición de un nombre armónico sobre la tierra, sino también la concentración vital de las fuerzas eróticas de la Naturaleza en el cuerpo de la diosa femenina. Según Quirón, Venus es "princesa de los gérmenes, reina de las matrices, // señora de las savias y de las atracciones, / señora de los besos y de los corazones". Sin embargo, su propio cuerpo, según el Centauro Hipea, deja exhalar, al mismo tiempo, la "húmeda impureza", el calor que enerva y del cual sale el pestilente olor que ha de llenar "la barca de Caronte". Por tal razón, puede decir el mismo Centauro: "La hembra humana es hermana del Dolor y la Muerte". Una vez más, el Centauro Caumantes proclama la fuerza avasalladora del ímpetu erótico como triunfante en el corazón del Orbe, a través de la lujuria del dios Pan, en conjunción con la armonía sideral: "Pan junta la soberbia de la montaña agreste / al ritmo de la inmensa mecánica celeste". Pero el centauro Arneo dice en forma contudente: "La Muerte es de la Vida la inseparable hermana". Finalmente, el centauro Medón entona un himno a la figura femenina de la muerte:

> ¡La Muerte! Yo la he visto. No es demacrada y mustia,
> ni ase corva guadaña, ni tiene faz de angustia.
> Es semejante a Diana, casta y virgen como ella;

en su rostro hay la gracia de la núbil doncella
y lleva una guirnalda de rosas siderales.
En su siniestra tiene verdes palmas triunfales,
y en su diestra una copa con agua del olvido.
A sus pies, como un perro, yace un amor dormido.

Es decir, el cuerpo de esta "núbil doncella" que comparte el reino de las "aguas del olvido" lleva en sí latente la posibilidad del despertar de un "amor dormido", o sea, de las fuerzas mismas de renovación.

Este ritmo contrapuntístico, de origen pitagórico, se revela en configuraciones de muerte y resurrección en la poesía de Machado. Si en las primeras *Soledades*, el poeta dio preferencia al espectáculo de plena renovación de la primavera en el mes de abril ("Salmodias de abril"), en las *Soledades, galerías y otros poemas*, como también en el resto de su obra, el poeta concentra su atención en el inicio de esta renovación que se anuncia ya en el mes de marzo, el cual suele manifestarse primeramente en el fluir de la savia latente en las plantas, en la aparición de los nuevos brotes, y en la presencia de los huertos en flor. Tal apercepción coincide con sus movimientos de reconstrucción del paraíso perdido de la infancia. La tarde en que el poeta contempla el limonero en el patio de su casa (VII) "es una tarde clara, / casi de primavera, / tibia tarde de marzo, / que el hálito de abril cercano lleva". En el poema "Orillas del Duero" (IX), la línea fronteriza con el invierno "de nevascas y ventiscas" que acaba de pasar, y la primavera que se anuncia se halla marcada por "una tibia mañana" que hace aparecer al campo, "más que joven, adolescente". La primavera "se ve brotar en los finos / chopos de la carretera / y del río". En el poema "En la desnuda tierra del camino" (XXIII), el "salmo verdadero" que torna a los labios del poeta coincide con el retorno de "la brisa tutelar" que esparce aromas nuevamente "sobre el campo", al impulso del cual aparece la sombra de la figura femenina. En el poema "La vida hoy tiene ritmo / de ondas que pasan" (XLII), hay una fusión del reverdecimiento nuevo de la naturaleza ("bulle la savia joven en las nuevas ramas"), vibración luminosa del sol ("vibra el sol como un arpa"), e ilusión del poeta de querer sentir clavada en su corazón la flecha de la nueva diosa Primavera, de "ágiles músculos rosados" y "piernas silvestres": "¡Tiemble en mi pecho el oro / que llevas en tu aljaba!". En el poema "Acaso..." (L), el poeta contempla cómo "brotaban verdes hojas / de las hinchadas yemas del ramaje", y cómo el sol "era una lluvia de saetas de oro" sobre "las frondas juveniles", sin que él pueda creer que un fenómeno similar se opere en su ser, lo cual lo lleva a decir irónicamente: "—Y todavía / ¡yo alcanzaré mi juventud un día!". En "El rojo sol de un sueño en el Oriente asoma" (LXXXIV), el poeta que se siente cercano al final de su camino, medita sobre el hecho de que nunca podrá ver los frutos sazonados ("Tú no verás del trigo la espiga sazonada / y de macizas pomas cargado el manzanar"), si bien, ante el espectáculo del renacimiento ("campo recién florido y verde") y la presencia de "esas diminutas primeras margaritas", él quisiera poder contemplar el advenimiento de un "sueño en flor". Finalmente, en el poema "Renacimiento" (LXXXVII), el poeta ya adulto, al entrever su propia "alma niña", a través de las "galerías del alma", donde queda proyectada la "pequeña historia" (la de la niñez) que encierra "la alegría de la vida nueva", esto es, la del reverdecimiento de la primavera, él a su turno quisiera poder recobrar la savia juvenil y "volver a nacer", a fin de andar nuevamente el camino, una vez "ya recobrada la perdida senda". El ritmo de renovación lleva así implícito su opuesto, a saber el de decaimiento, sentimiento de pérdida del paraíso, y aproximación a la muerte y al no ser, en un estado de abatimiento espiritual, tristeza, angustia, hastío y monotonía.

Este ritmo contrapuntístico de los primeros libros de Machado puede advertirse en diversidad de variaciones en su poesía posterior. Fundamentalmente, *Campos de Castilla* está traspasado por su hálito de angustia, referido esta vez al paisaje castellano, a las gentes que lo habitan, a la somnolencia estática de estas últimas (física y espiritual), y a la carencia de verdaderos gérmenes que anuncien una vida nueva. Los paisajes son sombríos y desolados, las gentes hoscas y envidiosas, la tradición heroica se halla desmerecida, el campo y las ciudades están poblados de lunáticos ("El loco"), viejos y enfermos ("El hospicio"), criminales ("El criminal" y "La tierra de Alvargonzález"). Al mismo tiempo, predominan en el paisaje las encinas resistentes, aunque humildes, polvorientas, roídas y rugosas, en vez de otros árboles más esbeltos y poderosos ("Las encinas", CIII). Cuando el poeta puede contemplar el surgir de la primavera en tierra soriana, en un poema de título idéntico a uno de *Soledades, galerías y otros poemas*, "Orillas del Duero" (CII), su atención queda proyectada principalmente en la adustez del paisaje. La humilde primavera soriana apenas presenta en este caso un verdadero espectáculo de renovación. El "campillo amarillento, / como tosco sayal de campesina", apenas da lugar a que apunten en él el trigo y el centeno que han de proporcionar el pan de cada día:

> ¡Aquellos diminutos pegujales
> de tierra dura y fría,
> donde apuntan centenos y trigales
> que el pan moreno nos darán un día!

El fuerte y estéril paisaje de "roca y roca, pedregales / desnudos y pelados serrijones" puebla de "agria melancolía" las "sombrías soledades" del campo. Tal paisaje es el propio para traducir el estado de muerte de la vieja Castilla:

> ¡Castilla varonil, adusta tierra,
> Castilla del desdén contra la suerte,
> Castilla del dolor y de la guerra,
> tierra inmortal, Castilla de la muerte!

Las aguas del Duero, en las cuales se refleja, como un sueño, el viejo Romancero, fluyen hacia la mar, lo mismo que Castilla: "¿Acaso como tú y por siempre, Duero, / irá corriendo hacia la mar Castilla?". Asimismo, en el poema "Campos de Soria" (CXIII), la primavera pasa dejando trabajosamente sus huellas de vida nueva, en las "diminutas margaritas blancas", los "verdes pradillos", los "zarzales floridos", las "violetas perfumadas". El paisaje ondulado se revela en este momento de menguado reverdecimiento y florecer diminuto, en medio de colores opacos: "sierras calvas", "cerros cenicientos", "plomizos peñascales". La contemplación de los álamos, a orillas del Duero, en el otoño, hace pensar al poeta en promesas de renovación amorosa, cuando la primavera llegue nuevamente, convirtiendo las hojas en liras:

> ¡Álamos del amor que ayer tuvisteis
> de ruiseñores vuestras ramas llenas;
> álamos que seréis mañana liras
> del viento perfumado en primavera.

El recuerdo de estos campos, que se proyecta en forma de ensoñación melancólica en el alma del poeta, destaca su profunda angustia, la cual se halla a tono con la "agria melancolía / de la ciudad decrépita", en este mismo poema. Por otra parte, el poema "Pascua de Resurrección" (CXII) presenta tonos más alegres y prescinde, esta vez, de la noción contrapuntística de la muerte, para anunciar el mensaje de la vida nueva a las adolescentes, las "madrecitas en flor", que también celebran en este día sus "entrañas nuevas". La sonrisa de la "ruda madre" (la Naturaleza), que se manifiesta en los "hermosos nidos" que habitan las cigüeñas, en la presencia de los musgos de las peñas que lucen "como esmeraldas", y en la menuda hierba que muerden "los nuevos toros", marca un momento en "el arco de la vida" que, en este caso, es el de la renovación de la especie. Sin embargo, la metáfora del *arco*, con su referencia al ritmo de la vida humana, conlleva vibraciones sinestésicas de diverso orden, entre las cuales se encuentran las luminosas y colorísticas ("iris"), y las musicales, por hallarse implícita la noción de *cuerda*: "Mirad: el arco de la vida traza / el iris sobre el campo que verdea". De particular significación en este libro, es el poema "A un olmo seco" (CXV), el cual se halla contemplado conmiserativamente por el poeta, en su espectáculo insólito de una rama que reverdece en él con la llegada de la primavera ("olmo, quiero anotar en mi cartera / la gracia de tu rama verdecida"), cuando todos los demás signos en el interior y en el exterior anuncian su fin inminente. En efecto, el "ejército de hormigas en hilera", que va trepando por él, las telas grises que las arañas urden "en sus entrañas", como también la amenaza del hacha del leñador, indican que el olmo será muy pronto abatido. Esta minúscula manifestación de vida (la "rama verdecida") revela, dentro del espectáculo general de renovación del cosmos, al menos un hálito de esperanza, dentro de la conciencia de envejecimiento en que se encuentra el poeta: "Mi corazón espera / también, hacia la luz y hacia la vida, / otro milagro de la primavera".

Si este último poema fue escrito en momentos en que se desintegraba el organismo físico de su esposa (Soria, 1912), los escritos en recuerdo de ella, en Andalucía, una vez trasladado Machado a Baeza, en septiembre del mismo año, suelen fundir en forma aún más punzante, el hecho real de la disolución orgánica de aquélla y la experiencia de la propia desintegración personal con el espectáculo de la resurrección de la naturaleza. En "Recuerdos" (CXVI), el poeta contrasta la fragante, luminosa y fecunda primavera de los campos andaluces con el recuerdo de la trabajosa y tardía primavera del campo soriano. Sin embargo, esta última es la que viene a abrevar el corazón del poeta sumido "en la desesperanza y en la melancolía". El recuerdo de Leonor, indeleblemente unido al paisaje soriano, aparecerá ahora en el mundo de la ensoñación poética ("Soñé que tú me llevabas",

CXXII) como una radiante figura juvenil en un marco de primavera temprana: "Sentí tu mano en la mía, / tu mano de compañera, / tu voz de niña en mí oído / como una campana nueva, / como una campana virgen / de un alba de primavera". La iniciación de la primavera en el poema "Al borrarse la nieve, se alejaron" (CXXIV), "con las primeras zarzas que blanquean, / con este dulce soplo / que *triunfa* de la muerte y de la piedra", puede constituir por este mismo hecho un brote de la esperanza fortalecido en el recuerdo de la mujer muerta, "en esperanza de Ella...", al igual que una frágil mariposa que surge del ensueño: "y piensa el alma en una mariposa, / atlas del mundo, y sueña". El paraíso de la infancia, revivido ahora frente al paisaje andaluz ("En estos campos de la tierra mía", CXXV), está en peligro de convertirse en "despojos", en pura "carga bruta" del recuerdo, por faltar el "hilo" que anudaba todo este fondo inmemorial a su corazón adulto, es decir, Leonor: "mas falta el hilo que el recuerdo anuda / al corazón, el ancla en su ribera, / o estas memorias no son alma". Finalmente, el poema epistolar titulado "A José María Palacio" constituye una verdadera elegía funeral a Leonor. En términos de reminiscencias de su pasado reciente, el poeta hace una serie de interrogaciones a su amigo, cuyo sentido es el de fijar él mismo, con toda exactitud, los detalles minuciosos que marcan el proceso de reverdecimiento y floración de la primavera soriana que él compartió antes con Leonor y que ahora son sólo materia vívida del recuerdo. Sin embargo, el poeta solicita a su amigo que personalmente haga la ofrenda de la naturaleza a los despojos de la muerta, en este momento de nuevo triunfo primaveral: "Con los primeros lirios / y las primeras rosas de las huertas, / en una tarde azul, sube al Espino, / al alto Espino donde está su tierra...".

El poeta entreteje el ritmo de la resurrección y de la muerte en el fluir de sus propias experiencias al recuerdo de la adolescente muerta, cuyos despojos corporales contribuyen al reverdecer de la naturaleza, dentro de la nueva radiación cósmica, en la sucesión de las estaciones. También en tierra andaluza, lo mismo que en la castellana, Machado escucha el monótono *tic-tic* ("Poema de un día. Meditaciones rurales", CXXVIII) de un reloj de "corazón de metal" que mide en estos pueblos del sur un "tiempo vacío", y cuyo ritmo, juntamente con el de la lluvia que cae se hunde en la inmensidad del mar, esto es, en la inexistencia. Esta atmósfera de muerte espiritual se extiende a los representantes de la "cepa hispana", corroída por dentro, en un hombre que "no es de ayer ni es de mañana, / sino de nunca", según el poema "Del pasado efímero" (CXXXI), y el cual constituye una "fruta vana" de una España sin savia, inexistente: "de aquella España que pasó y no ha sido, / esa que hoy tiene la cabeza cana". Tal inanidad es también la del caballero andaluz, don Guido ("Llanto de las virtudes y coplas por la muerte de don Guido", CXXXIII), quien se presenta al infinito de la otra vida, a la hora de su muerte, con la manifestación de otro infinito que él vivió en esta vida, el de haber sido esta última "cero, cero". El aspecto de basurero de un pueblo como el de Úbeda, en el poema "Los olivos" (CXXXII), con su "orgía de harapos", la presencia de locos y de tontos, y su "casa de Dios" vacía por dentro, refleja el enturbamiento de la fuente de la vida, del "sol primero", provocando el resurgir de la melancolía ingénita en el alma del poeta. Sin embargo, el poema "El mañana efímero" (CXXXV) anuncia el ineludible ímpetu que ha de venir de "otra España que nace", al ritmo de la eterna juventud "que se hace / del pasado macizo de la raza", frente a la presencia actual de "Esa España inferior que ora y bosteza, / vieja y tahur, zaragatera y triste". El ímpetu de la redención *alborea* en el horizonte (el poema es de 1913): "Una España implacable y redentora, / España que alborea / con un hacha en la mano vengadora, / España de la rabia y de la idea". El ritmo de la muerte y la resurrección se proyecta así en una implacable auscultación de los males del presente, pero también en esperanzado reverdecimiento de la savia oculta, hacia el futuro. Esta confianza en el *renacer* de España se expresa asimismo indirectamente en algunos de los poemas de la sección "Elogios" de este libro, como el dedicado "A don Francisco Giner de los Ríos" (CXXXIX), de cuyo túmulo irradia la luz de una nueva ilusión ("mariposas doradas"): "Allí el maestro un día / soñaba un nuevo florecer de España". En el poema dedicado a Azorín, "Desde mi rincón" (CXLIII), con motivo de su libro *Castilla*, Machado expresa una esperanza similar:

> Desde un pueblo que ayuna y se divierte,
> ora y eructa, desde un pueblo impío
> que juega al mus, de espaldas a la muerte,
> creo en la libertad y en la esperanza,
> y en una fe que nace
> cuando se busca a Dios y no se alcanza,
> y en el Dios que se lleva y que se hace.

Esta estructura fundamental de la "lira inmensa", o sea, la de "muerte y resurrección", o viceversa, va a hallarse también presente en el libro *Nuevas canciones* (1924), si bien con el énfasis contrapuntístico inclinado más hacia el aspecto de una resurrección dirigida al fondo de su ser individual, como también al de la energía colectiva de la raza, a diferencia de sus libros anteriores, que ponían un mayor acento en el aspecto de muerte, tanto en lo individual como en lo colectivo, en correlación con el renacer de la naturaleza. El largo poema "Olivo del camino" (CLIII), que encabeza esta colección, reproduce en cierta manera modulaciones de "A un olmo seco", de *Campos de Castilla*, y constituye, por esta razón, un símbolo de la vida del poeta. En uno y otro poema aparecen epítetos varios que hacen alusión a la soledad, olvido de los demás, desaliño y aparente insuficiencia. Del olivo dice el poeta: "lejos de tus hermanos", "sin caricia de mano labradora / que limpie tu ramaje, y por olvido, / viejo olivo, del hacha leñadora", "olivo solitario, / lejos del olivar, junto a la fuente", "polvoriento". Sin embargo, el olivo, "parejo de la encina castellana" en su resistencia, conserva una dureza interior que se halla referida a la fibra vigorosa del pueblo andaluz, en la misma forma en que la encina lo es del resistente pueblo castellano.[19] Desde la sombra de ambos árboles, el poeta contempla la perspectiva profunda de los dos pueblos: "Hoy, a tu sombra, quiero / ver estos campos de mi Andalucía, / como a la vera ayer del alto Duero / la hermosa tierra del encinar veía" (vv. 15-18). El árbol aparece, por otra parte, "bello", "erguido", "silvestre", "espeso", "alto", con sombra protectora ("olivo hospitalario", v. 21), cargado de *fruto* y situado junto a una fuente, a la cual da también sombra: "das tu sombra a un hombre pensativo / y a un agua transparente" (vv. 22-23). La significación ricamente conceptual, mítica y simbólica del poema se halla realzada por un vocabulario (nombres y epítetos), y una sintaxis de expansión hímnica, en la cual tienen preponderante lugar las invocaciones y las construcciones optativas: "¡cuán bello estás[...]", "Busque tu rama verde el suplicante", "Deméter jadeante / pose a tu sombra", "Que reflorezca el día", "Que en tu ramaje luzca, árbol sagrado, / [...]el ojo encandilado / del búho insomne de la sabia Atena", "Y con tus ramas la divina hoguera / encienda en un hogar del campo mío". El poema se halla inspirado en el himno homérico a Deméter ("Bajo tus ramas, viejo olivo, quiero / un día recordar del sol de Homero", vv. 39-40), que relata la desesperación de la diosa por el hurto de su hija Perséfone (Proserpina, en el poema), perpetrado por Hades (Plutón), dios del inframundo, y la llegada de la diosa madre a la orilla de la fuente, que se halla sombreada por ramas de olivos. Según el himno homérico, en aquel lugar, Deméter, disfrazada de vieja mujer, es llevada como nodriza a la casa de Keleos para sustentar a su hijo Demofón, quien se encuentra encanijado.[20] Machado relata este incidente de la historia mitológica, refiriéndose también al hecho de que la nodriza revive al niño, escondiéndolo por las noches en una llama ardiente, según refiere también el himno, a fin de hacerlo semejante a los dioses. El poeta reconstruye: "[...]En roja hoguera, / a Demofón, el príncipe lozano, / Deméter impasible revolvía, / y al cuello, al torso, al vientre, con su mano / una sierpe de fuego le ceñía" (vv. 61-64). Se trata del fuego de la "eterna juventud" y de la inmortalidad ("con la llama que libra de la muerte, / la eterna juventud por compañera", vv. 84-85), que Demofón no podrá alcanzar por la imprudencia de su madre, si bien al menos obtuvo de la nodriza el asegurar la robustez de su cuerpo. Machado no relata en el poema la recuperación de Proserpina por su madre, durante las dos terceras partes de cada año, y presenta, por el contrario, el espectáculo radiante y reconfortante de una naturaleza que súbitamente florece y se carga luego de densos frutos que también se halla en el himno: "La madre de la bella Proserpina / trocó en moreno grano, / para el sabroso pan de blanca harina, / aguas de abril y soles de verano" (vv. 86-89).[21] A las mieles que rezuma el higo del huerto, a la "oronda pera" que cuelga en los perales, y a los "rubios moscateles" de las vides, se suma el milagro de la aceituna en los olivos: "Ya irá de glauca a bruna, / por llano, loma, alcor y serranía, / de los verdes olivos la aceituna..." (vv. 104-106). Por esta razón, el "Olivo del camino" puede ostentar también su fruto maduro: "Tu fruto, ¡oh polvoriento del camino / árbol ahíto de la estiva llama!" (vv. 107-108). El mito de Deméter y Perséfone, con su correlato del de Deméter y Demofón, proyectan, así, las fuerzas de la renovación al ritmo de la resurrección anual en la naturaleza, pero también a la raza de los mortales. El polvoriento olivo del camino se cargará de fruto, a pesar de su vejez y del olvido en que lo tienen los hombres. Sin embargo, a este árbol converge también el mito de la diosa Atena (el cual no se encuentra en el himno homérico a Deméter), por cuanto dicha diosa introdujo el cultivo del olivo en Grecia (siendo uno de sus emblemas un ramo de oliva), al mismo tiempo que ella es protectora de la civilización e impulsadora de las acciones humanas.[22] Dice el poeta en una de sus invocaciones al olivo: "guarde tus ramas, viejo olivo, / la diosa de ojos glaucos, Atenea" (vv. 25-26). También menciona Machado el otro atributo de Atena, o sea el de ser protectora de las artes y de las actividades de la inteligencia, cuyo símbolo es el búho:

> Que en tu ramaje luzca, árbol sagrado,
> bajo la luna llena,
> el ojo encandilado
> del búho insomne de la sabia Atena.
>
> (vv. 113-116)

Es decir, Machado ha reunido en este poema un núcleo de mitos, cuyo sentido es el de la poderosa fuerza renovadora, los cuales en su conjunto abarcan no solamente el reverdecimiento del cosmos y de la naturaleza, sino también el robustecimiento físico y espiritual de la especie humana, la renovación del impulso erótico del hombre, el crecimiento del espíritu, de la inteligencia, y del impulso creativo en general. De este anhelo interior de renovación debe participar también la nación hispánica, con referencia particular a Andalucía, tal como lo señala el poeta en los últimos versos del poema:

> Y con tus ramas la divina hoguera
> encienda en un hogar del campo mío,
> por donde tuerce perezoso un río
> que toda la campiña hace ribera
> antes que un pueblo, hacia la mar, navío.
>
> (vv. 121-125)

El poema "El olivo del camino", a pesar de no ser cronológicamente el primero de *Nuevas canciones*,[23] y a pesar de presentar un lirismo en cierta manera externo y objetivo, en virtud de su carácter de himno, encierra, sin embargo, una clave fundamental para comprender la actitud interior del poeta en ese momento de su biografía personal y, por tanto, en el tono de su producción poética. Esto es, en el futuro, su labor creadora habrá de orientarse principalmente hacia los símbolos de la resurrección, sin que por ello, se hallen ausentes los efectos contrapuntísticos de la presencia de la muerte, que en el presente poema también se halla sugerida, aunque brevemente: "De segados trigales y alcaceles / hizo el suelo sequizos rastrojales" (vv. 97-98). El gran espectáculo cósmico de la resurrección corresponde en este momento, en Machado, con una extraña vivificación del impulso erótico. Ésta se halla sugerida por la presencia de nuevos amores, lo mismo que por la conciencia de una mayor plenitud en su facultad poética creadora y de una mayor expansibilidad de su inteligencia, avivada, sin duda, por su creciente dedicación a los estudios filosóficos. También se proyecta ésta en un anhelo de liberación y de despertar colectivo de su pueblo. La nueva actitud llena de aliento gozoso al poeta, si bien lo sume al mismo tiempo en un estado espiritual de tono escéptico y, con frecuencia, de pavor y miedo, por saber que su proceso de envejecimiento y muerte han de socavar sus impulsos de renovación.

La imagen de la "lira inmensa" hace también su aparición en un poema clave de *Nuevas canciones*, aunque esta vez bajo la denominación directa de "lira pitagórica". El poema "Galerías" (CLVI), cuyo título nos hace recordar toda una sección de poemas de *Soledades, galerías y otros poemas*, contiene lo mismo que estos últimos una perspectiva hacia el pasado (de ahí la presencia del símbolo "galerías"), si bien se hallan fundidas en él, al mismo tiempo, una perspectiva de presente, de paisaje interior y de espacios exteriores, frente a la oscuridad de la tormenta y la súbita iluminación del relámpago. El poeta se sitúa en primer término, con precisión detallista, en un paisaje de invierno, cuyas notas en *negro* revelan una *pauta* musical marcada por el silencio:

En el desnudo álamo,
las graves chovas, quietas y en silencio,
cual negras, frías notas
escritas en la pauta de febrero.

En la sección segunda del poema, la primavera se anuncia con sus signos de florecimiento ("el blanco del almendro en la colina", la "nieve en flor y mariposa en árbol", y "el aroma del habar"). Las secciones III a VII introducen la imagen de la lira en una fusión de pasado y presente. El poeta contempla al *niño* que se halla junto a su madre mirando la tormenta desde el interior del salón, a través del limpio cristal donde repiquetea el granizo. De pronto surge el arco iris, cuyas vibraciones colorísticas de sus siete cuerdas corresponden a las de un "tímpano infantil":

El iris y el balcón.
Las siete cuerdas
de la lira del sol vibran en sueños.
Un tímpano infantil da siete golpes
—agua y cristal—.

(IV)

El espectáculo luminoso y de vívidas imágenes colorísticas que sucede a la tormenta, en un paisaje contemplado en el presente, constituye, al mismo tiempo, una grieta que se abre en el pasado ya lejano del poeta ("¿Quién ha punzado el corazón del tiempo?", V):

¿Quién puso, entre las rocas de ceniza,
para la miel del sueño,
esas retamas de oro
y esas azules flores del romero?
La sierra de violeta
y, en el poniente, el azafrán del cielo,
¿quién ha pintado?

(VI)

Los colores dispersos en el horizonte cósmico coinciden con las resonancias acústicas provenientes del fluir del agua y con los brotes nuevos que ostenta la renovación de la naturaleza:

> ¡El abejar, la ermita,
> el tajo sobre el río, el sempiterno
> rodar del agua entre las hondas peñas,
> y el rubio verde de los campos nuevos,
> y todo, hasta la tierra blanca y rosa
> al pie de los almendros!
>
> (VI)

Finalmente, el poeta abstrae de pronto toda esta inundación de luz y de sonido en un esquema de vibraciones colorísticas y musicales que debieran ser transmitidas con exactitud por la "lira pitagórica" y su *estereoscopio* imaginario. Sin embargo, su propio instrumento es inservible para dar la captación viva de las cosas, quedándose el poeta tan sólo con un espacio vacío y transparente, esto es, desprovisto de forma sensible. La imagen de las "cenizas del fuego heraclitano" responde en este momento a la insuficiencia de la palabra escrita (notas) para traducir la vívida experiencia por la que él acaba de pasar:

> En el silencio sigue
> la lira pitagórica vibrando,
> el iris en la luz, la luz que llena
> mi estereoscopio vano.
> Han cegado mis ojos las cenizas
> del fuego heraclitano.
> El mundo es, un momento,
> transparente, vacío, ciego, alalo.
>
> (VII)

Tal embriaguez luminosa, musical y colorística que capta la pulsación dinámica del cosmos, en el momento de la irrupción de la primavera, coincide biográficamente en Machado con un acrecentamiento en su energía espiritual y una marcada vigorización de la savia erótica que se proyecta en la presencia inminente de nuevos amores. El poeta expresa, en efecto, esta inquietud de diversas maneras. En el poema "Hacia tierra baja" (CLV), él se dirige a la "enjauladita como las fieras", que se halla detrás de las rejas, siendo él tan sólo uno de los rondadores que pasan por su ventana: "También yo paso viejo y tristón. / Dentro del pecho llevo un león". En "La luna, la sombra y el bufón" (CLVII), el poeta atenúa su impulso con una advertencia humorística:

> Se pintan panza y joroba
> en la pared de mi alcoba.
> Canta el bufón:
> ¡Qué bien van,
> en un rostro de cartón
> unas barbas de azafrán!
> Lucila, cierra el balcón.

Sin embargo, en "Parergon" (CLXII), sus ojos, en un día de primavera, salen al encuentro de otros ojos que tienen un nuevo brillo, diferente de los ya lejanos de Leonor, cuyo color se ha desvanecido: "De una ventana en el sombrío hueco / vio unos ojos brillar". En los tres primeros sonetos de la serie "Glosando a Ronsard y otras rimas" (CLXIV), el poeta advierte a la dama que no lo desdeñe por lo que él tiene de "fruta arrugada, ayer madura", o de "mustia rama, ayer florida" (II), sino más bien por estar en él viva la canción, por lo que hay en él de "hondo cauce":

Buscad del hondo cauce agua secreta,
del campanil que enronqueció a rebato
la víspera dormida, el timorato
pensado amor en hora recoleta.

(III)

Por otra parte, el soneto "El amor y la sierra", de esta misma serie, presenta la fuerza aterradora del amor en un paisaje de tormenta y relámpagos. La aparición de la amada es fulminante y equivale a la presencia de la divinidad, con sus atributos de ser dispensadora de bienes, pero de ser, al mismo tiempo, de índole destructora:

Y hubo visto la nube desgarrada,
y dentro, la afilada crestería
de otra sierra más lueñe y levantada

—relámpago de piedra parecía—
¿Y vio el rostro de Dios? Vio el de su amada.
Gritó: ¡Morir en esta sierra fría!

Asimismo, en el soneto III de "Los sueños dialogados", también incluidos en este grupo, el poeta acumula imágenes de incendio y de tormenta ("Las ascuas de un crepúsculo, señora, / rota la parda nube de tormenta") para referirse a la fuerza de un amor que es a la vez fascinante y destructor y que, simultáneamente, produce "asombro y pavor", "esperanza y miedo". El resplandor de la aurora, que está identificado con las ascuas del crepúsculo, en un paisaje dantesco de rocas y desfiladeros, coincide con el incendio de un amor, y se halla asociado con la dureza de la piedra ("Una aurora cuajada en roca fría") y con animales amenazadores situados en la garganta del monte: "osa gigante". El poeta siente el vigor de la nueva pulsación, pero se halla consciente de ir "hacia la mar, hacia el olvido", y pronuncia la advertencia de renuncia: "No me llaméis porque tornar no puedo". Con todo, en el soneto V del grupo "Sonetos" (CLXV), el poeta da la advertencia contraria, esto es, la de huir de un "amor pacato" que se halla exento de peligro y de aventura, puesto que el amante se encontrará al final sin "fruto en la rama", y, en sus manos, con la ceniza que proviene, no de una llama encendida, sino la que resulta del vacío mismo de su corazón:

> Y ceniza hallará, no de su llama,
> cuando descubra el torpe desvarío
> que pedía sin flor fruto en la rama.
>
> Con negra llave el aposento frío
> de su tiempo abrirá. ¡Desierta cama
> y turbio espejo y corazón vacío!

Sin embargo, la imagen de las "cenizas" que ya habíamos encontrado en el poema "Galerías" de *Nuevas canciones* nos sitúa ante una nueva perspectiva de temas y de concepción poética en Machado. Se trata, en efecto, de una imaginería que está íntimamente relacionada con las vibraciones de la "inmensa lira", pero que incorpora al mismo tiempo las nuevas intuiciones acerca de la amada y del papel que juega el impulso erótico en la aprehensión de la realidad y, por ende, en el fenómeno lírico. Si la filosofía tradicional, según Machado, nos ha alejado del mundo de lo real, por entenderse en su dialéctica y elucubraciones casi exclusivamente con categorías abstractas de pensamiento, la poesía lírica debe proponerse como objetivo primordial el llegar a las raíces mismas del ser. Tal empeño debe llevar a intuir la "heterogeneidad del ser", tal como lo explica el filósofo apócrifo Abel Martín, en *De un cancionero apócrifo*, lo cual equivale a ponerse en contacto directo con la inmensa diversidad de todas las cosas, en su individualidad característica. En última instancia, ésta será una tarea imposible, por cuanto la conciencia misma se halla atrapada en la red de sus propias abstracciones. Sin embargo, el esfuerzo por sentir la palpitación de la vida y la presencia directa de la realidad, dentro del fluir del tiempo, constituye en sí mismo un manantial primario de poesía, tal como lo dice el otro filósofo apócrifo Juan de Mairena. Tal es lo que Machado llamará "las ascuas del fuego heraclitano", siendo, por el contrario, las "cenizas" que ciegan y no permiten ver la realidad, el lenguaje mismo con sus categorías lógicas, las palabras que esconden la realidad del ser.

El soneto "Esto soñé" de *Nuevas canciones*, ya nos presenta esta perspectiva de iluminación de la realidad, a través del procedimiento esencialmente lírico de la "ensoñación", tal como se había dado en *Soledades, galerías y otros poemas.* Sin embargo, en este último poema los procesos de ensoñación están dirigidos hacia el futuro, más bien que hacia el pasado, y se hallan en íntima vinculación con una concepción prometeica del poeta, que revela una manifestación específica de la resurrección del ser espiritual. En este soneto, en efecto, el poeta aparece como peregrino, cuya "luenga jornada", ya se acerca a su fin en esta vida. Sin embargo, también resulta ser él un "adanida", para quien el mundo apenas comienza y se halla al alcance de sus manos, con plena conciencia de sus nuevos poderes. La índole misma de ser él un "caminante" le ha conferido la aptitud para acumular experiencias que provienen del mundo de la realidad: "es suma del camino". Tal condición hace posible la maduración del nuevo verso en su interior: "para aguardar el verso adamantino / que maduraba el alma en su hondo seno". Por otra parte, la situación de ser el poeta un "adanida" coincide con el espectáculo de tener que contemplar el fluir homicida del tiempo. Su visión, por tanto, sólo puede ser la del sueño, la de ilusión de poderío:

> Esto soñé. Y del tiempo, el homicida,
> que nos lleva a la muerte o fluye en vano,
> que era un sueño no más del adanida.

Con todo, el sueño le permite al poeta verse a sí mismo, en forma desdoblada, como un individuo que ha llevado a cabo la hazaña de ponerse en contacto directo con el fuego heraclitano, esto es, con "las ascuas del fuego de la vida", sin el intermediario cegador de las cenizas:

> Y un hombre vi que en la desnuda mano
> mostraba al mundo el ascua de la vida,
> sin cenizas el fuego heraclitano.

El poeta ha llegado aquí a la formulación de su nueva doctrina lírica, consistente en su empeño de trascender las fronteras del pensar lógico y de las categorías abstractas que limitan la actividad de la conciencia, a fin de intuir la objetividad del mundo, la "heterogeneidad del ser", y, con ello, inmergirse en las aguas turbulentas de la vida. Las imágenes "fuego de la vida" y "brasa encendida" del soneto "Huye del triste amor, amor pacato", ya citado, en oposición a "brasa pensada", y "ceniza que le guarde el fuego", se refieren, una vez más, a esta oposición entre pensamiento lógico, es decir, filosofía, y poesía lírica.

Por otra parte, el descubrimiento de la "otredad" del ser, del "ojo" del universo que está en el fondo también de nosotros y el cual constantemente se halla en actitud de mirarnos, y del "tú esencial" que ha de ser nuestro compañero ("no es el yo fundamental / eso que busca el poeta, / sino el tú esencial", en "Proverbios y cantares", XXXVI), constituye también un enriquecimiento expansivo por parte de la conciencia del poeta. Según Abel Martín, en sus prosas explicativas de *De un cancionero apócrifo*, el universo en su totalidad es "actividad consciente",[24] y, en tal virtud, se convierte en "*el gran ojo que todo lo ve al verse a sí mismo*". El poeta debe hallarse situado en el centro mismo de este movimiento de "conciencia integral". El impulso erótico debe tener por objeto el captar la "otredad" de la amada, esto es, su presencia real, y con ello la existencia del mundo exterior, a diferencia de los simples contenidos subjetivos que se encuentran en el fondo de la conciencia del poeta. Este momento es el del amor, el cual lo siente Abel Martín como "un súbito incremento del caudal de la vida",[25] aun en el caso de que su objeto concreto no aparezca del todo claro y visible. El soneto "Primaveral", de *De un cancionero apócrifo*, nos revela que tal movimiento de la conciencia (impulso erótico dirigido a captar la "heterogeneidad del ser") es equivalente al de la presencia de la primavera en el cosmos: "¿Y ese perfume del habar al viento? / ¿Y esa primera blanca margarita?...". Tales signos hacen posible la inminente presencia de la amada: "eres tú quien florece y resucita". En el soneto "Rosa de fuego", dicha embriaguez del amor ("lúbrica pantera") se halla avivada por el nuevo fuego del sol que ha entrado en su trayectoria de acercamiento a la tierra, haciendo que los amantes formen parte del nuevo ritmo universal de renovación, en participación alerta con la sustancia cósmica de los cuatro elementos: "Tejidos sois de primavera, amantes, / de tierra y agua y viento y sol tejidos". La fuerza erótica debe realizarse en su plenitud avasalladora, en consonancia con las leyes astronómicas, cuando los amantes aún pueden tener la "rosa de fuego" en sus manos, antes de que el sol entre en el "solsticio de verano", es decir, antes que el astro haya perdido su acción vivificadora:

> Caminad, cuando el eje del planeta
> se vence hacia el solsticio de verano,
> verde el almendro y mustia la violeta,
>
> cerca la sed y el hontanar cercano,
> hacia la tarde del amor, completa,
> con la rosa de fuego en vuestra mano.

Si las poesías que dan expresión a las teorías del pensar poético de Abel Martín conllevan el signo de la expansibilidad de la conciencia ("conciencia integral") y, por consiguiente, de una poderosa resurrección espiritual, los poemas últimos del *Cancionero apócrifo* acentúan, por lo general, el aspecto de decadencia y muerte, si bien en alternancia con el ansia de resurrección. En "Últimas lamentaciones de Abel Martín" (CLXIX), el poeta proyecta su sueño, en un día de primavera ("Hoy, con la primavera, / soñé que un fino cuerpo me seguía"), a la galería de su ya lejana infancia: "Soñé la galería / al huerto de ciprés y limonero". Sin embargo, su visión no lo lleva, como en el caso de las *Soledades*, a quedarse anclado en la región de este mágico paraíso, sino más bien a contemplar lo que de tenso había en ese primer momento ("firme en el arco tenso la saeta / del mañana"), lo que existía de inminencias hacia el futuro, y que aún conserva cierta vivacidad, a pesar del transcurso del tiempo que todo lo destruye:

> ¡Oh Tiempo, oh Todavía
> preñado de inminencias!
> Tú me acompañas en la senda fría,
> tejedor de esperanzas e impaciencias.

"La hazaña y la aventura" aún son posibles para el "corazón entelerido", si bien, como antes, en virtud del sueño: "Hoy, como un día, en la ancha mar violeta / hunde el sueño su pétrea escalinata". El poeta tan sólo oye el eco de su voz, frente a los "montes de piedra dura", y termina con una plegaria a la naturaleza para que le conceda la paz que viene de la seguridad en su propia fuerza

> La augusta confianza
> a ti, naturaleza, y paz te pido,
> mi tregua de temor y de esperanza,
> un grano de alegría, un mar de olvido...

Por otra parte, las "Canciones a Guiomar" (CLXXIII) traen la sensación de una luminosa y auténtica alborada:

Yo pregunté: ¿Qué me ofreces?
¿Tiempo en fruto, que tu mano
eligió entre madureces
de tu huerta?
. . . .
¿De monte en monte encendida,
la alborada
verdadera?

En cambio, en las "Otras canciones a Guiomar. A la manera de Abel Martín y de Juan de Mairena" (CLXXIV), la figura de la amada comienza a dibujarse como algo que ya va a pertenecer a la esfera del recuerdo: "¡Sólo tu figura, / como una centella blanca, / en mi noche oscura!". El forzado alejamiento de esta experiencia viva que le había permitido al poeta inmergirse en las aguas del ser, lo lanza ahora a considerar el amor como una simple invención: "Todo amor es fantasía; / él inventa el año, el día, / la hora y su melodía". El amor ya pasado sólo habrá de salvarse y tener realidad en el poema, el cual constituye, por otra parte, una manera de resurrección:

[...]el verso del poeta
lleva el ansia de amor que lo engendrara
como lleva el diamante sin memoria
—frío diamante— el fuego del planeta
trocado en luz, en una joya clara...

(VII)

Sin embargo, aun esta irradiación diamantina de la poesía se halla acompañada de visiones de fragilidad, en un contexto de imágenes de muerte. La mariposa multicolor (poesía) brota de un subsuelo de carroña y cementerio, en el último poema de estas canciones a Guiomar, en el cual se mezclan elementos de luz y oscuridad, perfume y putrefacción, triunfo primaveral y decadencia, resurrección y muerte, con referencia también a la propia desintegración personal del poeta:

> Abre el rosal de la carroña horrible
> su olvido en flor, y extraña mariposa,
> jalde y carmín, de vuelo imprevisible,
> salir se ve del fondo de una fosa.
> Con el terror de víbora encelada,
> junto al lagarto frío,
> con el absorto sapo en la azulada
> libélula que vuela sobre el río,
> con los montes de plomo y de ceniza,
> sobre los rubios agros
> que el sol de mayo hechiza,
> se ha abierto un abanico de milagros
> —el ángel del poema lo ha querido—
> en la mano creadora del olvido...
>
> (VIII)

En cuanto al poema "Muerte de Abel Martín" (CLXXV), Antonio Machado da, sin duda, una prefiguración de su propio final. La experiencia de Abel Martín de estar asistiendo a su propia muerte coincide con la algazara de niños que "gritan, saltan, se pelean", esto es, con una perspectiva de vidas que comienzan. En este momento del atardecer en que el día se torna noche, el poeta viejo y solitario, Abel Martín ("En su rincón, Martín el solitario"), es consciente de la plenitud de su alma, frente a la "turbia hoguera", ante la "fogata de frontera", la última que "ilumina las hondas cicatrices". Súbitamente, la estrella del amor que guió su nave ("¡oh lueñe nave!") se aleja en la distancia. Abel pide al Señor que ahogue la "mala gritería" con las esencias de su Nada: "ahógame esta mala gritería, / Señor, con las esencias de tu Nada". La "musa esquiva", "la enlutada", "la dama de sus calles", cuya cara descubierta Abel había ansiado mirar, se encuentra ahora junto a su lecho. Abel agradece su compañía de muchos días, a pesar de su siempre "frío desdén".

El poeta filósofo saca el balance del decurso de su vida: "Viví, dormí, soñé y hasta he creado / [...]un hombre que vigila / el sueño, algo mejor que lo soñado". Sin embargo, Abel se da cuenta que un destino igual aguarda tanto al "soñador" como al "vigilante", a quien traza caminos, y a quien sigue caminos, "jadeante", en alusión, sin duda, al que es consciente de su función creadora de poeta, como al que no lo es. Su paso último es el de penetrar en la sombra gigante de Dios, en su mirada cegadora, en la pura nada, de quien ésta ha sido su propia creación:

> al fin, sólo es creación tu pura nada,
> tu sombra de gigante,
> el divino cegar de tu mirada.[26]

Abel se da cuenta de que esta experiencia última constituye una de las intuiciones del ser: "¡Esta lira de la muerte!". Al mismo tiempo contempla él la figuración escrita de su vida total: "Su vida entera, / su historia irremediable aparecía / escrita en blanda cera". El alborear de un nuevo día se acerca, con su "luz bermeja / de una caliente aurora de verano", haciendo pensar en reminiscencias de la infancia, y en alusión a la plenitud del cosmos en la estación de su mayor fuerza expansiva. La condición de ceguera frente a una luz que Abel no puede ver, esto es, la que alumbra el universo de las cosas sensibles, las cuales lo miran sin que él pueda mirarlas, constituye el trance final para que el poeta filósofo apure el vaso lleno de "pura sombra":

> Ciego, pidió la luz que no veía.
> Luego llevó, sereno,
> el limpio vaso hasta su boca fría,
> de pura sombra —¡oh, pura sombra!— lleno.

Machado supera, una vez más, sin embargo, esta prefiguración de su propio final, con la intuición de un nuevo resurgir colectivo en el futuro. El poema "Otro clima" (CLXXVI), último del *Cancionero apócrifo*, canta la aparición del hombre nuevo, de la nueva sociedad que nace de la muerte de la antigua: "¿Un mundo muere? ¿Nace / un mundo? ¿En la marina / panza del globo hace / nueva nave su estela diamantina?". Esta visión de "un mundo nuevo" que ha de ser, a su turno, "salvado otra vez", constituye una nueva resurrección que sólo es posible a base de los escombros de la muerte, la cual apunta, por otra parte, más allá de los límites de la vida del poeta. En lontananza, sobre "el desierto llano" y en "el verde fragor del océano" se otean "sombras de gigantes con escudos" que señalan el nuevo camino:

> Y un *nihil* de fuego escrito
> tras de la selva huraña,
> en áspero granito,
> y el rayo de un camino en la montaña...

Este último poema anuncia el diseño de una poesía de carácter colectivo, que el apócrifo Jorge Meneses, discípulo de Mairena, había insinuado con las variaciones obtenidas en su máquina de trovar. La exclusiva intimidad del poeta debe ser trascendida. El sentimiento de la resurrección se proyecta ahora al plano de la común humanidad de todos los hombres.

La "lira inmensa", que Antonio Machado escuchó en momentos de ensoñación poética se tradujo así en pulsaciones que abarcan la totalidad del universo: el microcosmos y el macrocosmos, la intimidad profunda del poeta y la extensión de los espacios siderales, el hombre individual y la humanidad colectiva, el pasado espiritual del poeta y su presente, la conciencia de su vigor expansivo y la de su propia desintegración. Machado teje este entreveramiento de oposiciones en una sucesión indefinida de muertes y resurrecciones que se proyectan, ya sea en simultánea coexistencia de las unas con las otras o bien en su alternancia sucesiva. Por otra parte, las vibraciones musicales de la "lira inmensa" deben encontrar su registro propio en la palabra poética. Su figuración se halla constituida por los signos que vienen a integrar la estructura compacta del poema. La notación incluye tanto las imágenes colorísticas y musicales con sus alternancias y contrastes, como la presencia de los objetos de la realidad, la sucesión de las estaciones, y los elementos puramente formales del lenguaje, con sus valores temporalistas y reiterativos que son propios de la poesía lírica: ritmo, rima, acento, pausas, cantidad.[27] El desciframiento de dicha notación debe realizarse, a su turno, al nivel de la significación simbólica del poema, en lecturas y puntualizaciones sucesivas. Las vibraciones de la "lira inmensa" de Antonio Machado continúan dejando oír su eco en un contexto indefinido de muertes y resurrecciones.

Yale University
New Haven, Connecticut

NOTAS

1. Citamos por *Obras. Poesía y prosa*, edición de Aurora de Albornoz y Guillermo de Torre (Losada, Buenos Aires, 1964).

2. Para la tradición pitagórica de los números y de la armonía de las esferas, véase W. K. Ch. Guthrie, *A history of Greek philosophy*, I (Cambridge University Press, Londres, 1962), pp. 295-319. Las relaciones entre pitagorismo y orfismo, particularmente en lo referente al instrumento de la lira y la doctrina de los números, pueden examinarse en W. K. Ch. Guthrie, *Orpheus and Greek religion* (Londres, 1952), pp. 216-221, y G. R. S. Mead, *Orpheus* (Nueva York, 1965), pp. 162-168.

3. Gaston Bachelard, *La poética del espacio*, FCE, México, 1965.

4. Ibid., pp. 39-80.

5. Cf. los "*lienzos* del recuerdo" en el poema XXX, cuyas dos primeras estrofas ya habían sido incluidas en la edición de las *Soledades* de 1903:

> Algunos lienzos del recuerdo tienen
> luz de jardín y soledad de campo;
> la placidez del sueño
> en el paisaje familiar soñado.

Otros guardan las fiestas
de días aún lejanos;
figurillas sutiles
que pone un titerero en su retablo...

6. Véase José Pedro Díaz, *Bécquer, Rimas* (Madrid, 1963), p. 25.

7. Véase *Poesías de Fray Luis de León*, edición crítica por el P. Angel C. Vega (Madrid, 1955), p. 450.

8. Citamos por la edición de las *Soledades* de Rafael Ferreres (Madrid, 1967), p. 105.

9. Ibid., p. 110.

10. Ibid., p. 117.

11. Ibid., p. 126.

12. Ibid., p. 80.

13. Ibid., p. 79.

14. El *Diccionario de la Lengua Española* de la Real Academia da como uno de los significados de *salterio* el siguiente: "Libro de coro que contiene sólo los salmos". También es un instrumento músico.

15. "Yo he dicho, en la misa rosa de mi juventud, mis antífonas, mis secuencias, mis profanas prosas. Tiempo y menos fatigas de alma y corazón me han hecho falta, para, como un buen monje artífice, hacer mis mayúsculas dignas de cada página del breviario. (A través de los fuegos divinos de las vidrieras historiadas, me río del viento que sopla afuera, del mal que pasa.) Tocad campanas de oro, campanas de plata; tocad todos los días, llamándome a la fiesta en que brillan los ojos de fuego, y las rosas de las bocas sangran delicias únicas. Mi órgano es un viejo clavicordio pompadour, al son del cual danzaron sus gavotas alegres abuelos; y el perfume de tu pecho es mi perfume, eterno incensario de carne, Varona inmortal, flor de mi costilla" (Rubén darío, *Poesías completas*, edición de Alfonso Méndez Plancarte, Madrid, 1961, p. 612).

16. Ibid., p. 613.

17. Ibid., p. 693. Para el origen del pitagorismo de Darío en este soneto, véase Arturo Marasso, *Rubén Darío*, Buenos Aires, 1941, pp. 161-165.

18. *Poesías completas*, pp. 641-649. Para las fuentes del poema, véase Marasso, *op. cit.*, pp. 73-108.

19. Un fragmento del poema "Las encinas" (CIII) dice: "¿Qué tienes tú, negra encina / campesina, / con tus ramas sin color / en el campo sin verdor; / con tu tronco ceniciento / sin esbeltez ni altiveza, / con tu vigor sin tormento, / y tu humildad que es firmeza".

20. La llegada de Deméter al olivo se halla relatada en el *Himno* de la manera siguiente: "Le coeur triste, elle s'assit près du chemin, au Puits des Vierges, où les gens de la ville venaient puiser de l'eau. Elle était dans l'ombre —une touffe d'oliviers croissait au-dessus d'elle— et ressemblait a une vieille femme que son grand âge prive du pouvoir d'enfanter et des dons d'Aphrodite qui aime les couronnes: telles sont les nourrices des enfants des rois justiciers, ou leurs intendantes, au fond des demeures sonores" (Homère, *Hymnes*, texte établi et traduit par Jean Humbert, París, 1936, p. 44).

21. "Tu pourrais ainsi remonter [...] [du fond de l'Érèbe ténébreux] pour demeurer près de moi et de ton père, le Cronide des nuées sombres, honorée de tous les inmortels. Mais si tu dois retourner d'un coup d'aile dans le sein de la terre, tu y habiteras, par an, le tiers du temps, mais pour les deux autres, tu les passeras auprès de moi ainsi que des Immortels. Quand la terre sera verdoyante de toutes les fleurs odorantes du printemps, tu remonteras alors du fond des brumes obscures, pour le grand émerveillement des Dieux et des hommes mortels" (ibid., p. 54).

22. Para la siembra del primer olivo a orillas de un pozo, por la diosa Atena véase Robert Graves, *The Greek myths*, I, Baltimore, 1957, p. 60.

23. "Olivo del camino" encabeza la primera edición de *Nuevas canciones* (Madrid, 1924). Una versión más corta, con el título de "Campo de Córdoba", fechada en 1920, fue publicada en la revista *Índice* de Juan Ramón Jiménez, en 1921. Véase Antonio Sánchez-Barbudo, *Los poemas de Antonio Machado*, Barcelona, 1967, p. 369.

24. "La mónada de Abel Martín, porque también Abel Martín habla de mónadas, no sería ni un espejo ni una representación del universo mismo como actividad consciente: *el gran ojo que todo lo ve al verse a sí mismo*" (*Obras. Poesía y prosa*, p. 294).

25. "El amor comienza a revelarse como un súbito incremento del caudal de la vida, sin que, en verdad, apareza objeto concreto al cual tienda" (ibid., p. 296).

26. El primer cuarteto del soneto "Al gran cero" de *De un cancionero apócrifo* dice: "Cuando el *Ser que se es* hizo la nada / y reposó, que bien lo merecía, ya tuvo el día noche, y compañía / tuvo el hombre en la ausencia de la amada" (ibid., p. 311).

27. Juan de Mairena dice en la prosa de su *Cancionero apócrifo* (CLXVIII): "Todos los medios de que se vale el poeta: cantidad, medida, acentuación, pausa, rima, las imágenes mismas, por su enunciación en serie, son elementos temporales" (ibid., p. 315).

ANDREW P. DEBICKI

LA PERSPECTIVA Y EL PUNTO DE VISTA EN POEMAS DESCRIPTIVOS MACHADIANOS

Para Ricardo Gullón
y Antonio Sánchez Barbudo

El empleo de paisajes y de descripciones de la realidad externa para comunicar estados emotivos es una característica evidente de la obra de Machado, y particularmente de *Soledades, galerías y otros poemas* y *Campos de Castilla.* Antonio Sánchez Barbudo ha estudiado muy perspicazmente los modos en que el lenguaje poético de Machado infunde expresividad a las descripciones y hace que el lector entre en la experiencia del poema.[1] Varios otros críticos, entre ellos Carlos Bousoño y Ricardo Gullón, han examinado otras maneras en que Machado refleja significados internos en su presentación de la realidad externa.[2] Pero el tema merece seguir estudiándose: el impacto extraordinario de las descripciones machadianas requiere múltiples aproximaciones, y puede aclararse por medio de diversos métodos críticos. Uno que me parece bien revelador, y que no se ha empleado mucho, es el estudio de la perspectiva y del punto de vista.

Al comentar estilísticamente un poema, nos fijamos necesariamente en los vocablos, en las imágenes, en las estructuras —en los rasgos objetivos del texto, cuyo impacto podemos definir con mayor precisión—. En el caso de muchas obras esto funciona para definir totalmente la experiencia comunicada. Pero hay otros poemas cuyo efecto para el lector depende también de rasgos más generales, como por ejemplo la perspectiva del hablante. (Ésta surge, desde luego, de las palabras del poema, pero para definirla tenemos que tomar en cuenta también el contexto, lo que se sugiere, y aun lo que Claudio Guillén ha llamado las "palabras ausentes" o los "silencios".[3])

Las técnicas de la perspectiva y del "punto de vista" se han discutido mucho en la novela, pero pocas veces en la poesía; se tiende a dar por sentado que la voz que habla en un poema es la del poeta mismo, expresando directamente y sin modificaciones una sola actitud. En muchos poemas modernos, sin embargo, se puede distinguir la presencia de hablantes específicos, cuya perspectiva se maneja cuidadosamente para crear el efecto de la obra. Esto ocurre a menudo en poemas descriptivos; el manejo del punto de vista permite al poeta infundir a lo que pudiera haber sido un mero cuadro, valores mucho más originales y profundos. Ricardo Gullón ya ha indicado cómo Antonio Machado establece y varía la distancia que media entre el poeta-hablante y la realidad que éste contempla.[4] Enfocando aun más específicamente el problema del punto de vista, yo quisiera comentar algunos poemas de Machado en los que la perspectiva es el recurso principal para crear, a base de la descripción, una experiencia compleja e insustituible. En cada caso, la realidad descrita produce en el hablante reacciones ambiguas y contradictorias, engendrando como resultado una nueva percepción de la escena y de un tema esencial.

Examinemos primero una obra de *Soledades, galerías y otros poemas*:

> La casa tan querida
> donde habitaba ella,
> sobre un montón de escombros arruinada
> o derruida, enseña
> el negro y carcomido
> maltrabado esqueleto de madera.
>
> La luna está vertiendo
> su clara luz en sueños que platea
> en las ventanas. Mal vestido y triste,
> voy caminando por la calle vieja.[5]
>
> (LXXII)

Dentro de la primera estrofa podemos descubrir dos perspectivas ante la casa. Los dos versos iniciales evocan una impresión positiva; al ligar su afecto hacia esta casa con el recuerdo de una persona, el hablante nos hace sentir que su atracción es algo subjetivo, relacionado con experiencias del pasado.[6] Pero después cambia abruptamente de perspectiva, fijándose en la apariencia objetiva de la casa en el presente. La profusión de adjetivos descriptivos (*arruinada*, *derruida*, *negro y carcomido*, *maltrabado*) y la imagen del esqueleto ponen el acento en la realidad externa y en su impacto negativo. La mezcla de endecasílabos y heptasílabos, los encabalgamientos y la cesura del verso 4 obligan a una lectura más rápida y desigual, contribuyendo a la impresión de un cuadro concreto y desagradable.

Este cambio de perspectiva nos obliga a fijarnos en el hablante, buscando en él una resolución. Observando la tensión entre su recuerdo grato del pasado y su visión negativa del presente, llegamos a ver a este hablante como a un hombre angustiado por los efectos del tiempo, afectado por el contraste entre ilusiones perdidas y una realidad negativa. El contraste entre dos perspectivas ha sido un método para hacernos entrar en el estado de ánimo del hablante, para hacernos sentir la tensión que le afecta, y para darnos cuenta de que ésta revela un problema vital de amplio alcance.

La segunda estrofa también contiene dos perspectivas, y repite el mismo esquema de la primera. Igual que ésta, empieza con una visión agradable. Al dejar de mirar la casa y al contemplar la luna, el hablante vuelve a una actitud ilusionada; cuando relaciona la luz de la luna con sueños nos recuerda la actitud de ensueño con que empezó el poema. La luz de la luna en sí sugiere una visión suavizada y atenuada; cuando platea las ventanas, transforma y embellece la cruda realidad de la casa. El hablante ha dejado atrás el presente desagradable para volver a sumirse, una vez más pero con mayor intensidad, en la ilusión.

La perspectiva se modifica en la mitad del verso nueve, repitiendo el cambio de la estrofa inicial. Por primera vez, el hablante alude a sí mismo, se describe objetivamente ("mal vestido"), define su estado de ánimo y describe su caminar. Ha vuelto a la actitud objetiva y basada en el presente con la que terminó la estrofa anterior, actitud que ahora nos parece más despiadada porque el hablante está mirando su propia limitación. En conjunto, la segunda estrofa ha repetido con mayor intensidad el esquema de la primera; en ambas una visión ideal y remota da paso a la perspectiva negativa del presente. Al retratar dos veces este esquema, el poema subraya el repetido esfuerzo del hablante de evocar su ensueño, y la repetida necesidad de volver a la realidad desilusionante. Así subraya la tensión que existe dentro de él, y nos hace entrar en su esfuerzo dramático de evocar un ensueño.

Al parecer, el poema termina con un cuadro muy objetivo del hablante. Éste, al describirse a sí mismo, nos permite verlo desde fuera, estableciendo una mayor distancia entre él y nosotros. Paradójicamente, estos versos causan una fuerte reacción emotiva. Creo que esto ocurre a causa de todo lo que ha venido antes en el poema. El hablante nos ha hecho seguir su trayectoria, su repetido esfuerzo de evocar el ensueño. Cuando ahora lo vemos desde fuera, su apariencia externa objetiviza toda su situación. La viñeta de este hombre que sigue caminando (notamos el empleo del tiempo progresivo), "mal vestido y triste", recoge de golpe su imposible batalla contra la realidad del presente, del tiempo que pasa, de la ilusión que se pierde. El vocablo "vieja" al final lo subraya una vez más.

El tema de esta obra, el del conflicto entre los ensueños del pasado y las pérdidas impuestas por el transcurso del tiempo, es central a la obra machadiana. Pero lo que más se destaca en este poema es la manera en que este tema se convierte en experiencia nuestra gracias al desarrollo de las dos perspectivas del hablante. Su alternación nos ha llevado a sentir la tensión entre el sueño anhelado y el horror presente, a participar en el anhelo, en la oscilación y en la pérdida sufrida por el hablante, y a sentir su melancolía final. Si al leer este poema no tomamos en cuenta al hablante y su oscilación entre dos actitudes, el tema de la obra tendrá mucho menos valor y efecto.

El mismo tema se trata de un modo algo distinto en el siguiente poema de *Soledades*:

> La plaza y los naranjos encendidos
> con sus frutas redondas y risueñas.
>
> Tumulto de pequeños colegiales
> que al salir en desorden de la escuela,
> llenan el aire de la plaza en sombra
> con la algazara de sus voces nuevas.
>
> ¡Alegría infantil en los rincones
> de las ciudades muertas!...
> ¡Y algo nuestro de ayer, que todavía
> vemos vagar por estas calles viejas! [7]
>
> (III)

Aunque este poema también revela una doble actitud ante el tiempo, enfoca otro aspecto del tema. Si el poema LXXII subraya los efectos negativos del tiempo en una persona, el III alude al asunto general del pasar del tiempo y de la renovación de la vida. La estructura y el punto de vista se ajustan perfectamente a este enfoque. No se destaca la situación del hablante tan claramente como en el poema LXXII, ni aparecen cambios tan evidentes de actitud; el contraste entre dos percepciones de la realidad surge más de la descripción misma. Los dos primeros versos crean una impresión de vitalidad y de alegría, destacada y desarrollada más tarde por la imagen de los colegiales. La personificación de las frutas ("risueñas") y la visión colectiva de los colegiales ayudan a fundir lo humano y lo natural en un solo cuadro de vida intensa. Éste contrasta marcadamente con la quietud de la plaza, subrayada por los vocablos "en sombra". Las dos primeras estrofas, por lo tanto, encarnan la tensión entre una vitalidad intensa y juvenil por una parte, y una realidad estática e inanimada por otra.[8] Esta tensión refleja de modo evidente el conflicto entre la juventud y el renacimiento de la vida por una parte, y la quietud y la mortalidad por otra.

La tercera estrofa recoge y define este conflicto: al oponer "alegría infantil" a "ciudades muertas", convierte en una oposición explícita entre fuerzas juveniles y quietud mortecina lo que antes era sólo una impresión más subjetiva. Aquí por primera vez se destaca el hablante que interpreta la escena; su función es la de separarnos un poco de los detalles de la escena para precisar su significado más amplio.

En los dos últimos versos el hablante entra aun más directamente, relacionando su propia situación con el esquema desarrollado antes. Al recordar su pasado se identifica con la vitalidad juvenil, aunque reconoce simultáneamente los efectos del tiempo: él ya no participa directamente en la nueva vida. En este poema, el hablante cumple el propósito de llevarnos del cuadro visual a un tema esencial, el del conflicto entre el tiempo que pasa y la vida que renace, y luego de recoger y representar en sí mismo este conflicto. Al emplear el pronombre "nuestro", este hablante se hace también representante del lector.

El hablante desempeña por lo tanto una función diferente de la del protagonista del poema LXXII. Al cambiar repetidamente de perspectiva, éste encarnó en su trayectoria el conflicto central; aquél se individualiza menos al principio, se mantiene más distanciado, interpreta el esquema que surge de la descripción, y sólo al final se hace representante —junto con el lector— del conflicto temporal. Ambos modos de emplear al hablante sirven para determinar nuestra lectura del poema. En el LXXII, seguimos paso a paso al protagonista para sentir su conflicto; acabamos contemplándolo y compadeciendo su actitud melancólica. En el III, en cambio, empezamos más apartados del hablante, fijándonos en la escena misma y en el contraste que representa. Cuando el hablante interpreta esta escena, estamos mirando la realidad a través de sus ojos (y no mirándolo a él). Terminamos el poema unidos al hablante, compartiendo su percepción de que la vida se repite a pesar de que el individuo envejece.

Como ya he sugerido, estas diferencias entre los dos poemas corresponden a sus diferentes maneras de enfocar el tema del tiempo. Al destacar la trayectoria del hablante y hacernos contemplar y sentir su tragedia, el poema LXXII nos comunicó con gran intensidad los efectos destructivos del tiempo en la vida particular del hombre. Al subrayar el efecto de la descripción y emplear al hablante como guía de nuestras reacciones, el poema III adopta un enfoque más amplio y nos hace sentir la índole a la vez cíclica y temporal de la realidad. En ambos casos Machado ha empleado la perspectiva con gran acierto, ajustándola con precisión al tema de la obra y llevándonos de una descripción a una experiencia afectiva.

Muchos de los poemas descriptivos de *Campos de Castilla* crean una impresión de mayor objetividad que los de *Soledades, galerías y otros poemas.*[9] El *yo* personal cobra menor importancia, y el énfasis cae más en la realidad contemplada, la cual muchas veces alude a la situación de España. Pero igual que en el libro anterior, las descripciones de la realidad externa sirven siempre para comunicar significados internos, si bien éstos ahora tienen que ver con asuntos históricos más que personales. (Los efectos del tiempo, por ejemplo, se ven más a menudo en relación a la historia de España.) Y aunque muchas veces no se define explícitamente el personaje del hablante, sigue empleándose el punto de vista y el juego de perspectivas para sacar de una descripción externa una experiencia más fundamental. En la sexta parte de *Campos de Soria*, por ejemplo, el hablante no dice nada acerca de sí mismo; pero en su descripción de la ciudad revela una doble perspectiva, que resulta absolutamente esencial a la experiencia del poema.

¡Soria fría, *Soria pura*
cabeza de Extremadura,
con su castillo guerrero
arruinado, sobre el Duero;
con sus murallas roídas
y sus casas denegridas!

¡Muerta ciudad de señores
soldados o cazadores;
de portales con escudos
de cien linajes hidalgos,
y de famélicos galgos,
de galgos flacos y agudos,
que pululan
por las sórdidas callejas,
y a la medianoche ululan,
cuando graznan las cornejas!

¡Soria fría! La campana
de la Audiencia da la una.
Soria, ciudad castellana
¡tan bella!, bajo la luna.[10]

(CXIII, VI)

Desde el principio se nos revela una doble actitud ante la ciudad. Los tres primeros versos evocan un cuadro atrayente, basado en el pasado histórico de Soria: "cabeza de Extremadura" alude a su importancia durante la Reconquista. Los tres siguientes, en cambio, adoptan una actitud negativa, basada en la apariencia física de la ciudad en el presente. El conflicto entre ambas perspectivas se subraya con el encabalgamiento entre los versos tres y cuatro. A primera vista el tres (que parece frase completa) alude a la grandeza de Soria; pero el encabalgamiento cambia la perspectiva e introduce dramáticamente la actitud negativa. Contraponiendo las dos actitudes ante una ciudad castellana, esta estrofa nos lleva a un tema más absoluto: el del contraste entre el valor histórico de esta ciudad y su presente miseria.

La segunda estrofa recoge y desarrolla las mismas dos actitudes. Por una parte evoca el pasado, en el que Soria era ciudad de señores e hidalgos; por otra retrata el decaimiento presente. El poema subraya el conflicto mediante detalles que recuerdan el pasado al mismo tiempo que destacan el presente. Los galgos, antes perros de la nobleza, se han vuelto salvajes y vagabundean por las calles; los portales guardan escudos de hidalgos, pero sus habitantes han desaparecido. La contraposición del adjetivo "muerta" a "ciudad de señores" resume perfectamente la doble visión. Hasta la descripción fantasmal de los últimos versos, con todo su horror (subrayado por el sonido de *ululan-pululan*), tiene a la vez algo de idealización romántica. Resulta por lo tanto que esta estrofa, al parecer descriptiva, es en efecto una interpretación subjetiva por parte del hablante. Éste nos revela aquí su doble actitud, en la cual Soria por una parte sugiere románticamente un pasado glorioso, y por otra representa la miseria y el decaimiento del presente.

El hablante resuelve el conflicto en la estrofa final, con un juicio bien positivo: "Soria, ciudad castellana/¡tan bella!, bajo la luna". Ha escogido la perspectiva de una tenue luz lunar, que esconde los escombros de las ruinas y destaca las siluetas, que se relaciona a menudo con los recuerdos y las ilusiones (ya lo vimos en el poema LXXII), y que encaja muy bien con los recuerdos de las glorias del pasado y las evocaciones romáticas. No cabe la menor duda de que este hablante está rechazando una visión pragmática y escogiendo la evocación de una Soria más ideal. (La alusión a la una, al principio de un nuevo día, pudiera sugerir un nuevo comienzo, la búsqueda de un nuevo futuro.)

En vista de todo esto me parece que el poema no trata de Soria como tal, sino de la actitud que el hablante toma ante su ciudad y su patria. Después de contraponer la visión ensoñada a la pragmática, decide escoger aquélla, aseverar sus ideales, y aceptar la perspectiva de la luz lunar. Sin hablar de sí mismo, este hablante ha sido el elemento principal del poema. Es también el guía de nuestra experiencia; nos sume desde el principio en su propio conflicto de perspectivas, y nos lleva a compartir con él la resolución final y su afecto (muy noventayochesco, por cierto) a su ciudad y su patria.

Resulta evidente, por lo tanto, que el empleo del hablante y de un juego de perspectivas tiene tanta importancia en este poema como en los otros que he comentado.[11] En todos Machado se ha valido del punto de vista para llevarnos de una descripción externa a una experiencia subjetiva; en todos esta experiencia subjetiva ha tenido que ver con un tema de gran alcance (los efectos del tiempo, la actitud ante su pasar, el sentimiento ante la patria). Y aunque el poeta ha variado su manera de emplear al hablante, ajustándolo al tema y al enfoque de cada obra, siempre ha logrado comunicarnos su visión con la complejidad, la inmediatez, y la concreción de una experiencia humana.

Department of Spanish & Portuguese
University of Kansas

NOTAS

1. Sánchez-Barbudo, *Los poemas de Antonio Machado*, University of Wisconsin Press, Madison, 1969. Véanse especialmente pp. 19-56 y 120-144.

2. Ver Carlos Bousoño, *Teoría de la expresión poética*, Gredos, Madrid, 1966 [4], pp. 139-181, y Ricardo Gullón, *Una poética para Antonio Machado*, Gredos, Madrid, 1970, especialmente caps. I, V y VII.

3. C. Guillén, "Estilística del silencio", en Ricardo Gullón y Allen Phillips, eds., *Antonio Machado*, Taurus, Madrid, 1973, pp. 445-490.

4. Gullón, *op. cit.*, cap. VII.

5. Antonio Machado, *Poesías completas*, col. Austral, Espasa-Calpe, Madrid, 1966, p. 66. El poema se publicó por primera vez en *Soledades, galerías y otros poemas* en 1907, y forma parte de la sección *Galerías*. Lleva el número LXXII en las *Poesías completas*.

6. Sánchez-Barbudo (pp. 66-67) comenta que el poema evoca, de manera romántica y becqueriana, un recuerdo o una fantasía.

7. Machado, *Poesías completas*, p. 25.

8. En un análisis muy acertado, Sánchez-Barbudo estudia el contraste presente en el poema y el alejamiento de la tercera estrofa (véase pp. 34-36).

9. Véase Sánchez-Barbudo, *op. cit.*, pp. 169-174.

10. Machado, *Poesías completas*, p. 96. Aunque es parte del poema *Campos de Soria*, esta obra constituye un poema independiente, bastante diferente de las otras partes (es por ejemplo la única que trata de la ciudad misma). Sánchez-Barbudo (p. 203) ha notado este hecho.

11. El empleo de un hablante cuya perspectiva varía y se desarrolla a lo largo del poema, y que suscita varias reacciones en el lector, da a estos poemas de Machado algunas características del monólogo dramático que Robert Langbaum estudia en *The poetry of experience* (W. W. Norton Co., Nueva York, 1957). Interesa notar que Langbaum considera el monólogo dramático muy apropiado a la época moderna porque relaciona cualquier juicio con las condiciones particulares del asunto y de la época.

GERARDO DIEGO

DOS POEMAS

18 febrero 1975
Sr. Dn. José Ángeles
Director del Simposio
sobre Antonio Machado

Mi querido amigo: Con avergonzante retraso respondo a sus amables cartas. No puede Vd. imaginarse mi vida. Abrumado de falta de espacio para colocar libros y papeles, con quehaceres que llevo con meses y aun años de retraso, hago esfuerzos heroicos para cumplir lo más obligatorio. Entre ello estaba mi contribución a su Simposio. Quería haber enviado algo nuevo en prosa, alguno de los trabajillos que quiero escribir y que esperan un hueco para abrirse paso. No ha sido posible. Por eso le copio dos poemillas de mi nuevo libro que espero salga este año, *Soria sucedida*. Se los copio, por si le sirven.

HOMERO EN SORIA

La estufa de la sala
de profesores con su tubería
de obtusa oblicuidad
y su puchero de agua casi hirviendo.
Alma mater, materno claustro cálido
—sí, tiempos benignos,
no como los de Antonio,
cuando disolvía los claustros a escobazos
la hembra del Director—.

No: nosotros el asueto, el rumor, el cigarrillo.
Y el coro de libros absolviéndolo todo.

Buenos compañeros: nombrarlos uno a uno
sería prosaizar,
desigualar homérico catálogo.
Una excepción fugaz:
veinticuatro horas de traslado a permuta.
Fui un solo día colega sorianísimo
de Ayuso, el candidato,
el federal y helénico
amigo de Machado.
Me oyó tocar Beethoven, y "cómo se conoce
que este chico sabe Griego"

JOSÉ MARÍA PALACIO

Palacio, buen amigo. Sí, dechado
de modestia y verdad. Aún le estoy viendo
—parece que fue ayer—, le estoy oyendo
hablarme, hablarme de su Antonio amado.

Bajo el palio de mayo en la Dehesa
paseamos. Me cuenta lo que escribe,
lo que proyecta y acaricia y vive.
Es toda dignidad su prosa impresa.

Solícito cronista y amanuense,
lleva puntual la cifra y la cosecha
a la prensa pinciana y bonaerense.

No morirá, la gloria le previno
cierto papel que al corazón estrecha.
Vedle subir con flores al Espino.

(De *Soria sucedida*)

MANUEL DURÁN

ANTONIO MACHADO Y LA MÁQUINA DE TROVAR

La cópula y los espejos son abominables —así lo afirma una melancólica frase que aparece en un cuento de Borges— porque multiplican las imágenes del hombre.[1] A la cópula y los espejos deberíamos añadir la imaginación de los poetas, ya que es todavía más fértil: crea, aparentemente sin esfuerzo, entes que con frecuencia nos parecen más vivos —y más influyentes— que los hombres y las mujeres ordinarios, de carne y hueso.

Antonio Machado es, ante todo, un creador: sabe dar nueva vida a un olmo o una encina, una nube, un poniente, el perfil de una sierra, un ramo de flores. Le basta con hacer que cada detalle vibre en las galerías del recuerdo, las secretas galerías de su mente, después de lo cual todo sale bañado en mágica luz nueva. Hacia el final de su vida, no satisfecho con la pura creación poética, multiplica sus esfuerzos: sin dejar de ser poeta se convierte en filósofo y en humorista. A los poemas añade ensayos en prosa en que expone atrevidas teorías metafísicas, crea personajes ficticios que vienen a ser como dobles del poeta, y por si ello fuera poco propone la creación de una extraña máquina, un robot poético, no muy distinto de los robots de que más tarde se ocuparán Isaac Asimov y otros escritores de "science fiction".

Pero el robot de Machado tiene una sola especialidad: escribe poemas. Los textos que crea pueden ser fácilmente comprendidos por todo el mundo, ya que la máquina de trovar ha sido dotada (mejor diríamos programada) por su inventor de un vocabulario sumamente sencillo, sin palabras difíciles. Y además los poemas agradan forzosamente al público, ya que tratan de situaciones generales, arquetípicas, claramente comprensibles: la máquina de trovar produce poesía para las masas.

Un lector apresurado de algunos de los ensayos escritos por Machado hacia 1928 y 1930 puede llegar a la conclusión, también apresurada, de que el poeta se había vuelto loco. No hay tal: dichos ensayos continúan una línea de pensamiento ya establecida anteriormente. El primer Machado no era ajeno a la ironía o a los temas filosóficos: se trata de que lo que antes se hallaba en la entraña empieza ahora a salir a la superficie. Al avanzar hacia una postura más filosófica y más experimental Machado no hace más que ser fiel a sí mismo y a su generación: la generación del 98, comparada con las que la preceden, se distingue por una postura marcadamente filosófica, y también por una mayor libertad experimental.

Este salto de Machado hacia la filosofía y el humorismo experimental, el salto que crea a Abel Martín, Juan de Mairena y Jorge Meneses, es posible porque Machado llevaba dentro una conciencia radical, existencial, del hombre y el mundo. Y también porque la época —el clima cultural de la época— le ayuda. Estamos en un momento en que la cultura española se prepara a superarse. No hay duda de que —como ha señalado Juan Marichal— el medio siglo entre la publicación de la novela *Fortunata y Jacinta* de Galdós (1886) y la muerte de García Lorca (1936) constituye un segundo Siglo de Oro en la literatura del mundo hispánico: en estos años el nivel creativo de Garcilaso y Góngora, Cervantes y Quevedo, Lope y Calderón, es nuevamente alcanzado por españoles e hispanoamericanos de la talla de Rubén Darío y Juan Ramón Jiménez, Unamuno y Borges, García Lorca y Pablo Neruda.[2] Ya en 1892 Rubén Darío hablaba de la "universalización de la mente española" y veía en ella la característica más singular de la "nueva" España. Todo ello equivale a afirmar que Machado nació y se educó en un buen momento, en años favorables, durante una época relativamente liberal, propicia a la meditación y la crítica. Pero —quizá por timidez, por sentido de la mesura, por comprender la inmensa dificultad de los problemas filosóficos, o por todo ello a la vez— Machado se acerca a la filosofía con un máximo de precauciones, como quien atraviesa un campo de minas.

Machado ha leído a Platón y a Leibniz, ha asimilado el sistema de Kant (Kant, "precursor de Krause", según algunos krausistas, y son precisamente los krausistas los que educan a Machado). Creo que Machado conoció algunas ideas de los gnósticos (Dios como creador no del mundo sino de la nada bien podría ser una idea gnóstica). Desde luego conoció bastante bien a Bergson y conoció en parte (intuyendo el resto) a Heidegger. Pero no dejó nunca de verse a sí mismo como filósofo aficionado. Por timidez, repito, y quizá porque la pedantería le inspiraba horror. De ahí que acuda a la ironía y el humor: dos máscaras que le permiten acercarse a los problemas filosóficos sin que nadie se fije en su avance.

Y para ello hay que inventar un juego complejo. Surge un doble, un segundo Machado que elaborará las ideas del poeta en el campo de la filosofía. Se llamará Abel Martín. Éste a su vez inventa un discípulo, Juan de Mairena, que se encargará de refinar sus ideas, acaso de rebatirlas. Del conocer pasamos a la acción. Este segundo Machado —este Machado elevado a la segunda dimensión— tiene un amigo, Jorge Meneses, que ha consagrado parte de su vida a un invento maravilloso: la Máquina de Trovar, une especie de robot que escribe poesía. Así, pues, Machado inventa a Martín, que a su vez inventa a Mairena, que inventa a Meneses, que inventa la Máquina de Trovar. Y el juego no termina aquí: Machado procede a inventar doce dobles más, doce poetas complementarios, doce seres no existentes que escriben poemas —poemas que Machado cita o transcribe—, cada uno con una personalidad bien definida, lugar y fecha de nacimiento, bibliografía. Algunos de los textos transcritos suenan a Machado. A otros textos nos acercamos a través de las sombras de Ray Bradbury, Isaac Asimov, el Dr. Jekyll y Mr.

Hyde, y el Fantasma de la Parodia: a lo lejos resuenan los ecos de las risas de los Seis Personajes de Pirandello, los murmullos del Augusto Pérez de *Niebla*, las apasionadas y diversas voces de Fernando Pessoa. Únicamente unas cuantas notas al pie de página de Borges y un epílogo de Cortázar podrían aclarar tan densa atmósfera. (No olvidemos tampoco la *Antología traducida*, de Max Aub, también creador de numerosos e interesantísimos poetas imaginarios.)

¿Se trata puramente de un juego? Es posible. Y sin embargo el punto de partida de este juego es profundamente serio. Todo poeta —afirma Machado a través de su vocero Juan de Mairena— debe partir de su propia filosofía, su visión del mundo, su metafísica. La poesía es la palabra en el tiempo. Y el tiempo, a su vez, es una experiencia humana, existencial, y —también— un problema filosófico. Mairena, pues, tendrá su propia metafísica, con ideas claras y precisas acerca de la esencia de Dios, la Nada, y los problemas de la percepción y la teoría del conocimiento. Meneses, el inventor de la Máquina de Trovar, es también sociólogo y crítico literario: nos explica pacientemente que la poesía moderna está pasando por una aguda crisis, debido a que se ha vuelto demasiado intelectual y excesivamente subjetiva. Los sentimientos individuales del poeta ya no parecen interesar a sus lectores, sobre todo si trata de comunicarlos en un estilo frío y críptico; la poesía moderna "desde el declive romántico hasta nuestros días (los del simbolismo), es acaso un lujo, un tanto abusivo, del hombre manchesteriano, del individualismo burgués, basado en la propiedad privada. El poeta exhibe su corazón con la jactancia del burgués enriquecido que ostenta sus palacios, sus coches, sus caballos y sus queridas".[3] Machado piensa que la mayor parte de los poetas modernos han perdido contacto con la comunidad, con el pueblo, con las masas lectoras. La Máquina de Trovar es la respuesta a esta crisis: será un aparato para "registrar de una manera objetiva el estado emotivo, sentimental, de un grupo humano, más o menos nutrido, como un termómetro registra la temperatura o un barómetro la presión atmosférica".[4] La canción —el poema— que el aparato produce la reconocen por suya todos cuantos la escuchan, aunque ninguno, en verdad, hubiera sido capaz de componerla.

El manejo de la máquina es sencillo. Posee un teclado dividido en tres partes: positiva, negativa, y ambigua o hipotética. Cada tecla escribe una palabra entera. El grupo de personas que va a ayudar a escribir el poema se sitúa alrededor de la máquina, y, por votación, elige la palabra que en aquel momento le parece más importante o significativa. Por ejemplo, la palabra *hombre.* Aparece su correlato lógico, biológico, emotivo, etc.: *mujer.* Y aparece también el verbo *ser*, en sus formas positiva, negativa e hipotética. (Debemos imaginar, si bien Machado no es muy preciso en cuanto a ciertos detalles técnicos, que la máquina posee una memoria mecánica en la que se ha grabado un diccionario de rimas.) Aparecen ahora varias palabras que riman con *hombre.* Tras consultar al público, el operador (pues toda máquina de este tipo debe ser estimulada por alguien) escogerá, por ejemplo, la palabra *nombre*, que rima con *hombre.* Lo cual hará aparecer un sujeto impersonal y —tocando la tecla negativa correspondiente— el primer verso del poema:

Dicen que el hombre no es hombre.

Para el segundo verso se relaciona otra palabra que rima con *hombre* —en este caso *nombre*— con *hombre* o *mujer.* Y el poema completo surgirá de la Máquina de Trovar:

Dicen que el hombre no es hombre
mientras que no oye su nombre
de labios de una mujer.
Puede ser.

El último verso se ha establecido tocando el tablero de la tercera sección, lo cual crea siempre una noción de duda o de ambigüedad; este *puede ser*, aclara Machado, "no es ripio, aditamento inútil o parte muerta de la copla. Está en la zona tercera del teclado, y el manipulador pudo omitirlo. Pero lo hace sonar, a instancias de la concurrencia, que encuentra en él la expresión de su propio sentir, tras un momento de reflexión autoinspectiva. Producida la copla, puede cantarse en coro".[5] ¿Puede darse un poeta más democrático, más auténticamente popular, que esta Máquina de Trovar? Es un aparato que "no ripia ni pedantea, y aun puede ser fecundo en sorpresas, registrar fenómenos emotivos extraños. Claro está que su valor, como el de otros inventos mecánicos, es más didáctico y pedagógico que estético. La Máquina de Trovar, en suma, puede entretener a las masas e iniciarlas en la expresión de su propio sentir, mientras llegan los nuevos poetas, los cantores de una nueva sentimentalidad".[6]

¿Cómo interpretar todo esto? Creo que —así pasa casi siempre con los buenos humoristas— la broma de Machado, el robot lírico por él descrito, es una "broma seria". Lo mismo que las bromas de Chaplin en *Tiempos modernos*, la Máquina Alimentadora que da de comer a un pobre obrero en brevísimo tiempo, máquina provista de un inefable Limpiamorros. Pero hay más. Toda broma seria es crítica social (o, en este caso, literaria). Y puede ser parábola o profecía (creo que así ocurre en este caso).

El sentido crítico de la Máquina de Trovar es bien claro. Machado escribe al final de la década de los 20, en unos años en que la poesía española, bajo la doble influencia del aniversario de Góngora (1927) y de la vanguardia (creacionismo-surrealismo), sin hablar de las teorías literarias de Ortega, de honda influencia en aquellos años, se está haciendo cada vez más subjetiva, más críptica. Machado cree que el poema está perdiendo contacto con sus lectores. Al criticar la poesía del barroco, cosa que hace en forma tan detallada como insistente, Machado critica también la poesía de la generación del 27. Por razones diversas ni a Machado ni a Juan Ramón Jiménez les agradaba la nueva ola poética. Les parecía fría, cerebral, la poesía de aquellos años. ¿Cómo podían aquellos poemas llegar a las masas, a unas masas que iba a sacudir la depresión del 29 y la rápida politización determinada por la llegada del fascismo y el hitlerismo? Para salvar la poesía había que acercarla a su público, hacer que el público mismo participara en su creación. (De los surrealistas Machado habría aceptado por lo menos la idea básica de que "la poesía debe ser hecha por todos, no por uno".) La poesía que Machado critica indirectamente es, desde luego, poesía grande, honda, memorable. No hay duda de que, por ejemplo, *Poeta en Nueva York* de Lorca, o la *Fábula de Equis y Zeda* de Gerardo Diego, o los primeros libros de Aleixandre y Cernuda, o las dos primeras *Residencias* de Neruda, son gran poesía (aunque no lleguen al pueblo). Si es que, en efecto, como es probable, Machado estaba criticando este tipo de poesía, su crítica sería más social que estética (un poco como lo que ocurre con Tolstoy y sus ideas acerca del arte y la literatura). Pero si vemos además en la Máquina de Trovar una especie de parábola o una profecía entonces la actitud de Machado nos resulta todavía más interesante.

En efecto, es indudable que hasta cierto punto la descripción de Machado resulta profética: por razones muy variadas y que no cabe exponer brevemente todos los poetas de la generación criticada por Machado empiezan a simplificar, aclarar, depurar, sus estilos poéticos; y con frecuencia (es este el caso de Rafael Alberti y de Neruda) lo hacen porque, politizados ellos mismos, quieren acercarse a las masas. La diferencia que media entre el Alberti de *Sobre los ángeles* y el de la postguerra es paralela a la que separa al Neruda de las *Residencias* del Neruda de las *Odas elementales* y se explica en parte por los mismos motivos político-sociales. Pensemos también en la poesía comprometida de la postguerra, en Gabriel Celaya, en Blas de Otero, en cien otros poetas de esta época, hasta llegar al arte "pop" de las nuevas generaciones (Vázquez Montalbán, Gimferrer, Moix, todos los *novísimos* antologados por Castellet). Creo que no hay duda: en Machado el poeta lírico va acompañado por un poeta profético, un vate, que anuncia el futuro —y lo hace en prosa, en la prosa de Juan de Mairena y los Complementarios—. Y el futuro es, en este caso, una cierta simplificación del lenguaje poético.

Pero si vemos en la descripción de la Máquina de Trovar una parábola, su interés aumenta; descifrada, significaría que Machado entendió —y creo que así fue— que uno de los grandes principios descubiertos por el arte y la crítica de nuestro siglo es que el lector debe participar en la creación de la obra. Mejor dicho: no tiene más remedio que hacerlo. El autor propone; el lector dispone. Precisamente como los "lectores activos" que rodean la Máquina de Trovar, los lectores de las obras modernas (y también de las obras clásicas) están profundamente comprometidos a interpretar, explicar, y en definitiva crear (o terminar de crear) el texto que el autor les propone. Pensemos, por ejemplo, en las múltiples lecturas que propone el poema *Blanco* de Octavio Paz. En los senderos que se entrecruzan en *Rayuela* (o en tantas novelas que son "modelos para armar"). ¿Quién decide lo que de veras ocurrió en *L'année dernière à Marienbad*, o en *Le voyeur*, o en *La jalousie*? Hace años ya, un crítico inteligente, Percy Lubbock, había propuesto: "The reader of a novel [...] is the maker of a book [...] for which he must take part of the responsibility [...] The reader must become a novelist, never permitting himself to suppose that the creation of the book is solely the affair of the author".[7] La literatura de hoy nos anuncia claramente que, como afirma José M.ª Castellet, ha llegado "la hora del lector": "Se trata [...] de considerar que no hay obra de arte acabada sin que haya existido antes la recepción de la obra por el lector. El arte literario será entonces una operación realizada por dos sujetos polarizados alrededor de un objeto [...] la novela (o el poema). Así, pues, el arte literario ya no será sólo un simple acto creador del escritor, sino ante todo una doble operación que se realizará según el siguiente esquema: el escritor crea para el lector una obra que éste acepta como una propia tarea a realizar [...] el autor revelará un mundo que el lector se comprometerá a poblar activamente, poniendo de su parte todo aquello que el autor ha omitido u olvidado".[8] Y Gérard Genette: "Le sens des livres n'est pas un sens tout fait, une révélation que nous avons à subir, c'est une réserve de formes qui attendent leur sens, c'est 'l'imminence d'une révélation qui ne se produit pas' et que chacun doit produire pour lui-même".[9] Finalmente, Borges afirma con insistencia que un libro es el diálogo con el lector, el peculiar acento que el lector da a su voz, las imágenes cambiantes y duraderas que deja en su memoria: la literatura no es exhaustible porque ningún libro se agota; cada libro es el eje de innumerables narraciones; una literatura difiere de otra no tanto debido a sus textos como por la manera en que sus textos son leídos e interpretados.[10]

Todo lo cual —creo, espero— nos lleva a la conclusión de que la Máquina de Trovar fue para Machado una "broma seria", una broma profética y simbólica, que anunciaba —incluso si su postura básica era más bien conservadora, más bien negativa frente a la vanguardia— los cambios de la poesía en el futuro, de la conciencia poética y literaria en los autores de hoy y en los lectores, esos indispensables lectores de hoy: en breve, que el Machado profeta fue casi tan grande como el Machado poeta.

NOTAS

1. La frase aparece en "Tlön, Ukbar, Orbis Tertius", y el personaje (Bioy Casares) recuerda haberla leído en la famosa Enciclopedia de Tlön. El sentimiento —posiblemente gnóstico— de que la creación fue y es un error halla ecos en el Machado del soneto "Al gran cero".

2. Véase la introducción de Marichal, "The Spain of Jorge Guillén's poetry", al libro de Ivar Ivask y Juan Marichal, eds., *Luminous reality: The poetry of Jorge Guillén*, University of Oklahoma Press, Norman, 1969, pp. XXI-XXVI.

3. Cito por la edición de Oreste Macrí, *Poesie di Antonio Machado*, Milán, 1961, p. 868.

4. Ibid., p. 872.

5. Ibid., p. 878.

6. Ibid., p. 880.

7. *The craft of fiction*, Jonathan Cape Ltd., Londres, 1921, p. 17.

8. En *La hora del lector*, Seix Barral, Barcelona, 1957, p. 51.

9. "La littérature selon Borges", *L'Herne*, París, 1964, pp. 131-132.

10. Véase, entre otros textos que vienen a decir lo mismo, *Otras inquisiciones*, Emecé, Buenos Aires, 1971[6], p. 218.

CLAUDIO GUILLÉN

PROCESO Y ORDEN INMINENTE EN "CAMPOS DE CASTILLA"

Procuremos aproximarnos una vez más a *Campos de Castilla* desde una actitud o inquietud de carácter teórico. Sin la menor duda, toda idea que hoy nos interese acerca de la naturaleza del lenguaje poético debe ponerse a prueba mediante una relectura de Antonio Machado. Cierto que semejante propósito puede resultar, para el estudioso más o menos especializado en la obra de Machado, un tanto ajeno a los problemas más acuciantes —analíticos, históricos, sociológicos— que nos sigue planteando la poesía del personalísimo escritor. ¿Pero es acaso concebible que un lector de habla castellana se ocupe de cuestiones teóricas como si un día, o muchos días, no hubiera vivido con *Campos de Castilla*? Se ha sostenido por ahí, pongo por caso, que toda creación poética tiende esencialísimamente hacia el uso de la metáfora. Apliquemos esta idea a *Campos de Castilla* y nos veremos obligados, sin remedio ni recurso posibles, a desestimarla. Y otro tanto podría fácilmente suceder con diferentes hipótesis no susceptibles de adaptación a una poesía que se nos aparece, ante todo, como un lenguaje poético reducido a sus dimensiones primordiales.

I

Los supuestos que paso ahora a exponer, con toda la brevedad posible, no arrancan sino de un esfuerzo por matizar y desenvolver uno de los conceptos formulados por Roman Jakobson en su ya clásico ensayo de 1960, "Linguistics and Poetics". A la famosa premisa de Jakobson, que coloco naturalmente en primer lugar, se agregarán luego cinco enunciados más que la complementan.

1. Recuérdense las palabras fundamentales de Jakobson sobre las coordinadas bipolares de la función poética: "*the poetic function projects the principle of equivalence from the axis of selection into the axis of combination*".[1] Por ejemplo: al escribir "el muchacho duerme", empezamos antes que nada por elegir la palabra "muchacho" entre los distintos vocablos más o menos sinónimos que nos brinda la lengua concebida como sistema virtual o código mental ("mozo", "joven", "chico", "chaval", etc.) y que se reduce aquí a algo como un eje o corte vertical. Más adelante pasamos a otro corte y elegimos entre "duerme", "dormita", "sueña", etc. Pues bien, lo que Jakobson denomina función poética (porque ésta no se efectúa solamente en poesía) *traslada* el principio de equivalencia que rige el eje de selección a la combinación sucesiva de palabras que constituye de hecho el mensaje poético.

Pero toda sinonimia es imperfecta o aproximativa (o no habría tal "selección"), y también lo es, por lo tanto, el "principio de equivalencia". Además, el código lingüístico ostenta no sólo equivalencias sino otras formas importantes de interrelación y mutua dependencia (oposición, complementación, etc.), que hacen posible la trabazón del sistema y cuya presencia en el mensaje mismo es una característica importante del poema. Dando cabida a estas modificaciones, nuestro primer enunciado podría ser: 1. *la función poética tiende a trasladar las cualidades propias del sistema del eje de selección al eje de combinación.*

2. Trátese de equivalencia o de sistema, advertimos que al proyectarse estas cualidades sobre los elementos sucesivos y contiguos del mensaje poético sucede lo siguiente: 2. *los rasgos de un*

orden latente cesan de ser meramente mentales y al actualizarse se vuelven materialmente perceptibles. Se verifica una "encarnación" sensorialmente apreciable o perceptible no ya de unas palabras o de unos conceptos sino de cierto orden posible.

3. Ahora bien, es de sobra evidente que ningún sistema cuaja de golpe, que ningún orden cristaliza de una vez. La configuración tan trabada que barruntamos está "a la vista", es una promesa que lleva implícito el objetivo final del quehacer poético: el poema terminado. Pero por otro lado, todo sucede como si esta espléndida promesa ya estuviera empezando a cumplirse. El *transfer* o traslado de que habla Jakobson no es ni una realidad completa en el presente ni un mero proyecto para el futuro. El traslado es un ir trasladándose progresivo que a cada paso revela su especial carácter, un devenir que va manifestando parcialmente su futuro *como sistema.* La aventura poética se repite continuamente y se dilata hasta el último vocablo del poema. Si el sistema, según veíamos, arranca de la proyección del eje de selección sobre el eje de combinación —digamos, esquemáticamente, de un eje vertical *A* sobre un eje horizontal *B*—, cada palabra, o grupo de palabras, o nexo formal al interior del poema, representa una proyección parcial —A^1, A^2, A^3, etc., hasta A^n—, destinada a preparar la consecución definitiva del sistema. Dicho sea brevemente: 3. *la generación progresiva del poema introduce a cada paso la función poética.*

Comencemos, pongo por caso, por el principio, por el primer verso de ese gran devenir que es *Campos de Castilla*:

Mi infancia son recuerdos de un patio de Sevilla [...].

¿Cómo no sentir que nos hallamos, que *ya* nos hallamos, ante el fenómeno poético? Y sin que nada, de buenas a primeras, nos seduzca o deslumbre. No ofrece este primer alejandrino metáfora alguna, ni tropo de ninguna clase, ni figura impropia de la lengua hablada, ni oposición o paralelismo de índole semántica, ni forma gramatical que riña con la del verso. No percibimos sino el orden que supone el uso de cuatro sustantivos, por una parte, sobre los cuales recaen los cuatro acentos del alejandrino,

Mi infáncia son recuérdos de un pátio de Sevílla,

y, por otra parte, el tránsito del tiempo al espacio, de la relativa amplitud de "mi infancia" a la exactitud de "Sevilla". Ritmo y proceso, pues, simultáneos. Ritmo que envuelve y desenvuelve el proceso del poema. Ritmo percibido como una de las raíces de la generación progresiva de la función poética.

4. Tal vez entendamos ahora mejor qué es lo que decimos cuando afirmamos que un poema o libro de poemas no es solamente un sistema, sino un proceso revelador de las cualidades de un sistema. Ello no significa tan sólo que la creación poética, como la construcción de una casa, es un quehacer acumulativo —piedra sobre piedra, verso tras verso—, o que el transcurso del mensaje, conforme se agregan materiales nuevos, supone cierta alteración, evolución o enriquecimiento del contenido, lo cual desde luego es cierto. El poeta, milagrosamente, nos descubre que lo es desde un principio, que lo es siempre o casi siempre, es decir, que el acierto de la función poética, repetido una y otra vez, es para él un compromiso constante o casi constante. Y los lectores compartimos una sorpresa y una emoción elementales: 4. *la proyección de unas cualidades sistemáticas sobre la contigüidad del mensaje es algo que sentimos como tal, como un quehacer sucesivo y un crear sobre la marcha.*

Emoción muy honda en el caso de algunos poetas —como el Machado de *Campos de Castilla*—, y que manifiesta lo que a nivel teórico no es sino el desenvolvimiento en poesía, o en la función poética del lenguaje, de una muy vivaz dialéctica de proceso y de sistema. No basta con mirar o admirar las virtudes de un orden o las cualidades de un sistema. Verdad es que el *transfer* o traslado de Jakobson implica una victoria de lo que él denomina principio de equivalencia sobre el itinerario sucesivo (o eje de combinación) del lenguaje. Pero este triunfo del sistema sobre el proceso es de por sí *un proceso*. Si el poema pudiera realizarse en un abrir y cerrar de ojos, no percibiríamos que esta superación de lo meramente sucesivo es de por sí sucesiva, continua, y susceptible de comunicarnos no ya una organización sino una intensificación de la experiencia del tiempo; que el lenguaje poético ejemplifica el uso de cierta libertad —es más: de cierta improvisación—, pero de una libertad obligada a enfrentarse con aquellas cortapisas o aquellos compromisos estructurales que el propio poeta ha aceptado o elegido; y que, mediante la continuación del proceso, se experimenta la inminencia de un futuro relativamente abierto, inventable o improvisable. Jorge Luis Borges ha dicho que el arte expresa la inminencia de la belleza. Lo que me interesa recoger aquí es la idea de inminencia. El poema vivido no sólo como forma sino como "formación", como acto, voluntad y proceso de "creación",[2] en que a cada momento unas cualidades estructurales entran en relación dialéctica con el mensaje lingüístico, dispone y prepara un *orden inminente.*

5. Todo lector atento sabe que el proceso lingüístico —el poema sobre la marcha— no es meramente reiterativo, no suele ser un *crescendo* liso, sin rupturas, sin soluciones de continuidad. Al revés, los procedimientos utilizados en una fase avanzada del poema tienden a contradecir, tarde o temprano, los que se emplearon al principio. El proceso se supera a sí mismo dialécticamente, y la contradicción o la oposición llega a convertirse en uno de los principios constitutivos del orden poético. A la larga, pues, el eje de combinación ostenta, según anticipábamos en nuestro enunciado primero, estructuras no sólo de equivalencia sino de oposición. Y como estas últimas, desde el estrato foné-

co estudiado por Trubetzkoy hasta el nivel semántico, son propias del código lingüístico mismo, podríamos, sin alejarnos del esquema bipolar de Jakobson, observar asimismo lo siguiente: 5. *la función poética tiende a trasladar el principio de oposición del eje de selección al eje de combinación.* (Se da por entendido que el poeta, al escribir, elige no sólo entre "el chico duerme" y el "muchacho duerme", sino entre "el chico duerme" y "la chica duerme", o "el chico duerme" y "el viejo duerme".)

Sabido es, por ejemplo, que el ritmo de un poema no puede mantenerse absolutamente idéntico a sí mismo, desde el principio hasta el fin, sin hacerse absolutamente intolerable. De ahí que las estadísticas sean tantas veces inútiles: si el 95 por ciento de los endecasílabos de un poema son de corte clásico, o sea, si los acentos rítmicos caen en sílabas pares, pero el 5 por ciento final lleva acentos en la tercera o la quinta, el momento de ruptura entre el esquema principal y la cadencia minoritaria será probablemente el punto culminante de la poesía. La obra percibida como proceso (piénsese en la *Égloga primera* de Garcilaso, o en *La voz a ti debida* de Pedro Salinas) abarca impulsos o fuerzas dirigidas no sólo hacia un futuro sino hacia, o en contra de, su inmediato pasado.

Emilio Alarcos Llorach ha puesto de relieve un rasgo primordial del mensaje poético, que sólo mencionaré de pasada.[3] Los primeros vocablos de una poesía —¡recuérdese la página inexorablemente blanca de Mallarmé!— arrancan de la nada. Es decir, la palabra no está *situada*, no se halla rodeada de determinadas circunstancias sociales o reales, con todos los supuestos, las cosas calladas pero sabidas, que dichas circunstancias llevan implícitas. Al principio, el poema no tiene pasado o presente propio. Así, cuando Machado escribe, al comienzo de una de las secciones de "Campos de Soria",

He vuelto a ver los álamos dorados,

conviene captar no ya la calidad del verso sino el vacío, el aire libre, el silencio que lo envuelven: el de todo un mundo que queda por evocar, por esclarecer, por elegir. El compromiso que este verso primero asume, ¿será corroborado por el resto del poema? Releáse el arranque del ya citado "Retrato" (principio absoluto de *Campos de Castilla*),

> Mi infancia son recuerdos de un patio de Sevilla,
> y un huerto claro donde madura el limonero.

El primer verso esbozaba una promesa de armonía, de sosiego, contra la cual se reaccionará acto seguido, por medio de un segundo alejandrino cuyo ritmo abrupto y luego diferido (dos diptongos iniciales, faltando después el acento en la sexta) representa ya un impulso contradictorio:

> y-ún huérto cláro donde madúra el limonéro.

6. Conforme el mensaje poético avanza y se desarrolla, pues, vamos descubriendo distintos impulsos de proyección, traslado, u oposición, de dirección contraria a la que prevalece en la premisa de Jakobson. Aludo a que no sólo el código presta sus cualidades estructurales al mensaje, sino a un influjo opuesto: el mensaje, con todos sus rasgos y compromisos precisos, y tantas veces repetidos, afecta al código lingüístico. De tal suerte va surgiendo poco a poco ese sub-código o código segundo, menos vasto que el primero pero más personal, que es el lenguaje "del poema", o del libro de poemas, entendido *no* como léxico previo o idiosincrasia congénita de un escritor, sino como producto paulatino de un quehacer poético.

Ejemplo evidente de tal proyección es la rima, como, por ejemplo, la asonancia reiterada de un romance. Se trata nada menos que de una clarísima estructuración del código por el mensaje, mediante el tajo decisivo, primero, que la selección de la rima efectúa en el lenguaje, y, en segundo lugar, el influjo radical de tal corte sobre el resto del poema. Fenómeno tan avasallador que muchos poetas, claro está, prefieren atenuarlo a través de la diversidad de rimas o su completa eliminación. Asimismo evidente es la progresiva implantación de campos semánticos dominantes, tan característica precisamente de *Campos de Castilla*, donde el lector poco a poco se siente como sumergido en el sub-código que se desprende del mensaje poético. O sea: 6. *la función poética tiende a proyectar las estructuras del eje de combinación sobre el eje de selección.*

II

Sabido es que en *Campos de Castilla* el vivir mismo, no ya contemplativo sino inmerso en el río heraclitano, es un proceso temporal:

> Todo se mueve, fluye, discurre, corre o gira;
> cambian la mar y el monte y el ojo que los mira.
>
> (XCVIII)

Esta declaración tan contundente se halla ya en el segundo poema ("A orillas del Duero") del libro, no sin que el lector se sienta un tanto sorprendido. *Todo* se mueve, *todo* fluye, *todo* discurre ¿sostiene quien compuso la pieza anterior, la primera del libro, el famoso "Retrato" en que el poeta se define a sí mismo, es decir, subordina su "historia",

> mi historia, algunos casos que recordar no quiero,
>
> (XCVII)

a su carácter? ¿A un carácter arraigado en el pasado, la infancia, los orígenes?

> Hay en mis venas gotas de sangre jacobina [...]
>
> (id.)

Cierto que el poema se titula "Retrato", *no* "Autorretrato", que en él se bosqueja ese *homo duplex*, tan machadiano, compuesto de quien existe y de quien piensa o mentaliza su propio existir,

> Converso con el hombre que siempre va conmigo [...],
>
> (id.)

de unos rasgos esenciales, en suma, y "el ojo" —cambiante— "que los mira". Así se entabla desde un principio el primordial diálogo entre seres y procesos, entre cuantas cosas se nos aparecen como esenciales o inmutables,

> El roble es la guerra, el roble
> dice el valor y el coraje [...],
>
> (CII, "Las encinas")

y los ríos y los caminos y los árboles reverdecidos que nos hacen pensar el mundo como cambio:

> Todo se mueve, fluye, discurre, corre o gira [...].

Nótese que tres verbos denotan el transcurrir lineal del tiempo —"fluye", "discurre", "corre"—, dimensión que, pese a su enorme complejidad, llegará por fin a prevalecer; pero que un cuarto verbo —"gira"— alude a una temporalidad cíclica y ante todo reiterativa, la del campesino atado a sus tareas y desgracias cien veces repetidas, a sus hábitos y ritos,

> ya irán a su rosario las enlutadas viejas,
>
> (XCVIII)

o la del señorito andaluz, negado para toda creación, todo futuro,

> prisionero en la Arcadia del presente.
>
> (CXXXI)

Diálogo, también, entre poesía creadora, abierta a horizontes nuevos o posibles, y costumbrismo reproductor —el viejo costumbrismo que celebraba el eterno retorno de ceremonias y fiestas, usanzas y tradiciones—; entre la Historia apesadumbrada por el pasado, unida a la raza, la "estirpe" o el mito (como el mito de Caín), y la Historia que en el célebre poema que cito, el segundo del libro, "A orillas del Duero", supone ya unas interrogaciones sobre el destino inconcluso de Castilla:

> ¿Espera, duerme o sueña? ¿La sangre derramada
> recuerda, cuando tuvo la fiebre de la espada?
> Todo se mueve, fluye, discurre, corre o gira;
> cambian la mar y el monte y el ojo que los mira.

Diálogo jamás ingenuo, sino abierto a una amplia gama de pensamientos, y cuya riqueza se cifra ante todo en la vivencia fundamental de aquella extraordinaria primavera que la memoria une al recuerdo de la muerte en "A José María Palacio": temporalidad múltiple, haz de tiempos o de duraciones en que el futuro de algo, de alguien, o de todos, supera definitivamente la muerte de un solo olmo, una sola mujer, un solo hombre.

Este complejo de temas, tan conocido y estudiado, da lugar a una forma poética que el lector percibe, ordinariamente, como un proceso. Adviértase al respecto una vez más que el "tema" —como el *topos* o la figura retórica— suele preceder al poema y puede por lo tanto suscitar los efectos o sentimientos más dispares. Aquel gran libro de Heinrich Wölfflin, que tanto influjo tuvo sobre los estudios literarios, sobre nuestra concepción del

Renacimiento o del Barroco como conjuntos de temas, merece una relectura atenta. Un artista —explica Wölfflin— que representa a San Jerónimo, por ejemplo, con su león, sus anaqueles, sus infolios, lo mismo puede pintar la inmovilidad que el cambio, lo próximo que lo profundo, la masa que el perfil de las cosas. Pues bien, los temas objetivos, filosóficos o históricos de Machado suelen dar lugar a poemas que ante el lector discurren, fluyen, corren, es decir, en que la función de un proceso es importante. Cierto que no todo es proceso y que algún poema dibuja la inmovilidad. Son de índole estática unas pocas poesías, casi exclusivamente visuales o plásticas, en que el poeta tan sólo ve y describe personas y cosas cuya esencialidad parece que está pidiendo el lienzo de un pintor. "Fantasía iconográfica" (que es de 1909) dibuja un hombre inactivo —¡qué distinta su mano "distraída" de la de un San Jerónimo antiguo, o la de un monje de Zurbarán!— y una tarde soñolienta:

Tiene sobre la mesa un libro viejo
donde posa la mano distraída.
Al fondo de la cuadra, en el espejo,
una tarde dorada está dormida.

(CVII)

Más significativa es la semblanza de carácter moral, que no interroga ni reflexiona, sino que traza el perfil invariable de un tipo humano, como la del alma campesina

esclava de los siete pecados capitales.

(XCIX)

Es la vieja sátira de inspiración moral (los Argensola, Fernández de Andrada, Quevedo), que Machado superará luego, desde Baeza, con su concepción no ya ética sino histórica y social del labrador andaluz ("Los olivos", CXXXII). Decisivo también, para Machado, en Baeza, será el esfuerzo por desprenderse de teorías étnicas o caracterológicas del hombre ibérico —o castellano, o andaluz, o manchego— y de la actitud neorromántica, invariable y superficial, que tales teorías perpetuaban. Ya dije que este diálogo entre el proceso y la inmovilidad anima toda la primera parte de *Campos de Castilla*, y es evidente que sin él, sin esta tensión dialéctica, no sería posible el triunfo final del proceso o la visión de un "mañana" original y diferente.

Con todo, lo más expresivo de esta poesía, según avanza el libro, va desenvolviendo tres formas principales de proceso: el narrar, el describir, y el meditar. Son escasos los poemas en que una de estas clases se manifiesta en toda su pureza o independencia de las otras. Numerosas son las ocasiones en que dos de ellas se entreveran o yuxtaponen. Y muchas veces una forma de proceso desencadena irresistiblemente las demás, no siendo nada fácil para el crítico determinar cuál de éstas predomina. ¿El poema "Al maestro 'Azorín' por su libro *Castilla*" (CXVII), por ejemplo, es ante todo una descripción o una narración? La pieza CXXIV,

> Al borrarse la nieve, se alejaron
> los montes de la sierra,

es un paisaje que desemboca en una meditación. Pero el famoso "A orillas del Duero" (XCVIII) es una descripción envuelta en un relato,

> Yo, solo, por las quiebras del pedregal subía [...],

que despierta una meditación, la cual a su vez prepara la descripción del paisaje final. Y otro tanto sucede en no pocos casos. Acaso lo más útil, desde tal ángulo de lectura, fuera no tanto un intento de clasificación —con resultados estáticos— como el estudio de las relaciones, al parecer ineludibles, que existen entre estas distintas formas de proceso. No hay paraje o paisaje que no tienda a descubrir, más o menos explícitamente, la temporalidad de las cosas, del hombre, de la colectividad, y que por lo tanto no estimule el reflexionar del pensador-poeta. No hay pensamiento que no se alimente de sí mismo y no incida sobre el vivir del poeta, que es transcurso temporal, aprendizaje, y asunto posible para la memoria y la narración. Sin embargo, el "ojo que mira" y se reduce a mirar, sin la menor sospecha de idea, y la memoria inconsciente del enigma de la temporalidad son vivencias poco características de Antonio Machado. El pensamiento, volcado sobre aquello que se describe o se recuerda, representa la fase más madura del proceso. La última consecuencia del poema es la idea, y, según decíamos, el libro entero nos brinda una progresiva mentalización de ese conjunto tan complejo que es Castilla.

Idea —permítaseme la insistencia— que es parte del existir del poeta, que es vivida por él "sobre la marcha", y que no es lícito aislar del proceso poético, del itinerario de una meditación poética. ¿Son acaso compatibles, en efecto, nos preguntamos a veces los estudiosos de estos problemas, el pensamiento y la poesía? Una respuesta ya clásica a tal pregunta es la de T.S. Eliot, que al elogiar hace más de medio siglo a los *metaphysical poets* ingleses del siglo XVII afirmaba que sí, que la poesía da cabida al concepto siempre que éste sea vivido tan "inmediatamente" como "el olor de una rosa". Método crítico que Luis Cernuda aplicó luego, con singular acierto, al Francisco de Aldana de la "Epístola a Arias Montano":

> ¡Oh grandes, oh riquísimas conquistas
> de las Indias de Dios, de aquel gran mundo
> tan escondido a las mundanas vistas! [4]

Para Aldana, como para John Donne o George Herbert, el objetivo de la imaginación poética era la comparación o el símbolo susceptible de dar aliento y actualidad a la creencia o a la idea. No se trataba por aquel entonces de ideas ni de creencias inconclusas. En *Campos de Castilla*, lo inmediato, en cambio, del pensar reside en su gradual germinación al interior del poema:

> caminante, no hay camino,
> se hace camino al andar.
> Al andar se hace camino,
> y al volver la vista atrás
> se ve la senda que nunca
> se ha de volver a pisar.
>
> (CXXXVI-XXIX)

Camino, claro está, que es imagen y a la vez forma del poema sentido como concatenación de ideas y sucesivo meditar.

No nos hallamos ante la "vida de un poeta" en el sentido instantáneo o reiterado de estas palabras. Se observa un itinerario temporal, señalado de cuando en cuando por precisos hitos geográficos y cronológicos, y que a cierto nivel encierra un relato de carácter personal: el que culmina en la muerte de la mujer del poeta, suceso que, en pleno centro del libro, del itinerario poético, no menoscaba sino inspira el esfuerzo, propio de una tradición poética moderna que se remonta a Mallarmé, por superar todo egocentrismo lírico e incorporar lo narrativo-personal en un devenir más amplio. El marco de este devenir es espacial o geográfico, y el itinerario fundamental del libro es sencillamente el que nos conduce de Castilla la Vieja a Andalucía. O, mejor dicho, de una Castilla vivida —descrita, meditada sobre la marcha, según venimos advirtiendo— a una Castilla recordada, y otra vez meditada, *desde* Andalucía. El poeta había dibujado unas sendas, las de Soria, las de toda Castilla, que, transitadas tantas veces, luego no se volverán a pisar, pero que, pensadas desde Baeza, cimentarán una sabiduría. El propio Machado resume perfectamente las etapas principales de este proceso, y el ir y venir que éste supone entre la inmensidad de lo real —"la mar"— y la idea:

> De la mar al percepto,
> del percepto al concepto,
> del concepto a la idea
> —¡oh, la linda tarea!—,
> de la idea a la mar.
> ¡Y otra vez a empezar!
>
> (CXXXVII-VIII)

El paisaje castellano es objeto de percepción directa, y acto seguido de pensamiento, en los poemas clásicos de la primera parte, como "A orillas del Duero", que van constituyendo poco a poco, y conjuntamente, una construcción interiorizada. Pero esta imagen de Castilla por ahora no es exclusivamente mental o sentimental. Hay algún poema de transición, compuesto aún en Soria, donde el paisaje medio se divisa, medio se barrunta o imagina (CV). El poema múltiple "Campos de Soria" (CXIII) representa un paso decisivo:

> ¡Campos de Soria,
> donde parece que las rocas sueñan,
> conmigo vais! ¡Colinas plateadas,
> grises alcores, cárdenas roquedas!
>
> (CXIII-VII)

Este largo poema no implica necesariamente el tránsito de Soria a Baeza, la mudanza física que poco después se verifica sin equívoco alguno (CXVI, "Recuerdos"); pero sí representa un intento concentrado de recapitulación. El paso de las estaciones, que es el cauce general del poema, se apoya en numerosas reiteraciones de vocablos, personajes y situaciones que ya intervinieron en composiciones anteriores. De ahí que el yo del poeta no aparezca ni una sola vez en las seis secciones primeras de "Campos de Soria". Aquellos paisajes y aquellos personajes *ya* habían dado lugar, en los poemas anteriores, al meditar explícito del poeta observador y vagabundo. Ahora el poeta, tan unido por el sentir y el pensar al mundo, puede permitirse la omisión de la primera persona del verbo hasta el verso 107, sección VII, del extenso poema, hasta un sencillo "siento".

¡Colinas plateadas,
grises alcores, cárdenas roquedas
por donde traza el Duero
su curva de ballesta
en torno a Soria, oscuros encinares,
ariscos pedregales, calvas sierras,
caminos blancos y álamos del río,
tardes de Soria, mística y guerrera,
hoy *siento* por vosotros, en el fondo
del corazón, tristeza,
tristeza que es amor! ¡Campos de Soria
donde parece que las rocas sueñan,
conmigo vais! ¡Colinas plateadas,
grises alcores, cárdenas roquedas!

Con el hacinamiento de cosas y de sustantivos basta, es decir, con la repetición (a su vez duplicada en los dos versos últimos) de cosas y de seres al mismo tiempo vistos y recordados, presentes y ausentes, exteriores y mentalizados. El poeta ha interiorizado hasta tal punto los campos de Soria —"¡conmigo vais!"— que más tarde la función de la memoria, en Baeza, no nos parecerá ninguna novedad, ni la separación física llegará a ser una ruptura verdadera:

En la desesperanza y en la melancolía
de tu recuerdo, Soria, mi corazón se abreva.

(CXVI)

Este proceso totalizador, victorioso sobre todo esquema inerte, animará también la segunda parte del libro. Tan sólo recordaré aquí que Andalucía, en resumidas cuentas, no será para Machado un mundo mentalizable, interiorizable, susceptible de convertirse, como los campos de Soria, en lenguaje individual o código significativo. La Castilla mental de otros escritores, de *otros* hombres, vendrá a sumarse a la de Machado. El concepto y la idea predominarán en esta segunda parte: los poemas civiles, las sátiras, los proverbios morales y las parábolas religiosas, las meditaciones sobre la muerte y la existencia de Dios. Finalmente, volverá el poeta ("¡oh, la linda tarea!") a "la mar", a la Castilla de "Desde mi rincón" (CXLIII), donde sin embargo un pequeño mundo completo o totalizado se nutre y beneficia del largo itinerario anterior:

creo en la libertad y en la esperanza,
y en una fe que nace
cuando se busca a Dios y no se alcanza,
y en el Dios que se lleva y que se hace.

(CXLIII)

No se trata, lo repito, de unos "sentimientos" completamente preexistentes, anteriores a la composición poética, y que el autor hubiera desarrollado en *Campos de Castilla.* Decíamos antes que el mensaje poético afecta y estructura el código lingüístico. Cada poema altera, retroactivamente, las palabras previamente dichas, uniéndose a ellas, y, al propio tiempo, esboza y prepara un futuro: ante todo, la *idea* de un futuro, la esperanza de un orden inminente. Indagación, aprendizaje, o construcción, la poesía de

Campos de Castilla se nos presenta en su conjunto no ya como una serie de artefactos verbales sino como la trayectoria de una esperanza creciente. No dudaría en afirmar que Machado, como Cervantes, es un escritor que se forma y transforma a sí mismo escribiendo. Pero la esperanza que en él renace llega a significar, además, una primavera para los demás hombres. Por eso sienten tantos lectores que los momentos decisivos de *Campos de Castilla* son aquellos grandes poemas sorianos cuyos temas son la primavera, el tiempo, la superación de la muerte individual, el renacer de los seres:

> Mi corazón espera
> también, hacia la luz y hacia la vida,
> otro milagro de la primavera.
>
> ("A un olmo seco", CXV)

Pero además haría falta, volviendo a las observaciones teóricas del comienzo de este ensayo, mostrar con detenimiento hasta qué extremo el proceso mismo de tales poemas y el lenguaje en su función poética nos comunican una emoción radical: la del progresivo elaborar de un futuro. El vivir como creación y el decir como creación se dan cita en la poesía machadiana. Creación que, desde luego, no es ninguna invención absoluta, *ex nihilo*:

> ¿Dices que nada se crea?
> Alfarero, a tus cacharros.
> Haz tu copa y no te importe
> si no puedes hacer barro.
>
> (CXXXVI-XXXVIII)

Creación que no presagia ni promete el orden puro, la perfección formal, el reflejo literario de una perfección existente:

> Si era todo tu verso la armonía del mundo,
> ¿dónde fuiste, Darío, la armonía a buscar?
>
> (CXLVIII)

Para el autor de *Campos de Castilla* —con su menosprecio de corte y su menosprecio de aldea, su concepción flaubertiana de la ciudad como hastío y vulgaridad, su visión antitolstoyana del campesino no como redentor sino como víctima—, Soria y sus alrededores no significaron nunca un mundo perfecto o armonioso. Lo que prevalece, al cabo de tanto meditar, no es el "Dios que se busca y no se alcanza", no es el Dios ya existente, acabado, y absolutamente distante, sino el Dios "que se lleva y que se hace". En *Campos de Castilla*, donde tanto lugar ocupa la imaginación del futuro, el "mañana", como el poema mismo cuando lo sentimos como proceso, está *por escribir*:

> ¡Qué importa un día! Está el ayer alerto
> al mañana, mañana al infinito,
> hombres de España, ni el pasado ha muerto,
> ni está el mañana —ni el ayer— escrito.
>
> (CI)

La función poética así mantiene viva la promesa de un futuro "sin ribera", de un producto inminente del sucesivo quehacer humano, de una realidad inconclusa e ilimitada, vasta y móvil como el mar tantas veces recordado desde el interior de España. Y así el libro entero parece ofrecernos una respuesta a aquella pregunta formulada de paso por el poeta:

poesía, cosa cordial.
¿*Constructora*?
—No hay cimiento
ni en el alma ni en el viento—.
Bogadora,
marinera,
hacia la mar sin ribera.

(CXXVIII)

University of California, San Diego

NOTAS

1. Roman Jakobson, "Linguistics and Poetics", en Thomas A. Sebeok, ed., *Style in Language*, Cambridge, Mass., 1960, p. 358. Citaré, para *Campos de Castilla*, las *Poesías completas* de Antonio Machado, Losada, Buenos Aires, 1951[3].

2. "Creación" aquí no denota la génesis del poema o pre-poema sino el proceso mismo del mensaje verbal percibido como devenir y aventura creadora.

3. En "Poesía y estratos de la lengua", comunicación leída en el Primer Coloquio de Literatura Comparada (Madrid, 3 mayo 1974) y de próxima aparición en la nueva revista de la Sociedad Española de Literatura General y Comparada.

4. Véanse T. S. Eliot, "The metaphysical poets" (1921), en *Selected essays*, Londres, 1951[3], p. 287: "Tennyson and Browning are poets, and they think; but they do not feel their thought as immediately as the odour of a rose"; Luis Cernuda, "Tres poetas metafísicos", en *Poesía y literatura*, Seix Barral, Barcelona, 1965[2]; y Francisco de Aldana, *Poesías*, ed. Elias L. Rivers, Madrid, 1957, p. 67.

JORGE GUILLÉN

EL APÓCRIFO ANTONIO MACHADO

I

En Antonio Machado resplandece ante todo su integridad, o digámoslo sin latinismo culto, su entereza. Entereza que unifica al hombre y al poeta con su proceder, su saber y su escribir. Sin embargo, aquel personaje —que quiere ser muy sencillo— resulta a la larga muy complejo, mucho más complejo de lo que parece a primera vista y en su leyenda y su mito, imágenes siempre simplificadas. Tan complejo fue el real Antonio Machado que no le bastó su nombre y tuvo que inventarse muchos más.[1] Su afición a los heterónimos no fue juego superficial como no lo era en su contemporáneo portugués, el admirable Fernando Pessoa. (Lástima que ni Machado ni Unamuno conociesen a Pessoa. Su fama fue póstuma; murió en 1935.) El portugués se limitó a crear tres poetas apócrifos y llevó su artificio muy lejos: a esos tres nombres acompañan tres obras. Como decía el profesor Panarese, los mejores poetas de Portugal en este siglo son cuatro: Alberto Caeiro, Ricardo Reis, Álvaro de Campos, Fernando Pessoa. Y todos son un mismo autor. ¿A qué impulso obedece esa creación de poetas? Afirmó Pessoa que era un histérico-neurótico.[2] Y comenta muy bien Octavio Paz: "El neurótico padece sus obsesiones; el creador es su dueño y las transforma". Los heterónimos "fueron creaciones necesarias, pues de otro modo Pessoa no habría consagrado su vida a vivirlos y crearlos". Pero —continúa Octavio Paz— "la relación entre Pessoa y sus heterónimos no es idéntica a la del dramaturgo o el novelista con sus personajes. No es un inventor de personajes-poetas sino un creador de obras-de-poetas. La diferencia es capital".[3] En efecto, la obra del portugués está compuesta de cuatro filones extensos y profundos. La del sevillano no se desarrolla así. Los heterónimos quedan al margen, en su margen significativo.

Antonio Machado inventó veinticuatro entes: seis filósofos y dieciocho poetas. Algunos no son más que nombres. Otros emergen como larvas. Son meros esbozos con mínima biografía y una sola poesía. Dos autores alcanzan madurez: Abel Martín y Juan de Mairena. Todas estas sombras comunican el resplandor de un solo foco: los varios ímpetus bullen dentro de la estatua que es el gran hombre. Ese hombre imagina a quien no es ni podría ser, allende sus límites, en un reino muy tentador: el de la pura posibilidad ajena. ¿Del todo ajena? Ya aseveraba Abel Martín: "Mas nadie logrará ser el que es si antes no logra pensarse como no es".[4] Así lo resume Oreste Macrí, el gran estudioso de nuestro poeta: "La persona apócrifa presupone la persona complementaria, el 'tú esencial', y es una invención poético-filosófica". Piensa, por eso, que el apócrifo de Machado no nos propone un *alter ego.* La exigencia primaria es de carácter estético y metafísico.[5] Machado justifica estas operaciones en términos filosóficos. Concluye por boca de Juan de Mairena: "El hombre quiere ser otro. He aquí lo específicamente humano"; "su mónada solitaria no es nunca pensada como autosuficiente sino como nostalgia de lo otro, paciente de una incurable alteridad". Abel Martín, agravando la expresión, ya de abultada jerga técnica, "creía *en lo otro*", en "la esencial heterogeneidad del ser", "como si dijéramos en la incurable *otredad* que padece *lo uno*". De ahí, la invención apócrifa. "Pero, además, ¿pensáis —añadía Mairena— que un hombre no puede llevar dentro de sí más que un poeta? Lo difícil sería lo contrario, que no llevase más que uno".[6] Muy normal, pues, ese desdoblamiento de la conjugación: yo, tú, él. El "yo" que se dirige a un "tú" habla de sí mismo como si fuese un "él". Dice Antonio Machado que decía Juan de Mairena que decía Abel Martín... El muy agudo Roland Barthes considera el empleo de la tercera persona como estructura *sine qua non* del acto literario: "La troisième personne n'est donc pas une ruse de la littérature, c'en est l'acte d'institution préalable à toute autre: écrire c'est décider de dire *Il* (et le pouvoir)".[7] En algunos escritores esa forma de objetivación implica un sentimiento de pudor. A la sobriedad moral y literaria de Machado convenía descargarse elegantemente del "yo" y repetir: "Decía Mairena...". O "tal y tal poeta han escrito...".

II

Quizá no haya en esa galería ficticia nadie tan misterioso como el apenas entrevisto Antonio Machado. ¿Qué significa ese otro del mismo nombre? Pertenece al Cancionero formado por "Doce poetas que pueden existir". (No, son catorce). Se hallaban en uno de los cuadernos inéditos de *Los Complementarios.*[8] (Denominación atribuida luego como título a una obra de Abel Martín.) "Complementario" ocupa lugar eminente en el léxico de don Antonio. La primera serie de estos ideales complementos se redactó hacia 1923-1925. "Antes de escribir un poema —decía Mairena a sus alumnos— conviene imaginar el poeta capaz de escribirlo." [9] Eso es lo que hace Antonio Machado al crear su homónimo de fábula. "Nació en Sevilla en 1895." Veinte años más joven que su padre. "Fue profesor..." ¿También, profesor?; "en Soria, Baeza, Segovia y Teruel". Itinerario idéntico al de nuestro profesor con una diferencia: Teruel. Historia casi, salvo al final; "Murió en Huesca, en fecha no precisada". Nadie se atreve a soñar ni en broma con su muerte, ni siquiera con la del fantástico —si bien próximo al de carne y hueso. Ciudad elegida: Huesca, donde no estuvo nunca Machado ni jamás pondría los pies. La muerte del Otro queda en el aire más irreal. ¡Prudente fantasía! Concluye la nota biográfica: "Algunos lo han confundido con el célebre poeta del mismo nombre, autor de *Soledades, Campos de Castilla*, etcétera".[10] Tan parecidos son que el soneto del apócrifo "Nunca un amor sin venda ni aventura" se presenta como auténtico en las *Nuevas canciones* de 1925.[11] Las variantes de esta segunda versión mejoran la primera. Machado, tan sencillo, llegaba a su más justa forma porque hacía trabajar a la inspiración. Esas modificaciones, si consiguen un resultado feliz, se deben al gusto, al tacto, al golpe intuitivo: metáforas sensoriales de la llamada también metafóricamente "inspiración". "El intelecto no ha cantado jamás", advertía el maestro.[12] Pero la conciencia poética alumbra hasta los más leves cambios en el orden de la frase —como en este soneto:

> Nunca un amor sin venda ni aventura;
> huye del triste amor, de amor pacato
> que espera del amor prenda segura
> sin locura de amor ¡el insensato!

Segundo texto:

> Huye del triste amor, amor pacato,
> sin peligro, sin venda ni aventura,
> que espera del amor prenda segura;
> porque en amor locura es lo sensato.

El verso inicial —inicial antes— es ahora el segundo. "Amor" no interviene más que tres veces y no cuatro. "Locura de amor" sonaba a tópico y le seguía un término exclamativo, "¡el insensato!". Todo ello se clarifica en una ilación razonada: "porque en amor locura es lo sensato". Don Antonio pretende, pues, que el buen amor es el loco amor, y da este consejo con temple de persona madura. Visión opuesta a la del último terceto, desolado:

Con negra llave el aposento frío
de su cuarto abrirá. Oh desierta cama
y turbio espejo. ¡Y corazón vacío!

El "aposento de su cuarto", extraña duplicación, se convierte, según la *Nuevas canciones*, en "el aposento del tiempo", más abstracto, pero no menos vital, ya por el gran camino de la obra auténtica. Y se suprime el "oh", y se recogen las últimas palabras en una sola exclamación de fracaso.

Con negra llave el aposento frío
de su tiempo abrirá. ¡Desierta cama
y turbio espejo y corazón vacío!

El primer Antonio Machado, el de Huesca, se reduce a borrador del segundo, el más viviente.[13]

Del borroso tenemos otra poesía: una canción de estilo popular. En la religión de lo popular coinciden todos los Machados habidos y por haber. (Habría que remontarse hasta don Agustín Durán, "mi buen tío".) De casta le venía al galgo. Gran lebrel era Antonio Machado, el padre, asistente al Congreso de los Folkloristas, París, 1882 (lo recuerda oportunamente don Rafael Pérez Delgado).[14] Entonces Antonio Machado y Álvarez propuso que se fundara una gran asociación de "Folklore Europeo", "sociedad que, a más de los altos fines científicos que persigue", tendería a "establecer el definitivo reinado del amor, la paz y la fraternidad entre todas las razas y todos los pueblos". Todo convergía en la misma dirección: origen sevillano, "sangre jacobina", arte del pueblo, fraternidad social, Institución Libre de Enseñanza... De ahí nace también la "Alborada" de nuestro apócrifo.[15] Es el tema antiguo de las campanas al amanecer.

Las campanitas del alba
sonando están.

El poeta nos ofrece sus variaciones. En otra "alborada", y ésta es del auténtico:

> Escuchad, señora,
> los campaniles del alba,
> los faisanes de la aurora.[16]

El apócrifo canta de manera no menos "barroca", expresión cara al auténtico:

> Como lágrimas de plomo
> en mi oído dan,
> y en tu sueño, niña, como
> copos de nieve serán.

Alba gongorina si la cotejamos, por ejemplo, con ésta de Rosalía Castro.[17] Alba y campanas.

> Yo las amo, yo las oigo
> cual oigo el rumor del viento,
> el murmurar de la fuente
> o el balido del cordero.
> Como los pájaros ellas,
> tan pronto asoma en los cielos
> el primer rayo del alba,
> le saludan con sus ecos.

Más cercanos a Góngora surgen aquellos campaniles y faisanes o esas lágrimas de plomo, esos copos de nieve: equivalencias del estribillo.

¡Tin, tan, tin, tan!

La complicación de tales imágenes, nada puras, logra *pasar* fácilmente gracias al ritmo, al tono y a la vocal a: alba, alborada, campana, tan.

Los apócrifos de *Los Complementarios* se desvanecen, y en el culminante *Cancionero apócrifo* posterior (1931) se yerguen las dos figuras famosas: Abel Martín y su discípulo Juan de Mairena. Sin embargo —Macrí justamente señala—, no todo ese *Cancionero* está atribuido a Mairena y Martín.[18] La serie CLXXI, *Apuntes para una geografía emotiva de España,* y las series CLXXIII-CLXXIV, *Canciones a Guiomar* y *Otras canciones a Guiomar*, se han escrito "A la manera de Juan de Mairena". ¿Por quién? No por el Machado real —entonces no habría ficción— sino por el apócrifo. ¿Don Antonio pensó en ello? Lógicamente se deduce, según las reglas de aquel artificio, que este autor debe ser el otro de *Los Complementarios.* Pero el lector imagina como enamorado de Guiomar al que lo estuvo fuera del *Cancionero*; al Machado de Sevilla, no al de Huesca. En resumen: este personaje fingido lo es muy poco. Y aquí reside la sutileza del juego.

III

¿No hay siempre, junto al autor y su obra, representaciones equivocadas de aquel hombre y de aquella obra? ¿No habrá de Machado una imagen que por ahí, por el mundo de la conversación y de la escritura, deforme o falsee la realidad del poeta que fue? Vivimos en una Babel perpetua. Cierto que los valores existen, se descubren y terminan por imponerse. No, no perdamos nuestra confianza en esta última coincidencia —histórica finalmente— con la verdad, con las verdades. A pesar de todo, aquella torre de Babel no desapareció; es monumento eterno. La crítica se desenvuelve entre el tino y los desatinos, o lo que es peor, los semierrores. Don Antonio tuvo la clarividencia de percibir en su fantasmagoría a ese otro sevillano del mismo nombre, muerto en Huesca. ¿O en Collioure?

Durante los años 40 y 50, sobre todo 50, Antonio Machado absorbió la admiración de algunos españoles jóvenes, y con monopolio excluyente. Eran los poetas llamados "sociales". No habrá época tal vez en que no hayan existido. Entonces pareció asistirse a un descubrimiento. En Collioure quedó sepulto el gran Antonio Machado, un solo hombre que encarnó su espíritu en simultáneas o sucesivas figuras; el combatiente de la guerra civil, el poeta social, el humorista, el pensador, el enamorado, el supremo lírico. Todos sus intérpretes reconocen la continuidad y la unidad de Antonio Machado en vida y en obra. Desde aquellas melancolías juveniles hasta la noche atroz, a pie atravesando la frontera, aquel hombre mantiene su ser en un movimiento que le transforma a varios niveles de valor. Pero el valor subsiste, y no existe verdadero Machado sino en su continua y creciente complejidad. El devoto de *Soledades* no puede poner entre paréntesis *Campos de Castilla* ni los poemas políticos de los últimos años. Hay jueces morales que condenan a Guiomar a la mayor gloria de Leonor, y más aún, del esposo, del viudo. (¿Adónde se atreve a descender la gazmoñería española?) Otros jueces, intelectuales, casi lamentan el amor de don Antonio a la filosofía, y los casi condenados serían esta vez Juan de Mairena y Abel Martín. Es constante *The comedy of errors*[19] sin Shakespeare:

Are you a god? would you create me new?

Nada más legítimo que varíe la estimación de este o el otro aspecto. Inadmisible que se prescinda del conjunto definitivo que forma el escritor para poner en pedestal un personaje mutilado.

El pedestal es en algunas ocasiones una peana: peana de santo. Sí, de san Antonio. (¡Y él, que tan agudamente sentía —como Unamuno— el hombre de carne y hueso!) Machado irradia ante todo bondad, y esta bondad se encuentra infusa en su retrato más sintético, no la santidad —a no ser ante la pía imaginación de algunos españoles. Y son los más laicos y "avanzados" quienes beatificaron y canonizaron al profesor de Soria, humilde monje de Berceo. ¡San Antonio de Collioure! —en la tradición del portugués de Padua, abogado de cosas extraviadas: la buena poesía. Y la buena poesía era para estos excelentes jóvenes la poesía social con exclusión de cualquier otra. Por supuesto, la poesía social —ya se ha dicho— no constituye una moda pasajera; a través de la historia aparece y reaparece; en ningún siglo falta ese rumbo. Pero durante las últimas décadas, de tanta confusión a causa de tanta dictadura simplificadora, a San Antonio de Collioure, otro Pobrecito o *Poverello* de Asís, se le forzó a ser Patrono intransigente de la Poesía Social. ¡Y ojo con la rosa! Prohibir la rosa como tema sólo sería comparable en necedad a exigir la rosa como asunto obligado. Para algunos lectores, tal vez los más secuaces de alguna ortodoxia, el poema valía y se entendía traducido mentalmente a párrafos de periódico. Así se adoraba al Pobrecito de Collioure, apóstol de una poesía que lo fuese casi de modo vergonzante, en posición ancilar, en "acto de servicio". La poesía es acto y *sirve*, no hay duda, pero no a ese nivel ramplón, ramplón adrede. ¿Voto de pobreza? El maestro había proclamado en discurso de académica solemnidad: "El mañana, señores, bien pudiera ser un retorno —nada enteramente nuevo bajo el sol— a la objetividad por un lado, y a la fraternidad por el otro".[20] Dictamen acertado. Bajo este pabellón se recogieron los poetas de ese "mañana". Aquel guía, para ser coherente con una actitud que se deseaba incompatible, no tuvo más remedio que despojarse de su varia riqueza y desempeñar su función: *servir* de estímulo a los que así justificaban unos propósitos y un quehacer. Téngase en cuenta, con todo, una razón histórica. Este culto parcial a un gran poeta incompleto obedecía a visibles circunstancias, fondo de tan austera parcialidad. Si no se es peregrino de Fátima y se posee un corazón piadoso, ¿adónde ir en romería sino a Collioure? A pesar de la angostura teórica en algún sectario, ningún adicto al poeta podía no sentir su integridad, su alma; el "culto" ha sido, en definitiva, beneficioso. Por otra parte, aquella tumba resguarda su símbolo civil, y el verdadero Machado se complacería en acoger con tal significación esos homenajes. Pero el Machado escritor ¡cómo se reiría frente a Juan de Mairena —tan irónicos los dos andaluces— del incienso crítico al San Antonio excluyente! O quizá Mairena se habría indignado. El pensamiento y el arte de un gran espíritu se empobrecen y se deforman si sólo se distribuyen por tubos de práctico aprovechamiento. El yacente en Collioure es algo más que el favorecedor de una poética estrechita. A esa poética sólo corresponde un ente análogo al fallecido en Huesca.

Volvamos al auténtico: "[...]por mucho que valga un hombre nunca tendrá valor más alto que el valor de ser hombre".[21] He ahí la fórmula de aquel humanismo permanente. Bien dice el coro en la *Antígona* de Sófocles:[22]

> Muchos son los portentos,
> pero nada más portentoso que el hombre.

A condición de que se eleve hasta su humanidad. Mayor el portento si la entereza del hombre, su virtud, culmina en la palabra de un Antonio Machado.

Cambridge, Massachusetts, octubre de 1967

NOTAS

1. Véase la historia de los heterónimos en la Introducción de Oreste Macrí a sus *Poesie di Antonio Machado*, 3.ª edición completa, Lerici, Milán, 1969, pp. 85-98.

2. *Poesie di Fernando Pessoa*, estudio y antología de Luigi Panarese, Lerici, Milán, 1966, p. CCCVIII.

3. Fernando Pessoa, *Antología*, selección, traducción y prólogo de Octavio

Paz, Universidad Nacional Autónoma de México, México, MCMLXII. Dicho prólogo se halla también en *Cuadrivio*, Joaquín Mortiz, México, 1965, pp. 142-144.

4. Antonio Machado, *Obras. Poesía y prosa,* edición reunida por Aurora de Albornoz y Guillermo de Torre, Losada, Buenos Aires, 1964, p. 308.

5. Oreste Macrí, *op. cit.*, p. 195. "La persona *apocrifa* presuppone la persona *complementaria* (il 'tú esencial') ed è un'invenzione poetico-filosofica." "L'apocrifo di Machado non è un *alter ego.* L'esigenza formale primaria è, s'è accennato, di natura estetica (in senso lirico) e metafisica (in senso etico)."

6. A. M., pp. 501, 357 y 420.

7. Roland Barthes, *Essais critiques*, Éditions du Seuil, París, 1946, p. 17.

8. A. M., pp. 729-737.

9. A. M., p. 419.

10. A. M., p. 731.

11. A. M., p. 290.

12. A. M., p. 50. Se imprimió por primera vez en *Poesía española. Antología 1915-1931*, por Gerardo Diego, Madrid, 1932, pp. 77-78.

13. Primera versión del soneto:

> Nunca un amor sin venda ni aventura;
> huye del triste amor, de amor pacato
> que espera del amor prenda segura
> sin locura de amor, ¡el insensato!
>
> Ese que el pecho esquiva al niño ciego,
> y blasfema del fuego de la vida,
> quiere ceniza que le guarde el fuego
> de una brasa pensada y no encendida.
>
> Y ceniza hallará, no de su llama,
> cuando descubra el torpe el desvarío
> que pendía sin flor fruto a la rama.
>
> Con negra llave el aposento frío
> de su cuarto abrirá. Oh, desierta cama
> y turbio espejo. ¡Y corazón vacío!

Segunda versión:

> Huye del triste amor, amor pacato,
> sin peligro, sin venda ni aventura,
> que espera del amor prenda segura,
> porque en amor locura es lo sensato.
>
> Ese que el pecho esquiva al niño ciego
> y blasfemó del fuego de la vida,

de una brasa pensada y no encendida,
quiere ceniza que le guarde el fuego.

Y ceniza hallará, no de su llama,
cuando descubra el torpe desvarío
que pendía, sin flor, bruto en la rama.

Con negra llave el aposento frío
de su tiempo abrirá. ¡Desierta cama,
y turbio espejo y corazón vacío!

14. Rafael Pérez Delgado, "Ida y vuelta a los clásicos con Antonio Machado y contraluz de Unamuno", *Papeles de Son Armadans*, Madrid-Palma de Mallorca (julio MCMLXVII), p. 49.

15. A. M., p. 731:

ALBORADA

Como lágrimas de plomo
en mi oído dan,
y en tus sueños, niña, como
copos de nieve serán.
A la hora del rocío
sonando están
las campanitas del alba
¡Tin tan, tin tan!
¡Quién oyera
las campanitas del alba
sentado a tu cabecera!
¡Tin tan, tin tan!
Las campanitas del alba
sonando están.

16. A. M., p. 697.

17. Rosalía Castro de Murguía, *En las orillas de Ser*, Madrid, 1884, p. 141.

18. Macrí, *op. cit.*, p. 93: "Ma Martín e Mairena soppiantano e annullano i precedenti, meno uno: lo stesso *Antonio Machado*, il 5° dei primi 15 poeti citati. La reviviscenza di questo poeta nel *Cancionero apócrifo* fin da PC è un dato di fatto non ancora avvertito e pertiene al mistero della struttura ideologica dall'apocrifo machadiano. Il Nostro dovette essere perfettamente cosciente dell'esistenza di tale apòcrifo di sé stesso, ma non sentì la necessità di formularlo esplicitamente per non eccedere nel gioco, pur serio e tragico, in quegli anni di infermità e disperata esultanza della passione amorosa (s'era aggiunto il pseudonimo *Guiomar*...)".

19. *The comedy of errors*, III, 2.

20. A. M., p. 856.

21. A. M., p. 678.

22. *Antígona*, III, vv. 332 y 333.

FRANCISCO RUIZ RAMÓN

ALGUNAS APROXIMACIONES AL PROBLEMATISMO DEL TEMA DE LA MUERTE EN LA POESÍA DE ANTONIO MACHADO

Poesía problemática

¿Qué es en la poesía de Antonio Machado la muerte: fin absoluto o tránsito? ¿Acabamiento total y aniquilación definitiva o apertura a un más allá? Plantearse así el problema de la muerte en la poesía machadiana sería empobrecer nuestra indagación y desvirtuar el tema en sí mismo y de raíz, puesto que no tendríamos más remedio que elegir entre las dos conclusiones y, a la postre, cualquiera que eligiéramos movidos de buena fe no nos convencería. Porque si decimos que la muerte es fin absoluto y nada más, nos equivocaríamos y siempre encontraríamos textos que nos desmintieran. Si, por el contrario, afirmamos que la muerte es tránsito, apertura, y nada más, también encontraríamos textos que pusieran en apuro nuestra conclusión, que muchas veces no es sino inconfesado e inconfesable punto de partida.

Cualquiera, creo, puede hacer esta experiencia sin más que reunir todos los textos poéticos, y no poéticos, en que Machado alude a la muerte. Y como estoy convencido de que Dámaso Alonso pone el dedo en la llaga en las palabras finales de su claro y preciso ensayo titulado "Fanales de Antonio Machado",[1] palabras que era necesario dijese un hombre de su autoridad, no quiero yo "buscar pan de trastrigo", sino ver.

Para evitar cualquiera de las dos posturas aludidas, limitémonos a ordenar algunos de los poemas en que Machado se enfrenta con la muerte y tratemos de entender no la actitud, sino las actitudes del poeta ante ella. Porque, en efecto, como vamos a ir viendo, lo específico del tema de la muerte en esta poesía no es una actitud, una postura dada de una vez para siempre, sino una sucesión de actitudes, que no casan entre sí, ni tienen necesariamente por qué casar, pues son el resultado —los resultados, nunca definitivos— de la personal trayectoria humana del poeta, la cual no es homogénea ni transcurre en un único sentido de valor, sino heterogénea, contradictoria, a caballo de la esperanza unas veces y de la angustia y la desesperanza otras. Lo propio de la actitud poética de Machado ante la muerte —también ante Dios y ante muchas cosas más— es justamente su discontinuidad, su variabilidad y su contradicción. En una palabra: su esencial problematismo.

En efecto Machado es para el crítico literario un problema vivo, y su poesía en cuanto expresión de ultimidades, problema insuperable. Machado es un poeta radicalmente problemático, y no sólo porque su poesía contenga problemas, mas porque en sí misma, *naturaliter* es problema. Problema, pues, no en cuanto al tener, sino en cuanto al ser. Machado nunca arribó a un horizonte de seguridades. Y su poesía refleja con profundidad, verdad y dramatismo el acuciante, permanente, insoslayable y esencial problematismo de la existencia del poeta tal como él lo vivió con hondura. Por ello los críticos de Machado, cuando se enfrentan con las cuestiones últimas, explícitas o implícitas en esa poesía, dan respuestas distintas.

Basta pensar por ejemplo en la muy concreta cuestión de Dios y en las respuestas, entre otros, de Laín Entralgo, Aranguren, Serrano Poncela o Sánchez-Barbudo. O escriben ensayos de salvación cordial, como Laín y Aranguren, o afirman el tema de Dios como marginal, nunca vital, en la obra de Machado, como Serrano Poncela, o su ateísmo radical, como Sánchez-Barbudo.[2]

Machado en tres escorzos

Intentemos muy sumariamente tres instántaneas de Machado, que reflejen tres de los modos como se presentó a sí mismo, como a sí mismo se veía: un Machado *par lui même*. Estos tres escorzos los creo pertinentes, pues no estorbará tenerlos en cuenta antes de abordar el tema de la muerte.

1. *Hombre en lucha consigo mismo*

Su vida fue un vivir

> en paz con los hombres y en guerra con mis entrañas.
>
> (*PC*, CXXXV) [3]

Su vocación de amor al hombre, que fue una de sus más inconmovibles vocaciones, nacía de la firme conciencia de la dignidad del hombre:

> Hemos llegado ya a una plena conciencia de la dignidad esencial, de la suprema aristocracia del hombre.
>
> (*J. de M.*, II, p. 62)

y de su creencia en ella y en su capacidad actuante,

> Pero nosotros nos inclinamos más bien a creer en la dignidad del hombre y a pensar que es lo más noble en él, el más íntimo y potente resorte de su conducta
>
> (*J. de M.*, II, p. 28)

como también del conocimiento de la radical superioridad del hombre,

> Poca cosa es el hombre y, sin embargo, mirad vosotros si en-

> contráis algo que sea más que el hombre, algo, sobre todo, que aspire como el hombre a ser más de lo que es
>
> (*J. de M.*, II, p. 132)

por el mero hecho de ser hombre:

> [...] por mucho que valga un hombre nunca tendrá valor más alto que el de ser hombre.
>
> (*J. de M.*, II, p. 46)

Este humanismo concreto, dirigido al hombre de carne y hueso, no al hombre abstracto;

> El que no habla a un hombre no habla al hombre; el que no habla al hombre no habla a nadie,
>
> (*J. de M.*, II, p. 52)

cambia de signo cuando ese hombre es el mismo Machado. Quiero decir que esa confianza que al hombre testimonia se convierte en desconfianza cuando de sí mismo habla.

> Yo soy la incorrección misma, un alma siempre en borrador, llena de tachones, de vacilaciones y de arrepentimientos,
>
> (*J. de M.*, I, p. 32)

nos dice el poeta en un momento de emocionada confesión. Texto al que hay que añadir este otro en el que acabamos de captar ese gesto doloroso, tristemente desesperanzado y grave con que, a veces, se nos presenta Machado superando su propio humor, o quedándose en una zona más profunda aún adonde no llega ya el humor:

> La inseguridad es nuestra madre; nuestra musa es la desconfianza.
>
> (*J. de M.*, II, p. 27)

Este vivir en guerra con sus entrañas, teniendo por madre la inseguridad y por musa la desconfianza, sintiéndose ser un alma siempre en borrador, llena de vacilaciones y arrepentimientos, nos explica, justamente, esa pluralidad de vertientes que su obra presenta y que corresponde con esas otras caracterizaciones que de sí mismo hace: el buscador de la verdad, el que pregunta siempre y el escéptico por ansia de verdad.

2. *Hombre de preguntas*

La manera más machadiana de ser, la que mejor nos define su estilo y actitud vitales es la pregunta.

Al hablar de las dos formas del romanticismo afirma una tercera más honda, que es la suya:

> Por debajo de ellas está la forma clásica de ser romántico, que es la nuestra, siempre interrogativa: ¿A dónde vamos a parar?
>
> (*J. de M.*, II, p. 34)

La pregunta es para él lo específicamente humano. No está lo absurdo en la interrogación, sino en la respuesta:

> Vosotros preguntad siempre, sin que os detenga ni siquiera el aparente absurdo de vuestras interrogaciones. Veréis que el absurdo es casi siempre una especialidad de las respuestas.
>
> (*J. de M.*, II, p. 18)

3. *Hombre de dudas*

Junto con la pregunta la duda es el mejor modo de eludir la tentación del Sí y el No.

No sólo

> es poeta también y sobre todo el que pregunta,
>
> (*J. de M.*, II, p. 165)

sino el que duda:

> Pero yo no os aconsejo la duda a la manera de los filósofos, ni siquiera de los escépticos propiamente dichos, sino la duda poética, que es duda humana, de hombre solitario y descaminado, entre caminos. Entre caminos que no conducen a ninguna parte.
>
> (*J. de M.*, II, p. 69)

De muchos modos ha expresado Machado, y es harto conocido, la necesidad de dudar del propio pensamiento, y ha aconsejado, en primer lugar, dudar de lo que él mismo decía. ¿Por qué este elogio de la duda?

Por un lado:

> Aprende a dudar, hijo, y acabarás dudando de tu propia duda. Así premia Dios al escéptico y confunde al creyente.
>
> (*J. de M.*, II, p. 60)

Y por el otro:

> Quiero enseñaros a dudar del pensamiento propio cuando éste lleva a callejones sin salida, que es indicaros la salida de esos callejones.
>
> (*J. de M.*, II, p. 84)

En ambos textos hay mucho de ese humor machadiano que

tanto desconcierta y que Sánchez-Barbudo explica agudamente como procedente de una triple causa: la oscuridad intrínseca a los problemas que se planteaba, la conciencia de su incapacidad para resolverlos satisfactoriamente y su escepticismo y modestia.[4]

Aduzco un tercer texto abundante en la misma idea de los dos anteriores, pero sin la veta de humor:

> Yo os enseño una duda integral, que no puede excluirse a sí misma, dejar de convertirse en objeto de duda, con lo cual os señalo la única posible salida del lóbrego callejón del escepticismo.
>
> (*J. de M.*, II, p. 100)

La insistencia machadiana en señalar la duda como operación por excelencia para salir del escepticismo —aunque sea por la puerta falsa— parece como una señal que Machado haga al lector para ponerlo en guardia. Y cuando a esa idea de la duda como único modo de no permanecer en ella se alía el humor desde donde Machado se expresa, la actitud de alerta del lector aumenta. En el fondo, este humor tiene, o puede tener, una cuarta causa que pudiera añadirse a las tres estudiadas por Sánchez Barbudo: la de ser un intento de integración de dos aspectos contrarios de un mismo objeto. Duda y humor apuntarían a un mismo fin en dos planos distintos. Quiero decir que, del mismo modo que la duda sería un intento de integrar en el plano del pensamiento el sí y el no, el humor vendría a ser en el plano de la expresión el intento de integrar dos formulaciones opuestas de la misma idea: su sí y su no.

Al Machado hombre de dudas hay que buscarle como él mismo aconsejaba:

> Busca a tu complementario
> que marcha siempre contigo
> y suele ser tu contrario.
>
> (CLXI)

Ni tampoco hay que olvidar, al proponerse un análisis de cualquiera de sus temas mayores y difíciles, este otro aforismo:

> Da doble luz a tu verso
> para leído de frente
> y al sesgo.
>
> (CLXI)

Esbozados estos perfiles del hombre al hilo de sus palabras, tratemos de ver ahora, en toda su problematicidad, las implicaciones fundamentales del tema de la muerte en su poesía. Pero no olvidemos esos tres escorzos, puesto que ellos deciden la discontinuidad de su actitud y dan razón —aunque nunca suficiente— de ella.

Presencia de la muerte

Dos son los modos fundamentales de esta presencia: como suceso definitivo que a un prójimo ("próximo") le acaece, y como compañía interior inseparable de la que se tiene honda conciencia.

1. En el primer caso es el resultado de una experiencia de que se da testimonio: el morir ajeno. Algo que le pasa a otro y del que no ve más que sus señas físicas inmediatas, su materialidad. Más que al misterio profundo e insoslayable de la muerte atiende el poeta al hecho bruto de la muerte y a las circunstancias que la acompañan, circunstancias que, aunque específicas del hecho de morir, están puestas por los vivos que rodean al muerto: la sepultura, el ataud que desciende a la fosa, el golpe del ataud en tierra, la tierra que se rompe al chocar sobre la tapa del féretro. Tal ocurre "En el entierro de un amigo".[5] Ante este "factum", localizado en un tiempo y un espacio concretos ("una

tarde horrible del mes de julio"), el poeta, ejercitando al máximo sus sentidos —pero sólo éstos— no capta sino los datos inmediatos, aquellos que sólo en superficie fijan y definen la muerte. Cuando la ceremonia ha terminado, cuando todo está concluido, Machado se limita a decir al muerto:

> Y tú, sin sombra ya, duerme y reposa,
> larga paz a tus huesos.
> Definitivamente,
> duerme un sueño tranquilo y verdadero.
>
> (IV)

Lo cual equivale a despedirse con el ritual *requiescat in pace.*

El misterio de la muerte y su esencia siguen intactos, sin que el poeta intente desvelarlos o penetrar en ellos. Nada queda iluminado. Es, en el más profundo sentido de la expresión, un poema de circunstancias.

Idéntica captación de la muerte, misma actitud ante ella, aparece en el poema XII de *Soledades.* En las dos últimas estrofas se nos refiere la muerte como suceso en sus datos externos, en aquellos que indefectiblemente la acompañan, situándola: el repicar de las campanas, los golpes del martillo en la caja, los golpes de la azada en la fosa...

En ambos poemas la adjetivación puntúa con claridad el modo de estar de Machado ante el suceso de la muerte. En los dos poemas la adjetivación es escasa, y por ello mismo más significativa. En el primero: tarde *horrible*, *podridos* pétalos, *áspera* fragancia, *roja* flor, *recio*, *solemne, serio* golpe, *negra* caja, *pesados* terrones, *honda* fosa, *blanquecino* aliento. Tales adjetivos forman el acompañamiento cercano. Más alejado del sitio donde se abre la fosa, cortejo ya distante, el cielo *puro* y *azul*, el aire *fuerte* y *seco*; y, trascendiéndola, en otro ámbito ya espiritual, el sueño *tranquilo* y *verdadero.* En el segundo poema la adjetivación está reducida al mínimo: *sombrías* torres, *negra* caja.

Estos adjetivos son índices de un ver, un oír, un oler que no van más allá de sí mismos. Su eficacia está en la intensidad —y en la probidad— con que los sentidos operan. Pero sólo los sentidos. Ellos cercan, limitan la sustantividad del morir en su apariencia física, dejándonos entrever el desamorado e incómodo estar del poeta ante la muerte. No la acompaña una meditación, un sentido, ni tampoco un esfuerzo de comprensión o apropiación.

En el segundo poema, sin embargo, sustentándolo, creando atmósfera, hay ya una inicial actitud de la persona ante la muerte, un deseo de ir más allá de su pura materialidad. Hay ya una primaria decisión del espíritu: la fe o, mejor, la esperanza de su vencimiento.

> No te verán mis ojos;
> ¡mi corazón te aguarda!

El sentido de este vencimiento lo veremos más tarde, cuando lleguemos a los hermosos poemas de la Amada muerta.

Veamos ahora el segundo modo de presencia.

2. Aparece la muerte, no ya como suceso ajeno y exterior al poeta, sino como compañía íntima e inalienable, como compañera que, en nosotros, a nuestro lado, hace camino. Caracteriza entonces a la muerte que a nuestro lado va el celo con que guarda el secreto de su esencia. Nada sabemos de ella, nada nos dice. Es, fundamentalmente, una presencia muda. Una presencia a la que se interroga sin que nada ni nunca responda. Ese silencio que la vela, que cela su secreto es quien nos fuerza preguntarle quién es, a interrogar su misterio y, finalmente y en suma, a invocarla. De la muerte nos atrae tánto su misterio que deseamos unirnos a ella, con ella fundirnos en un beso que nos la desvele y deje desnuda.

Fugitiva y cercana aparece en el conocido poema XVI de *Soledades*:

Siempre fugitiva y siempre
cerca de mí, en negro manto
mal cubierto el desdeñoso
gesto de tu rostro pálido.
No sé dónde vas, ni dónde
tu virgen belleza tálamo
busca en la noche. No sé
qué sueños cierran tus párpados,
ni de quién haya entreabierto
tu lecho inhospitalario.
. . . .
Detén el paso, belleza
esquiva, detén el paso.
Besar quisiera la amarga,
amarga flor de tus labios.

Ese sentimiento de su cercanía provoca en el poeta una tensión de espera nunca cumplida:

Está la plaza sombría;
muere el día.
Suenan lejos las campanas.

De balcones y ventanas
se iluminan las vidrieras,
con reflejos mortecinos,
con huesos blanquecinos
y borrosas calaveras.

En toda la tarde brilla
una luz de pesadilla.
Está el sol en el ocaso.
Suena el eco de mi paso.

—¿Eres tú? Ya te esperaba...
—No eras tú a quien yo buscaba.

(*Soledades*, LIV)

Y ese hábito de esperarla le hace presentirla siempre, adivinar su inminente aparición:

> Daba el reloj las doce... y eran doce
> golpes de azada en tierra...
> —¡Mi hora! —grité—... El silencio
> me respondió: —No temas;
> tú no veras caer la última gota
> que en la clepsidra tiembla.
>
> (*Soledades*, XXI)

Porque existe esa conciencia de su presencia y ese hábito de esperarla pueden las campanadas del reloj convertirse en redoble funeral.

Misterio de la muerte

Ante el misterio radical de la muerte la actitud más constante de Machado es la interrogativa. También, repetimos, la más machadiana. El hombre de interrogaciones que fue Machado, mucho más que de negaciones o afirmaciones, debía consecuentemente adoptar ante la muerte una actitud de pregunta. Poéticamente es también la más rica en dramatismo y la más definitoria de la condición humana abandonada a sí misma.

La pregunta de Machado pretende desvelar dos caras del misterio: su esencia y su sentido, lo que la muerte es en sí y lo que para mí es, en entrañable relación con mi ser.

Podemos ver con claridad las dos direcciones de la pregunta en el poema XXIX de *Soledades*. Es un poema que sintetiza una parte importante de la toma de posición machadiana ante la muerte. En la primera estrofa se predica el misterio que es la muerte y la condición problemática de su compañía:

Arde en tus ojos un misterio, virgen
esquiva y compañera.

Compañera por su constante presencia, es esquiva por su impenetrabilidad y resistencia a nuestra pesquisa. Su virginidad es su más invencible cualidad: nadie puede poseerla. Ya en el poema citado antes se alude a lo mismo: nadie ha entreabierto su lecho inhospitalario. Y la misma intuición de su virginidad y esquivez se repite en versos como éstos:

Y vio la musa esquiva,
de pie junto a su lecho, la enlutada,
la dama de sus calles, fugitiva,
la imposible de amor y siempre amada.

("Muerte de Abel Martín")

La muerte, pues, presencia acompañante, nos impone su misterio esquivándose a nuestro deseo de posesión y conocimiento.

No sólo nada podemos llegar a conocer de ella, sino ni siquiera acerca de la índole de su relación conmigo:

No sé si es odio o es amor la lumbre
inagotable de tu aljaba negra.

Nuestro único saber sobre la muerte es el de su permanente compañía, el de su arraigo en nuestra existencia tempórea:

Conmigo irás mientras proyecte sombra
mi cuerpo y quede a mi sandalia arena.

En la última estrofa toma cuerpo la interrogación directa. El poeta pretende saber cuál es el sentido esencial de la muerte en relación con la propia vida:

¿Eres la sed o el agua en mi camino?
Dime, virgen esquiva y compañera.

Es decir, ¿eres algo en mí, algo que me constituye, eres esta ansia que yo soy de algo que no tengo, o fuera de mí eres la satisfacción de mi ansia, donde podré calmar mi sed? ¿Eres la sed que tengo o el agua que no tengo?

La misma actitud interrogativa aparece en el siguiente poema:

Morir... ¿Caer como gota
de mar en el mar inmenso?
¿O ser lo que nunca he sido:
uno, sin sombra y sin sueño,
un solitario que avanza
sin camino y sin espejo?

(CXXXVI)

Las dos preguntas son radicales y entrañan en sí una grave postura ante el morir, pues conllevan una honda carga ontológica. El contenido de ellas es: ¿No ser? ¿Ser otro del que soy aquí y ahora?

Veamos la legitimidad de tal reducción.

a) Primera pregunta:

¿Caer como gota
de mar en el mar inmenso?

La simbología del vocablo *mar* ha sido estudiada por distintos críticos.[6] Aparece con frecuencia en sus poemas y su sentido no es unívoco. Fundamentalmente alude en él Machado a la muerte y a la nada. Compárese con nuestros versos estos otros tomados de distintos poemas:

Donde acaba el pobre río la inmensa mar nos espera.

(XIII)

Dulce goce de vivir:
mala ciencia del pasar,
ciego huir a la mar.

(LVIII)

Algo importa
que en la vida mala y corta
que llevamos
libres o siervos seamos
mas, si vamos
a la mar,
lo mismo nos han de dar.

(CXXVIII)

¿Qué es esta gota en el viento
que grita al mar: soy el mar?

(XIII)

...Él piensa
que ha de caer como rama que sobre las aguas flota,
antes de perderse, gota
de mar, en la mar inmensa.

(XVIII)

Con el incendio de un amor, prendido
al turbio sueño de esperanza y miedo
yo voy hacia la mar, hacia el olvido.

("Los sueños dialogados", soneto III)

En todos estos versos es el mar ese término fatal en donde nuestra vida va a dar perdiéndose en él. Morir es caer en la mar para confundirse con sus aguas, de las cuales somos una gota: un poco de nada que en nada acaba.

b) Segunda pregunta:

Pero morir puede ser también algo distinto: un nuevo modo de ser. En él aparecería el poeta desposeído de aquello que siempre le ha acompañado en su existencia terrena: su sombra y su sueño; y su caminar de solitario sería un avanzar sin camino y sin espejo. Estos versos, por su intensa concentración poética, son de ardua interpretación. Los cuatro sustantivos son claves de la experiencia poética machadiana, vocablos ricos de simbolismo con los que el lector de Machado se tropieza a cada paso.

La muerte sería ese ámbito donde el poeta no necesitaría ya de ellos. Lo cual acrece esa misteriosidad del morir. Si morir no es dejar de ser, es comenzar a ser de un modo nuevo y distinto difícil de concebir. Porque, en efecto, ¿en qué consistiría ese ser sin sueño, instrumento de la razón poética y, por tanto, del auténtico conocer, que es siempre para Machado acceso vidente al ser? ¿Y sin sombra, testimonio del dolor y de la ilusión de la vida humana? ¿Y sin espejo, símbolo hondo de la conciencia de sí mismo? ¿Y sin camino, que es la condición de todo existir, en cuanto éste es un hacer camino, un ir y un pasar? [7]

Sin embargo, lo que aquí nos interesa es poner de relieve la importancia de la segunda pregunta: morir puede consistir en *ser* uno distinto del que se es aquí y ahora. Por tanto, algo muy otro que no ser.

La misma radical y dolorosa actitud interrogativa aparece en el hermoso poema LXXVIII, tan lleno de ese melancólico y nostálgico acento machadiano:

¿Y ha de morir contigo el mundo mago
donde guarda el recuerdo
los hálitos más puros de la vida,
la blanca sombra del amor primero,
la voz que fue a tu corazón, la mano
que tú querías retener en sueños,
y todos los amores
que llegaron al alma, al hondo cielo?
¿Y ha de morir contigo el mundo tuyo,
la vieja vida en orden tuyo y nuevo?
¿Los yunques y crisoles de tu alma
trabajan para el polvo y para el viento?

El fundamento de la interrogación no es aquí la duda solamente, sino la necesidad de protestar contra el pensamiento de que sea la muerte término de todo —del amor, de la vida y del sueño, también de la creación— y de rebelarse ante la idea de que la nada sea nuestra meta. Protesta y rebelión mansas, contenidas voluntariamente en ese aire enrarecido de la pregunta, en donde el alma se balancea entre la angustia y la esperanza, como un ave que avanza en difícil equilibrio, suspendida entre cielo y abismo, sin acabar de subir ni de caer.

En todos esos poemas es la interrogación el método de mantenerse en el fiel de esa balanza cuyos platillos van cargados de signo opuesto. Bastaría un ligerísimo peso en el uno o en el otro para hundirse definitivamente o para ascender. De ahí le viene a esta poesía interrogativa la carga de dramatismo de que es portadora. Interrogación, duda, humor, hunden sus raíces en idéntica vocación de permanecer equidistante entre la negación de la razón lógica y la afirmación de la razón poética, porque ni la primera le satisfacía del todo, ni la última le consolaba suficientemente. Tan incompletas eran la negación como la afirmación. Podría pensarse que imposible le es a un hombre vivir en ese equilibrio entre el sí y el no. Tal vez. Pero no le es imposible a una poesía estar hecha de él, sobre todo cuando tan hondamente como a Machado le es la poesía razón de vida.

La tensión y el equilibrio dramáticos de los poemas interrogativos de Machado están en la esencia misma de los poemas, y son vividos intensamente en la experiencia poética que les da nacimiento, pero no tienen por que persistir, con igual intensidad ni de la misma forma acuciante, en su experiencia humana cotidiana. En ningún poeta se prolonga la experiencia poética más allá de sí misma como tal experiencia. Lo contrario es impensable en una vida sólo humana.

La actitud interrogativa, la vocación de la pregunta ante la muerte pertenecen, pues, a la experiencia poética, la cual, a su vez, define y da el tono a los momentos cumbre de su humana experiencia. En este sentido he afirmado que la actitud interrogativa es la machadiana por excelencia. Y ella funda la problematicidad de su poesía, la cual se nos revela así en toda su originalidad, que la hace inconfundible en su esencia, y no ya sólo en su forma o en su contenido, con cualquiera otra poesía.

Para terminar con este apartado he aquí estos versos de inconfundible son machadiano, que ratifican nuestras palabras:

> Y cuando vino la muerte,
> el viejo a su corazón
> preguntaba: ¿Tú eres sueño?
> ¡Quién sabe si despertó!
>
> (CXXXVII)

Los poemas de la amada muerta

Con la muerte de Leonor la soledad ocupa los últimos reductos del corazón de Machado. La plural soledad que corría soterraña por sus poemas, dando título a su libro primero, se le convierte en compañía única, como él mismo nos dirá en un soneto de *Nuevas canciones* que tiene mucho de balance poético y vital:

> ¡Oh soledad, mi sola compañía,
> oh musa del portento, que el vocablo
> diste a mi voz que nunca te pedía!

Comienza entonces un caminar a solas por los caminos de Baeza y por los caminos interiores de su alma, más doloroso que antes, porque sufre ahora de la pérdida de aquella compañía ya imposible que la muerte ha roto. Machado escribe una decena de poemas de gran pureza e intensidad elegíacas, en los que la esposa muerta le acompaña en sus paseos de solitario y en sus vigilias y sueños de soñador, hecha invisible presencia, depurada en la nostalgia del recuerdo. Tres de esos poemas aluden a la muerte y a la resonancia que ella provoca en el alma del poeta.

En un brevísimo romance de "una delgadez increíble" como escribe Zubiría,[8] nos cuenta la muerte de Leonor, apresando en él ese segundo en que la esposa deja de existir. En la sobriedad máxima de estos versos se nos da ese dolor del amante que asiste impotente al suceso, sin poder detener a la muerte que pasa ante él, camino del lecho y vuelve a pasar sin mirarle, cumplida ya su obra, y sin responder a la pregunta del poeta. Pocos poemas tan intensos y de tan perfecta sencillez y de tan sencilla perfección como éste, en el que se aúnan la expectación, la conciencia de la propia impotencia, el asombro, el dolor contenido y la queja final:

> ¡Ay, lo que la muerte ha roto
> era un hilo entre los dos!
>
> (CXXIII)

Es un poema en que las palabras parecen portar menos sonido que silencio. Y es esa densidad de silencio que llena el romance, como el aire la estancia, quien refleja con estremecedora justeza la simplicidad inefable de la muerte: apenas "unos dedos muy finos" que rompen "algo muy tenue": la unión entre dos seres. Unión de la que mucho más tarde, en hora penúltima de su vida, escribirá Machado en circunstancias muy otras:

> ...No puede ser
> Amor de tanta fortuna:
> dos soledades en una,
> ni aun de varón y mujer.
>
> (CLXXIII)

La inmediata respuesta de Machado a la muerte de su esposa, respuesta que tiene mucho de confesión, la da en esos alejandrinos —"quizá el verso más religioso de Antonio Machado", escribe Aranguren—[9] en donde nos parece ver una angustiada fusión de protesta y aceptación, enfrentadas un momento la voluntad de Dios y la del poeta.

> Señor, ya me arrancaste lo que yo más quería.
> Oye otra vez, Dios mío, mi corazón clamar.
> Tu voluntad se hizo, Señor, contra la mía.
> Señor, ya estamos solos mi corazón y el mar.
>
> (CXIX)

El sentido del tercer verso es absolutamente claro. En él se sitúa Machado en el extremo opuesto al espíritu del Padre Nuestro. Diríase que al escribirlo tuvo en cuenta el profundísimo y humilde "hágase tu voluntad", y no pudo aceptarlo, no supo asentir, y quiso expresar la verdad que le gritaba en el corazón. Ese Dios al que se dirige nos aparece como un Dios trágico, señor del destino ante cuya voluntad más fuerte y poderosa nada puede la voluntad del hombre.

La aceptación no es específicamente cristiana: tiene, más bien, ese carácter de aceptación irremediable de ciertos héroes de la tragedia griega, que soportan de pie la embestida ciega del Destino. Yo no sé encontrar en este poema, que es un grito, la tragedia cristiana de la libertad, de que hablaba Berdiaev, sino la de la fatalidad. La religiosidad a que se refiere Aranguren reside, para mí, primero en el hecho de tomar a Dios por testigo del dolor y del desamparo, el solo testigo capaz de entender en su misma raíz el clamor del corazón, y, segundo, el de convertirlo en el único confidente posible. Dios, aquí voluntad contraria a la del poeta y a quien no se puede vencer, es principio y término del dolor, y queda indisolublemente ligado a la muerte de la amada y a la soledad del poeta, que es soledad frente a la muerte:

Señor, ya estamos solos mi corazón y el mar.

Hay aún una segunda respuesta, una confesión que no puede ser más machadiana:

Dice la esperanza: un día
la verás, si bien esperas.
Dice la desesperanza:
sólo tu amargura es ella.
Late, corazón... No todo
se lo ha tragado la tierra.

(CXX)

Aquí estamos en presencia de esa dialéctica inconfundible, constante en la obra poética de Machado. Esperanza y desesperanza afirman cada una su derecho a la existencia y, a la vez, se lo niegan una a la otra. Como dos contendientes de igual fuerza vienen a lidiar en el ruedo del poema sin que ninguno de los dos hinque en la tierra la espalda del contrario, o dan los dos en el suelo al mismo tiempo; o como encarnizados contrincantes que compiten en la resolución de un arduo problema y ninguno de los dos acierta a despejar la incógnita.

Esperanza y desesperanza están asistidas, respectivamente, por el corazón y por la razón, y unas veces gana aquél y, otras, ésta. Sumadas victorias y derrotas, acaba en tablas la partida. Aquí, en este poemita, es el corazón quien tiene la última palabra. Una angosta puerta queda abierta a la esperanza.

Estos poemas de la amada muerta, por lo que a nuestro tema respecta, apenas si dibujan un tenue perfil de esperanza, como un sutilísimo hilo de luz sobre un tablero negro. Siempre en Machado, en el fondo de toda afirmación y de toda negación, restalla el látigo de una interrogación.

Quiero citar un texto de una carta de Machado a Unamuno, que puede esclarecer la situación espiritual de Machado al escribir los poemas comentados. Ese texto es una confidencia muy hermosa y sí tiene un valor religioso profundamente cristiano. Además nos muestra toda la hondura de su dolor.

> La muerte de mi mujer dejó mi espíritu desgarrado. Mi mujer era una criatura angelical segada por la muerte cruelmente. Yo tenía adoración por ella; pero sobre el amor está la piedad. Yo hubiera preferido mil veces morirme a verla morir, hubiera dado mil vidas por la suya. No creo que haya nada de extraordinario en este sentimiento mío. Algo inmortal hay en nosotros que quisiera morir con lo que muere. Tal vez por eso viniera Dios al mundo. Pensando en esto, me consuelo algo. Tengo a veces esperanza. Una fe negativa es también absurda. Sin embargo, el golpe fue terrible y no creo haberme repuesto. Mientras luché a su lado contra lo irremediable me sostenía mi conciencia de sufrir mucho más que ella, pues ella, al fin, no pensó nunca en morirse y su enfermedad no era dolorosa. En fin, hoy vive en mí más que nunca y algunas veces creo firmemente que la he de recobrar. Paciencia y humildad [*Los Complementarios*, p. 168].

El texto me parece de una gran importancia. Hay algunas afirmaciones que merecerían ser comentadas y puestas de relieve, sobre todo estas dos frases: "Algo inmortal hay en nosotros que quisiera morir con lo que muere. Tal vez por eso viniera Dios al mundo". Pero lo que me interesa ahora es comparar los datos de la experiencia humana, tal como aparecen en la carta, y los datos de la experiencia poética, tal como se reflejan en los poemas. Las dos son experiencias de un mismo hecho: la muerte de Leonor. Esa confrontación puede sernos muy instructiva para ver qué es lo que de la vida pasa al poema, y cómo pasa. Y, sobre todo, para confirmar esa problematicidad esencial al poema machadiano.

En primer lugar, del dolor testimoniado en la carta se ha eliminado, al pasar al poema, todo superlativo, toda ponderación emotiva, todo énfasis lícito, todo comentario, todo acento anecdótico, para reducirlo a casi una pura notación. Ni siquiera se lo nombra directamente: "dolido mi corazón", dice el romance. He aquí, bien patente, el extraordinario proceso de depuración por el que Machado hace pasar la experiencia directa, inmediata de la realidad humana para convertirla en materia de poema. La experiencia poética que precede y da origen al poema quintaesencia la experiencia bruta. La condensación y acendramiento poemáticos no pueden ser mayores. Ese proceso de destilación es el que da a la mejor poesía de Machado su pureza y sobriedad, y la intensidad de su atmósfera.

En segundo lugar, vemos que en ningún poema aparece explicitado ese movimiento de fe y esperanza expresado en la carta. ("Tengo a veces esperanza"; "algunas veces creo firmemente que la he de recobrar".) Por el contrario, esas dos afirmaciones, limitadas, cierto, por la expresión temporal "algunas veces", pero no por ello negadas, son sometidas en los poemas a tensión dialéctica. Apenas hecha la afirmación de signo positivo viene otra portadora de signo negativo a neutralizarla, introduciendo en la estructura del poema ese difícil equilibrio entre el sí y el no, entre la esperanza y la angustia, a que antes me refería. La experiencia poética, cuyo resultado es el poema, no traduce aquí fielmente los elementos de la experiencia bruta humana, o, más exactamente, no corresponde con el momento afirmativo de la experiencia inmediata de valor positivo (creencia y esperanza). Naturalmente podría pensarse que no tienen por que coincidir; pero justamente esa no coincidencia o no correspondencia aquí detectada, nos fuerza a preguntarnos si no ocurrirá así otras muchas veces. Nuestra pregunta queda formulada en los siguientes términos: ¿La problematicidad esencial al poema machadiano y, por tanto, inherente a la experiencia poética, es también esencial e inherente a la experiencia bruta inmediata? Con ello nos planteamos un problema que excede los límites y la intención de este trabajo, a saber, el de la adecuación de vida y poesía, de verdad vital y verdad poética. ¿Son la misma verdad o son dos estilos de verdad? Quédenos, por ahora, entre las manos la doble hoz de esta interrogación.

En todo caso, una cosa ha quedado, creo, bien patente: ninguno de los poemas de la amada muerta incorpora los elementos puramente afirmativos, plenos de valor positivo, manifiestos en la carta. Ante una misma situación no casan los datos de la experiencia inmediata y los de la experiencia poética, no se corresponden entre sí los términos de la carta y los del poema. Parece como si la confesión poemática renunciara a operar con la esperanza y la creencia comunicadas en la confesión epistolar.

Podríamos pensar que al ir a escribir el poema el poeta realizase una selección de materiales, eligiendo *sólo aquellos capaces de problematizar el contenido del poema.* Esta problematización podría así considerarse como la constante esencial de la poesía machadiana y, mejor aún, de la experiencia poética creadora del poema.

Aplicando a la poesía de Machado las palabras que él mismo utilizó para definir la de Bécquer, podríamos escribir: "En su discurso rige un principio de contradicción, propiamente dicho: *sí, pero no* [...]" (*J. de M.*, II, p. 25).

La base de este principio de contradicción podríamos encontrarla en estas palabras escritas por Machado a Unamuno: "Cabe esperanza, dudar en fe" (*Compl.*, p. 175).

De esa esperanza que nunca llega a serlo de verdad y para siempre, y de ese dudar en fe que no es sólo dudar y no es, en absoluto, fe, arranca ese problematismo esencial al tema de la muerte y en general a toda la poesía machadiana que he pretendido mostrar en este artículo. Quede para otra ocasión analizar otros aspectos del tema de la muerte, y, en especial, un poema mayor no estuadiado aquí: "Muerte de Abel Martín".

Purdue University

NOTAS

1. *Cuatro poetas españoles*, Gredos, Madrid, 1962, pp. 137-178.
2. P. Laín Entralgo, *La espera y la esperanza*, Revista de Occidente, Madrid, 1957, pp. 399-415; José Luis L. Aranguren, "Esperanza y desesperanza de Dios en la experiencia de la vida de Antonio Machado", *Cuadernos Hispanoamericanos*, n.ºs 11-12 (1949), p. 389; A. Sánchez-Barbudo, *Estudios sobre Unamuno y Machado*, Guadarrama, Madrid, 1959, pp. 233-246; S. Serrano Poncela, *Antonio Machado. Su mundo y su obra*, Losada, Buenos Aires, 1954, pp. 135-144.
3. Cito siempre por las siguientes ediciones: *Poesías completas*, Losada, Buenos Aires, 1958^{4}; *Juan de Mairena*, 2 vols, Losada, Buenos Aires, 1957^{3}; *Los Complementarios*, Losada, Buenos Aires, 1957; *Abel Martín*, Losada, Buenos Aires, 1953^{2}.
4. Sánchez-Barbudo, *op. cit.*, p. 204.
5. Pueden verse otras lecturas de este poema en Pablo A. de Cobos, *Sobre la Muerte en Antonio Machado*, Ínsula, Madrid, 1972, pp. 26-28; J. M. Aguirre, *Antonio Machado, poeta simbolista*, Taurus, Madrid, 1973, pp. 270-273. Véase también, para el tema de la muerte, María del Rosario Fernández Alonso, *Una visión de la muerte en la lírica española*, Gredos, Madrid, 1971, pp. 238-273.
6. Véase José Ángeles, "El mar en la poesía de Antonio Machado", *Hispanic Review*, XXXIV (1966), pp. 27-48; E. Gener Cuadrado, *El mar en la poesía de Antonio Machado*, Ateneo, Madrid, 1966; J. M. Aguirre, *op. cit.*, pp. 285-288.
7. Véase mi artículo "El tema del camino en la poesía de Antonio Machado",

Cuadernos Hispanoamericanos, n.º 151, (1962), pp. 52-76; Concha Zardoya, *Poesía española del 98 y el 27*, Gredos, Madrid, 1968, pp. 102-134.

8. Ramón de Zubiría, *La poesía de Antonio Machado*, Gredos, Madrid, 1959[2], p. 128.

9. J. L. L. Aranguren, *op cit.*, p. 289.

ANTONIO SÁNCHEZ-BARBUDO

ANTONIO MACHADO EN LOS AÑOS DE LA GUERRA CIVIL

Se ha escrito ya bastante sobre Machado en los años de la guerra civil. Comentando alguno de sus últimos poemas, yo mismo aludí en otra ocasión, aunque fuera de pasada, sólo en notas, a ciertos recuerdos míos. Voy ahora a volver a ese tema, mas agregando en lo posible algo nuevo. Procuraré destacar de esos recuerdos lo más significativo, lo que me parezca mejor pueda mostrar el carácter de Antonio Machado. Y en lo que se refiere a los escritos suyos de esa época, me limitaré a señalar algo de lo que creo mejor expresa su sentir y pensamiento en aquellos dos años finales de su vida.

La evacuación de los "sabios" en noviembre de 1936

A instancias de Alberti y de León Felipe, Machado salió de Madrid, acompañado de su familia, en noviembre de 1936. Resonaba ya entonces el estruendo del cañón por las calles y el cielo de Madrid, y se luchaba a las puertas de la ciudad. El gobierno había ordenado la evacuación de los intelectuales. Al llegar a Valencia se le instaló con otros escritores, hombres de ciencia y artistas, en lo que se llamó Casa de la Cultura. Allí vivieron apiñados durante semanas y meses los "sabios", como generalmente se decía. Algunos de los que estuvieron al lado de Machado en Valencia, como Navarro Tomás, dos años después le acompañarían también en la penosa salida de España.

En aquel mismo mes de noviembre, un grupo de jóvenes, que habían sido evacuados por la Alianza de intelectuales antifascistas, planeaba en Valencia la creación de una nueva revista, más literaria que política, dedicada "al servicio de la causa popular". Solíamos reunirnos en un café de la calle de la Paz. Allí vimos con frecuencia en los primeros días al pintor Gutiérrez Solana, a quien yo conocía por haberle visto en la tertulia de Ramón Gómez de la Serna en Pombo, el cual bufando venía escapado de la Casa de la Cultura. O, como él decía de un modo desdeñoso y carpetovetónico, de *la fonda*. "No me gusta esa fonda", repetía.

Solana, como persona, producía extrañeza, admiración y cierto horror. Una impresión análoga a la que a menudo producen sus cuadros. Con su pelo de cepillo y cara de madera en la que sólo se movían los labios, como si fuera un autómata, para dejar salir en pequeñas explosiones sus palabras ásperas y entrecortadas, tenía algo de monstruo genial. Algo de terroso, de desenterrado de un subsuelo muy hispánico. Y algo también, con sus manazas, rostro curtido y ojos saltones, de extraordinario carretero vagabundo por los campos de Castilla; de lunático. La idea pues que teníamos, por lo que él nos contaba, de lo que sería la vida en familia de los "sabios" en aquella casona, era más bien la imagen de la intimidad en una sórdida casa de locos.

Solana se marchó pronto a Francia, donde encontró a Baroja (el cual en sus *Memorias* lo recuerda con antipatía, diciendo que era muy "cuco" y "rencoroso"). Luego creo fue a Italia, donde según nos dijeron acusó a los "rojos" y se declaró fascista. Nadie sin embargo tomó eso muy en cuenta a Solana. Pero fue él, que yo sepa, el único desertor entre los "sabios" evacuados por el gobierno de la República.

Otra impresión muy distinta de la vida en la Casa de la Cultura nos daban, claro es, otras personas que veíamos, como el siempre discreto y pulcro Moreno Villa, que nos ayudó a encontrar el título para la nueva revista: *Hora de España.* Algún día estuve yo en aquella casa legendaria, pero no recuerdo haber visto allí nunca a Machado. Durante la guerra no hablé con él sino hasta diciembre de 1936; pero entonces con toda calma y en un ambiente sereno, en el pueblecito de Rocafort, cercano a Valencia, al cual él acababa de trasladarse con toda su familia.

Habíamos decidido poco antes, los que hacíamos *Hora de España*, cuyo primer número aparecería en enero de 1937, que sería bueno que Machado colaborase regularmente, siempre en primer lugar, con prosas "de Mairena", poesías o lo que él nos diera. Fui yo el encargado de hacerle esa petición por ser entonces el secretario de la revista; y además porque le conocía personalmente, aunque no mucho.

La primera vez que vi a Antonio Machado

La primera vez que le había visto fue hacia 1925, siendo yo casi un niño. Fue una de esas absurdas visitas "de cumplido", que entonces aún se hacían. Alguien de mi familia me forzó a que fuera a "saludarle", con el pretexto de que él había conocido a mi padre, y pensando sin duda que tal delicadeza podría serme útil algún día. Pero la entrevista aquella resultó más bien lamentable. Me recibió muy cortésmente, en una pequeña habitación del modesto piso que ocupaba con su familia cuando estaba en Madrid; mas al cabo de poco rato, y a pesar de su amabilidad, estábamos los dos en silencio, sentados frente a frente, mirándonos con atención las rodillas. Aún recuerdo, sin embargo, una mirada suya. Una mirada llena de ternura, que no se dirigía a mí, sino hacia una niñita que estaba en la misma habitación, algo renuente y apartada, cohibida. Seguramente con mi llegada había yo interrumpido los animados juegos y diálogos de tío y sobrina; y por eso ahora la niña, aburrida, hostil, me miraba a hurtadillas, esperando con impaciencia que me marchase. Yo bien me daba cuenta de la situación; pero, azorado, no sabía qué hacer. Y Machado tampoco, aunque probablemente sentía alguna piedad de mí. Fue entonces cuando queriendo él sin duda aliviar la frustración de la chiquilla y darle una como leve esperanza para el inmediato futuro, después de haberme cariñosamente dicho a mí algo, volvió un poco la cabeza y la miró a ella reposadamente, con amor. Entonces vi en su rostro aquella ligera, iluminada sonrisa y aquella mirada que tanto me impresionó. Una mirada dulce y compasiva, que mucho más tarde comprendí era muy de Machado: una mirada bondadosa, llena de comprensión.

Me fui pronto aquel día, sintiendo gran respeto hacia el gran hombre, pero humillado, odiándome a mí mismo, y jurando nunca más volver a presentarme en su casa, ni en la de ningún otro, para saludos de ninguna especie.

Volví a verle sin embargo siete u ocho años después, en la época ya de la República. Era Machado entonces miembro del Patronato de las Misiones Pedagógicas, en las cuales yo trabajaba "fijo", como Cernuda, Casona, Ramón Gaya y algún otro, y le encontraba a veces en el pasillo, al salir él de las reuniones que tenían los consejeros. Siempre era amable con todo el mundo, y solía detenerse para hablar con alguno de nosotros. Lo que contaba resultaba casi siempre divertido. Una vez le oí imitar, serio pero con mucha gracia, la voz lacrimosa y monótona de cierta primera actriz, que según él hacía el papel principal —de una obra suya, creo recordar— exactamente "como una gotera". "¡*Como una gotera*!", repetía en tono lúgubre. Seguí viéndole y hablando con él así, de vez en cuando, hasta poco antes de que estallase la guerra; y por tanto, cuando meses después fui a verle a Rocafort, no me sentía nada cohibido.

Él aceptó pronto nuestra propuesta, el ruego de que nos diese colaboración mensualmente para *Hora de España*. Aceptó con gusto, entre otras razones porque necesitaba el dinero. Hablamos largo rato; de la revista, y sobre todo de la guerra, que él seguía siempre con gran interés. Y a partir de ese día y durante seis meses —hasta junio de 1937, fecha en que habiendo el gobierno llamado a filas a mi quinta, dejé la revista, me presenté y me mandaron a Madrid— fui a verle muchas veces al mismo pueblo, con el pretexto de recoger originales, llevarle pruebas y demás. Me sentía siempre bien recibido en aquella casa, tanto por él como por su familia; aunque pronto supe que empezaban a abrumarle ciertas visitas, sobre todo las de comisiones, más o menos oficiales, que acudían a pedirle algo o a rendirle homenaje. Pero a él le gustaba charlar libremente con los jóvenes; y más de una vez, aunque por discreción yo me dispusiera a retirarme pronto, él insistió en que me quedase un rato para seguir hablando.

De aquellas conversaciones recuerdo sobre todo dos; y recuerdo también otra que tuve con él un año después, ya en Barcelona, que fue la última. A lo que él me dijo en esas tres ocasiones es a lo que voy ahora a referirme. Es lo que me parece más interesante de lo que recuerdo haberle oído. Pero además resulta que en esos tres casos él escribió sobre los mismos asuntos de que me había hablado, y así es posible complementar mi personal recuerdo, la impresión de cada uno de esos momentos —impresiones aún muy vivas, aunque no podría reproducir sus palabras— con palabras exactas suyas. Palabras que ya me impresionaron cuando las leí por vez primera precisamente por ser tan semejantes a las que le había oído, y a veces las mismas, y con análoga significación.

Pero antes diré algo de lo que se veía al llegar a Rocafort, aunque esto es cosa que ya otros han mencionado.

Los Machado en Rocafort

Se llegaba desde Valencia en media hora, en un pequeño tren que corría entre la huerta, cerca del mar. Al salir de la estación, se veía ya cercana la casa. Pronto se encontraba uno ante el muro y reja que rodeaban el jardincillo de "Villa Amparo". Abría la puerta casi siempre alguna de las tres sobrinas de Machado que allí vivían. Rafael Alberti se ha referido a "sobrinillos de todas las edades", que estaban en Rocafort, pero yo no recuerdo haber visto sino a tres sobrinas, de unos quince a veinte años todas. Dos de ellas, gorditas y risueñas, eran muy parecidas; pero había otra muy distinta, más joven y delgada, más bonita y tímida, que hacía pensar en la Leonor de Machado, y que era la que a mí más me gustaba; aunque por respeto al gran hombre no manifestara nunca mi admiración sino con lejanas y furtivas miradas.

Después de atravesar el jardincillo en sombra, había que subir unos escalones para entrar en la casa. Avanzaba uno luego por un breve pasillo, mientras la gordita que generalmente me conducía anunciaba jubilosa la llegada del visitante a grandes gritos. Al entrar en la amplia sala-comedor, solía verse ya a Machado sentado en su butaca; o se le veía entrar pronto, con la cabeza inclinada, avanzando a paso lento.

Me sentaba frente a él, y mientras cruzábamos las primeras banales palabras, le observaba yo disimuladamente, siempre con curiosidad y sorpresa. Advertía su "torpe aliño indumentario": los raídos pantalones, las grandes botas, la chaqueta cenicienta en la que faltaban siempre botones. Su ajada vestimenta, no muy pulcra, tenía algo de anticuado y señorial. Y viéndole en reposo, así vestido, imaginaba al paseante melancólico por caminos polvorientos que él había sido, al meditativo y solitario profesor rural.

Era muy afable desde el principio, y se animaba pronto con la conversación. Sonreía a menudo irónico, pero se indignaba a veces también, momentáneamente excitado por sus propias palabras. A su lado estaba casi siempre su hermano José, con su sonrisa dulce y permanente, que escuchaba atento y asentía respetuoso, corroborante, sin atreverse jamás a expresar opinión propia. Nunca vi junto a Machado a ningún otro de sus hermanos, pero la muda presencia del artista José, con su humildad y devoción, resultaba patética. Y era enternecedor el esfuerzo de Antonio, a veces, por conseguir que el opaco hermano no quedase del todo olvidado, por hacerle de algún modo partícipe de ideas, opiniones y proyectos. En más de una ocasión insistió en que José mostrase sus dibujos. Yo los miraba muy detenidamente, hasta que comprendiendo que habría al fin que decir algo, muy en voz baja, avergonzado, mientras fingía seguir aún contemplando con renovado interés ciertas rayas o difuminados, murmuraba unos apenas inteligibles adjetivos de admiración; aunque en verdad los tales dibujitos, aquellos retratos a pluma, me parecían deprimentes, pésimos. Machado los elogiaba sin reservas, con la intención piadosa —sospechaba yo— de que al comunicarme su entusiasmo me decidiera a pedir al bueno de José alguna de sus obras para reproducirla en *Hora de España*, o para una exposición.

Mientras hablábamos se veía pasar a veces, silenciosa, a la mujer del artista, que venía a hacer algo; y también de vez en cuando se veía a la madre de los Machado, muy vieja, de ochenta y seis años, que no hacía nada, pero merodeaba por allí como menuda sombra protectora. Se acercaba incluso en ocasiones un poco, sin decir palabra, y aún de pie, apoyada en el respaldo de alguna silla, contemplaba amorosamente con apagados ojillos a sus dos ya muy crecidos vástagos. Los miraba lentamente, con atención, y al mismo tiempo un poco como distraída; como si los estuviera viendo sólo de un modo vago, desde muy lejos, y hubiese por un instante perdido el invisible, fuerte hilo que los unía a ella.

A veces Antonio preguntaba si no querríamos ir a sentarnos en el jardín, o a pasear un poco por la elevada terraza, que quedaba a un lado, y desde la cual podía verse el mar. Y así lo recuerdo siempre en los días de Rocafort: en la sala aquella o, menos frecuentemente, en el jardín o la terraza. Salvo un día, que le vi en situación excepcional.

Había yo llegado a primera hora de la tarde. "Pase, pase usted", decía la mujer de José, que era quien había acudido a abrir ese día. En el pasillo, según se entraba a la izquierda, había una pequeña alcoba que es donde dormía Machado. La puerta estaba entornada. La señora que me conducía se detuvo allí un instante, golpeó con los nudillos e inmediatamente, sin más cumplidos, abrió la puerta de par en par, mientras repetía: "Pase, pase, usted". La habitación estaba en penumbra, pero se vio claramente una cama, y en ella, yacente, a Antonio Machado, tapado con una sábana que dejaba tan sólo ver su cabeza envejecida, noble y serena. Parecía muerto. Pero despertó inmediatamente, sobresaltado; y mientras yo me excusaba y empezaba a retroceder, él, que con un rápido movimiento del brazo había apartado de sí la amplia túnica que le cubría, se incorporaba vacilante, excusándose a su vez. La situación resultó por un momento embarazosa y ridícula, claro es. Pero lo más sorprendente y cómico para mí fue descubrir que, de aquella como blanca espuma que era la sábana, surgía irguiéndose el poeta, y no desnudo como los hijos de la mar, sino completamente vestido, de gala diríase, o como para ir a un entierro, pues se elevaba sobre la blancura llevando ya ajustados el grande chaquetón y negras botas, el alto cuello y corbatín.

Las caras de los milicianos

Y ahora voy a la conversación primera de cierta importancia que recuerdo, que tuvo lugar muy al principio de mis visitas, quizás aún en diciembre de 1936. De lo que me habló, y con gran emoción, fue de los milicianos. De las caras de los milicianos, que él había observado en Madrid.

Hablaba concentrándose, fijando su mirada en un punto al evocar aquellas caras, como si quisiera recordar los rasgos con toda exactitud, revivir su impresión, penetrar un secreto. Eran las mismas caras de siempre, decía, las de hombres jóvenes del pueblo que él había visto tantas veces. Mas en ellas se advertía ahora una transfiguración; y era la muerte, no cabía duda, la intuición de la muerte lo que ponía en esos rostros un sello noble y trágico.

Se descubría oyéndole, aunque esto él no lo dijera explícitamente, su gran admiración a esos hombres, el respeto y amor que hacia ellos sentía. Resultaba evidente que quería sentirse solidario, hermano de ellos; compañero en una empresa alta, en una situación que trascendía la vida ordinaria. Hablaba de muerte, de tragedia; pero su voz revelaba a veces, al recordar a aquellos milicianos, un especial contento, una como callada y muy honda alegría. Y yo adiviné ya entonces, aunque fuera oscuramente, y he comprendido luego con más claridad, por qué. La satisfacción que sentía era la de ver al fin realizado, realizándose, el gran sueño de toda su vida.

Machado, el solitario, el triste, aspiró siempre al amor y a la fraternidad. Pero el amor era elusivo, algo ausente; y la fraternidad soñada de los hombres, sólo una aspiración, posibilidad remota, una fantasía. Como es bien sabido, es difícil para cualquier intelectual, por mucho que quiera éste amar al pueblo, y aunque en cierto modo en verdad lo ame, tener un contacto real con él, establecer con la gente sencilla una auténtica solidaridad. Pues bien, ahora de pronto esa unión, ese milagro, se realizaba. Con esos hombres, camaradas entre sí que luchaban y morían aspirando a un mundo mejor, era posible sentirse unido. En las caras de los milicianos veía él, pues, la muerte; pero al mismo tiempo fraternidad y nobleza, la esperanza. No es extraño por eso que la visión de esas caras obsesionara tanto a Machado.

La primera vez que publicó reflexiones sobre los milicianos fue en un artículo aparecido en el número 1 de la revista *Madrid*, de la Casa de la Cultura, en febrero de 1937. Debió de escribirlo muy poco después de haber hablado conmigo de ese tema, pero ciertamente ya en enero de 1937, pues en él alude a la muerte de Unamuno, ocurrida el último día de 1936. Lo que sobre los milicianos dice en esas "Notas de actualidad" es en esencia muy parecido a lo que me dijo, aunque en el escrito aparecen sus reflexiones mezcladas con otras de Heidegger en *El ser y el tiempo*, obra sobre la cual debía él estar meditando por aquellos días. Ahora veremos lo que ahí dice. Pero antes he de mencionar un trabajo anterior, de agosto de 1936, que no se publicó, que sepamos, sino hasta un año después de haber sido escrito. Es interesante recordarlo aquí porque prueba que su obsesión con los rostros de los milicianos arrancaba desde el principio de la guerra. Lo dio a conocer en el discurso que pronunció en Valencia en la sesión de clausura del Congreso Internacional de Escritores, y lo publicó poco después *Hora de España*, en agosto de 1937. En ese discurso, al comenzar, Machado intercaló dos páginas que, nos dice, había escrito "en los primeros meses de la guerra". Son las páginas que se titulan "Los milicianos de 1936", y tienen una fecha al final: "agosto 1936". Empieza en ellas diciendo que las caras de los milicianos le hacen recordar ciertos versos de Jorge Manrique. Y agrega:

> tienen en sus rostros el grave ceño y la expresión concentrada o absorta en lo invisible de quienes, como dice el poeta, "ponen al tablero su vida por su ley", se juegan esa moneda única —si se pierde no hay otra— por una causa hondamente sentida. La verdad es que todos estos milicianos parecen capitanes, tanto es el noble señorío de sus rostros.

Intuía pues, ya en agosto de 1936, que era la muerte como posibilidad, el peligro, lo que al menos en parte determinaba la especial expresión en aquellas caras. Pero era sobre todo la decisión de jugarse la vida por una causa, por "su ley", lo que les daba un aire de nobleza. La muerte estaba al fondo, era preocupación, algo que podría ocurrir al ir a jugarse la vida. Mas lo que Machado destaca, lo que admiraba, era el "noble señorío" que de pronto habían adquirido las cabezas de esos hombres.

Con ellos él estaba de todo corazón. Se refiere luego a la "insuperable dignidad del hombre", que el señoritismo quiere ignorar, y en defensa de la cual se habían levantado a pelear los milicianos. Y termina diciendo que "con toda el alma" cree él, espera, que han de triunfar "los mejores", esto es "nuestros heroicos milicianos".[1]

Machado, en agosto de 1936, se fijaba especialmente en la nobleza de esas caras y veía en ellas la esperanza, más que la muerte. En cambio en el escrito posterior, de febrero de 1937, que repetimos fue el primero publicado, aunque aún admire el "señorío" en el rostro de los soldados del pueblo, no era eso ya lo que subraya. Y de esperanza no dice nada, ni tampoco de la justicia de la causa por la cual luchaban. Lo que ve ahora en esas caras es la obsesión de la muerte presentida, inexorable; una como decidida voluntad de entregarse a ella. Y eso es lo que daba al miliciano, convertido en hombre esencial, en hombre auténtico, su grandiosa y trágica expresión.

Empieza hablando otra vez del señorito y de los milicianos. Menciona el fenómeno de la "desaparición del señorito", en la zona republicana, y la "no menos súbita aparición del *señorío*" entre los hombres del pueblo. Dos fenómenos que quizás tengan como causa común, dice, "la presencia de la muerte en los umbrales de la conciencia humana". Y entonces agrega, hablando aún de la muerte, y viendo esas caras a la luz de la filosofía heideggeriana:

> sólo el hombre, nunca el señorito, el hombre íntimamente humano, en cuanto ser consagrado a la muerte (*Sein zum Tode*), puede mirarla cara a cara. Hay en los rostros de nuestros milicianos [...] el signo de una profunda y contenida reflexión sobre la muerte. Vistos a la luz de la metafísica heideggeriana es fácil advertir en estos rostros una expresión de angustia, dominada por una decisión suprema, el signo de resignación y triunfo de aquella *libertad para la muerte* (*Freiheit zum Tode*) a que alude el ilustre filósofo de Friburgo [598].

Más de un año después, según vemos en unas notas publicadas en *Hora de España* en abril de 1938, vuelve otra vez a meditar sobre la expresión en la cara de los soldados. Pero ahora es ya otra cosa lo que descubre. Escribe entonces, en días de desaliento, cuando ya se adivinaba cuál sería el triste final de la guerra, después de tanto sacrificio: "Lo más terrible de la guerra es que, desde ella, se ve la paz, la paz que se ha perdido, como algo más terrible todavía. Cuando el guerrero lleva este pensamiento entre ceja y ceja, su semblante adquiere una cierta expresión de santidad" (576).

Los temores de Antonio con respecto a Manuel

La otra conversación en Rocafort que voy a mencionar debió de tener lugar ya hacia la primavera de 1937. De lo que habló entonces fue de su hermano, el poeta Manuel Machado, que se encontraba en la otra zona. Yo nunca lo mencionaba, claro es. Él, sin embargo, más de una vez había aludido, de pasada, a la difícil situación en que el hermano debería hallarse, indicando siempre la tristeza que esa separación le producía. Y una tarde me habló de ello con más detenimiento.

Sabido es el cariño, la amistad y mutuo respeto que se tenían los dos hermanos. Verse Antonio sin Manuel, y en aquellas circunstancias, temiendo que ya nunca más volvería a verle, le causaba gran pena y ansiedad. De la pena que sentía hablaba él. Y en cuanto al temor de haberle perdido para siempre, aunque no lo manifestase de un modo explícito, era algo que se transparentaba con toda claridad en la conversación.

Pero había además otra cosa, a la que una y otra vez se refería, aunque siempre en términos muy vagos: la sospecha de que el hermano se hubiese afiliado, por necesidad o por gusto, con los del otro lado. Yo había oído decir que Manuel hizo declaraciones de adhesión a los "nacionales", y que había escrito ciertos poemas encomiásticos. Machado, probablemente, había oído eso también. En ello seguramente pensaba al lamentar, compadeciéndole, lo que "el pobre" estaría pasando.

Quería Machado —sentía yo— convencerme, y sobre todo convencerse a sí mismo, de que si adhesiones calurosas a la España imperial había habido, ello sin duda era porque se vio forzado. Yo, sobre esto, tenía mis dudas. En verdad siempre pensé, fuera ello justo o no, que el andalucista Manolo debió de ver al menos con cierta satisfacción el glorioso florecimiento de viejas tradiciones entre los del otro bando. Me guardaba mucho, sin embargo, como es natural, de expresar esta opinión. Oía, respetuoso, lo que Antonio Machado decía; pero no quedaba ni mucho menos convencido que fuese cierto lo que insinuaba, esto es que el hermano, si obraba mal, era contra su voluntad. No estaba yo de eso nada seguro. Y él, en el fondo —me parecía—, tampoco.

A otras personas les habló también Antonio de Manuel. No sé lo que les diría, o la impresión que ellos obtuvieran de lo que les dijo. Pero la impresión mía fue que Machado quería creer pero no creía, no acababa de creer que Manuel estuviera del todo limpio de culpa. Y tenía también yo la impresión que eso era lo que causaba a Antonio más pena. Lo recuerdo, lo recordé siempre, precisamente porque mucho me impresionó aquel doloroso y repetido intento de cubrir y defender, salvar el honor del querido hermano.

Veamos ahora el poema que escribió casi un año después: un emocionado, aunque algo ambiguo, llamamiento al hermano perdido. Se encuentra entre una serie de ocho sonetos, al final de los cuales hay una fecha: "Rocafort, marzo 1938". Lo debió de escribir, pues, cuando estaba ya a punto de tener que dejar Valencia e ir a refugiarse en Barcelona. Apareció ese grupo de poemas, los últimos que publicó, en el número 18 de *Hora de España*, que lleva la fecha de junio de 1938, aunque vio la luz en realidad meses más tarde.

El poema se entiende mejor, y resulta más interesante, creo yo, teniendo en cuenta lo que hemos dicho de los sentimientos de Machado relativos a su hermano. Creo que el soneto ése confirma que no le creía del todo inocente. Viene a ser, me parece, una como cariñosa súplica a Manuel: que lo piense de nuevo, que escoja mejor.

El primer cuarteto es sin duda el mejor. Como otras veces en esta serie de últimos poemas, Machado, cerca ya de la muerte, vuelve a sus antiguos amores. En un soneto recuerda a Soria, en éste a Sevilla. Y lo que recuerda aquí es la fuente en el jardín y el limonero, el jardín aquél de su infancia:

> Otra vez el ayer. Tras la persiana,
> música y sol; en el jardín cercano,
> la fruta de oro; al levantar la mano,
> el puro azul dormido en la fontana.
> Mi Sevilla infantil ¡tan sevillana!

Y ahora, de pronto, aparece la llamada al hermano:

> ¡Tan nuestra! Aviva tu recuerdo, hermano.
> No sabemos de quién va a ser mañana.

Le dice a Manuel que avive su recuerdo de Sevilla quizás tan sólo porque teme que la van a perder para siempre, no volverla a ver más, ya que como mucho de la patria, tal vez ha sido vendida al extranjero, según él indica en lo que sigue. Pero el verso "¡Tan nuestra! Aviva tu recuerdo, hermano" pudiera ser también un invocar lo que tenían ambos de común, el amor que siempre les había unido desde niños, para que el hermano no se extraviase, yéndose por camino tan diferente al suyo. Y el verso siguiente, "No sabemos de quién va a ser mañana", puede referirse sólo a lo que sigue, a que Sevilla está quizás vendida; pero también pudiera ser como un argumento para convencer al hermano de que no debería, incluso por razones prácticas, sumarse prematuramente a los del otro lado, ya que no se sabía aún quién iba a ser al fin el vencedor.

El final del poema es, en todo caso, bastante claro. Lo que hace en los tercetos es establecer un contraste entre la negra España (esa en la que "Alguien vendió la piedra de los lares / al pesado teutón [...]"), una España llena de "odio y miedo a la estirpe redentora", al pueblo, y la otra, la de los pobres. El propósito al comparar es obvio. Machado no oculta cuál es el lado al que va su simpatía. Es significativo, ya que mucho mejores que los versos en que habla, exagerando un poco, de la España vendida al extranjero, sean los que siguen, los últimos, en los que refiriéndose a la otra España, la suya, canta con amor, con sentimiento, a la "estirpe redentora", al campesino

> que muele el fruto de los olivares,
> y ayuna y labra, y siembra y canta y llora!
>
> (651)

Lo que en suma parece hacer Machado, es incitar al hermano a que recuerde, mire y compare, queriendo así llevarle al buen camino, ayudarle a escoger —si escoger puede— más acertadamente.

Una actitud numantina

La última vez que vi a Antonio Machado fue en abril de 1938. Estaba yo de paso en Barcelona y fui a visitarle al hotel Majestic, donde estaba instalado con su familia de un modo provisional. Habían llegado unos días antes desde Valencia. Tuvieron que salir de allí a toda prisa, pues iba a ser cortada de un momento a otro la carretera. El hotel estaba abarrotado. Machado y los suyos se arreglaban como podían en un par de habitaciones en el último piso. Me recibió en el pasillo, solo esta vez, sin el hermano; y allí estuvimos charlando un buen rato, sentados sobre unos baúles, mientras fumaba con avidez alguno de los cigarrillos que le había yo traído. Estaba muy viejo y parecía cansado y deprimido. Nos levantamos luego y fuimos hasta una ventana, en el extremo del pasillo, desde la cual se veían calles, aún animadas, de Barcelona. Era un hermoso día de sol. Se oía ruido de motores y el estampido de lejanas explosiones.

La crisis causada por nuestras recientes derrotas parecía respirarse en el aire. El frente se había derrumbado poco antes en varias partes, aunque por esos días empezaba ya a estabilizarse. En Barcelona había aún cierto pánico; el mes anterior habían sido frecuentes e intensos los bombardeos. La actitud pesimista de Machado correspondía a ese estado general de crisis en la zona republicana.

Hablamos casi exclusivamente de la guerra, pero la conversación resultaba algo incoherente, como a saltos. Machado preguntaba, ansioso de noticias, pero yo no sabía sino una muy pequeña parte de los hechos. Todo resultaba vago, confuso. Nadie sabía con exactitud lo que estaba pasando, o cuáles serían las consecuencias; mas se temía lo peor. Sucedieron muchas cosas, había habido grandes cambios durante el año, casi, que yo no le había visto. Había por tanto mucho que contar, y por eso mismo no se precisaba nada. Mi recuerdo de lo que me dijo ese día es, en general, bastante turbio; mas algo hay que recuerdo con toda claridad. Algo que él dijo, de sentido inequívoco, y que me sorprendió. Estábamos aún junto a la ventana, y Machado triste, pensativo, como hablando para sí, murmuró unas palabras que no recuerdo exactamente, salvo que dijo "numantinos", pero cuya significación era ésta: Si la guerra fuera a perderse, habría sin embargo que seguir luchando hasta el fin, morir todos incluso, como los numantinos.

Me sorprendió lo que dijo porque no eran esas las palabras, ni la actitud o el tono a que estaba yo acostumbrado cuando le oía en Rocafort. Había habido en él un cambio, pensaba. Un cambio que, aunque reflejase el ocurrido en la situación militar y política, no por eso dejaba para mí de resultar extraño. Parecía extraordinario oír de su boca tales palabras. Y a él mismo le costaba sin duda trabajo decirlas, porque para quien no es un combatiente y en peligro inminente de morir, proclamar la necesidad de una muerte heroica es siempre cosa difícil, por muy honda que sea la convicción que se tenga. A no ser, claro es, que el que proclama la necesidad de la muerte heroica de otros sea sólo un demagogo, un retórico y farsante. Pero Machado no era nada de eso. Si él hablaba de una necesaria actitud numantina, por dignidad y para dejar una esperanza abierta hacia el futuro, se refería a ese sacrificio con esfuerzo, con dolor, y pensando en su propia muerte también.

Por esos mismos días, o muy poco después, debió él de escribir los apuntes publicados en el número 16 de *Hora de España*, que tenía fecha de abril, aunque se publicó más tarde. Dice ahí lo mismo que a mí me dijo, aunque ahora en tono pedagógico y sereno, frío casi, propio de Mairena por boca del cual hablaba. Un tono que no refleja la angustia que expresaban las palabras que le oí. Empieza, pensando seguramente en sí mismo, con la frase que se ha hecho luego famosa: "Es más difícil estar a la altura de las circunstancias que *au dessus de la mêlée*". Agrega más adelante: "Si os encontráis algún día sitiados, como los numantinos, pensad que la única noble actitud es la numantina". Y a continuación, por si hubiera duda en cuanto a lo que quiere decir: "Y cuando os queden pocas horas de vida, recordad el dicho español: *de cobardes no se ha escrito nada.* Y vivid esas horas pensando en que es preciso que se escriba algo de vosotros" (575 y 577).

La evolución de Machado durante la guerra

En el hotel Majestic estuvieron un mes, dice en sus memorias, escritas en 1940, José Machado,[2] hasta que encontraron alojamiento en un viejo caserón con jardín en las afueras de Barcelona: "Torre Castañer", en el Paseo de San Gervasio. Ésa fue su última residencia en España. Yo no tuve ocasión de visitarle en ese lugar; mas al parecer los primeros meses allí debieron ser para él relativamente tranquilos. Como José Machado, Joaquín Xirau, que le visitaba en Barcelona con frecuencia, habla de tertulias y cantos en "Torre Castañer"; aunque agrega que la actitud de Machado no era "nada [...] optimista".[3] El frente se había estabilizado, y luego la ofensiva nuestra a fines de julio, el paso del Ebro, que fue al principio un éxito aunque muy costoso, había levantado de nuevo la esperanza en muchos corazones. Pero esto duró poco. Pronto vino la contraofensiva. Faltaban armas y hombres, y la situación comenzó a resultar insostenible. Escaseaban además al final, como nunca antes, los víveres. El peligro, pesimismo y escasez se notaban sin duda en "Torre Castañer". José Machado alude a meses de hambre y frío, tristeza y falta de luz; aunque dice también que su hermano, enfermo y debilitado, moviéndose con mucha dificultad, trabajaba sin cesar, como cumpliendo un deber. Y el curso de la guerra seguía apasionándole. El periodista Eduardo de Ontañón, que lo visitó por entonces, dijo que Machado le habló de "santa causa" y de "morir por la patria".[4]

En estos últimos meses escribía con regularidad artículos políticos en *La Vanguardia* de Barcelona. No querría en esos escritos, naturalmente, parecer pesimista. Ello no estaba además permitido. Sus artículos, aunque llenos de amargura, de despectivos reproches a Francia e Inglaterra, no resultaban demasiado lúgubres. Pero una vez, cuando ya se presentía inminente la catástrofe, cuando ya no pudo ocultar por más tiempo lo que pensaba, en un artículo publicado el 10 de noviembre de 1938, admitiendo como a regañadientes la posibilidad de una total derrota de la España republicana, escribe, sin usar su doble, sin nombrar a Mairena: "Aun suponiendo —y es mucho suponer— que pueda caer arrollada por la fuerza bestial de sus enemigos, su deber es caer con dignidad, resistir hasta el fin".[5]

Otra vez, pues, la misma exhortación. Y quizás siguió pensando así hasta el último momento. Si luego salió de España, junto a muchos miles de refugiados, fue porque el gobierno, sabiendo que sería imposible detener el avance enemigo, abandonó la idea de resistir hasta el fin en el frente de Cataluña, y planeó la retirada, que se hizo ordenadamente, dando así la oportunidad de escapar a muchos. Pero lo que nos importa destacar es que la posición política de Machado y su actitud ante la guerra habían cambiado bastante a partir de la primavera de 1938, si no antes. En los últimos meses fue más entrañable y completa, más dramática que nunca su identificación con los destinos de su pueblo en desgracia.

Esto no quiere decir que hubiera habido duda, en ningún momento, en cuanto al lado hacia el cual él se inclinaba. Machado fue siempre fiel a sí mismo, a su tradición de liberal. No hay motivo para sospechar en ninguna ocasión de la sinceridad de sus múltiples declaraciones de adhesión al gobierno de la República. Había presenciado con gran admiración, recordó él casi dos años después, el "espíritu arrollador del pueblo madrileño" cuando el asalto al cuartel de la Montaña, al comenzar la guerra.[6] En el periódico *Ahora*, el 3 de octubre de 1936, decía a los jóvenes socialistas que se preparaban para la defensa de Madrid: "Con vosotros estoy de todo corazón".[7] Y el 7 de noviembre, cuando el enemigo estaba ya a las puertas de la ciudad, orgulloso, radiante al saber el buen comienzo de la resistencia, escribía: "¡Madrid, Madrid!, ¡qué bien tu nombre suena / [...] La tierra se desgarra, el cielo truena. / [...]" (674). Meses después, en abril de 1937, en una carta publicada en *Hora de Espa-*

ña, declara estar "de todo corazón del lado del pueblo" (669). En otra carta, año y medio más tarde, el 19 de noviembre de 1938, cuando estaba ya todo a punto de hundirse y no era por tanto prudente renovar su adhesión a los vencidos, vuelve a decir que desde el momento que comenzó la sublevación militar "yo estuve, incondicionalmente, al lado del gobierno [...] al lado del pueblo" (687). Y casi lo mismo repetía dos días después, en una alocución por radio "a todos los españoles", que reprodujo *La Vanguardia* el 22 de noviembre.[8]

No hay duda, pues, en cuanto a su lealtad constante a la República. Pero se podría en cambio discutir el grado, modo y carácter, en diferentes momentos, de su adhesión o falta de adhesión a ciertas ideas y actitudes dominantes en la zona "roja".

Hay que tener en cuenta que él escribió a menudo respondiendo a peticiones de aquí y allá, y debió de sentirse a veces como obligado a decir cosas que por su gusto quizás no hubiera dicho, o no de ese modo. Presionado, tal vez; pero *moralmente* sólo, claro es. Obligado, porque sentía el deber de ayudar con su pluma, en lo que pudiera, a los que luchaban por lo que él creía ser una causa justa, cualesquiera que fuesen las reservas que pudiera tener. Por eso hay escritos suyos de esa época de la guerra que en tono y estilo parecen extraños, ajenos a él. Diríase a veces que hay frases suyas que brotaron de una parte sólo de su conciencia, la correspondiente al entusiasta, al admirador ingenuo, al esperanzado que en parte él era; mientras que otra parte de su yo, la del observador distante, escéptico y burlón, no intervenía, quedaba suprimida, o se limitaba sólo a contemplar con sorpresa sus propios escritos.

Hay veces en que con la mejor buena fe, quizás sin darse cuenta, repetía clichés de la prensa que leía, como cuando escribe, en abril de 1937, en el comentario en prosa que se siente obligado a agregar a un poema suyo, *Meditación del día*, que los militares rebeldes no lograrán vender a España, porque más allá de la "truhanería inagotable de la política internacional burguesa, vigila la conciencia universal de los trabajadores" (648).

Hay otras ocasiones, en cambio, en que de un modo suave, amigablemente, discrepa u objeta a algo. En el "Discurso a las juventudes socialistas unificadas", de 1 de mayo de 1937, asegura estar convencido que el socialismo es "una etapa inexcusable en el camino de la justicia social". Y acaba diciendo: "contáis con toda mi simpatía y con mi más sincera admiración". Pero antes repite lo que ya otras veces había indicado: "yo no soy marxista, no lo he sido nunca [...] me faltaba simpatía por la idea central del marxismo" (690-691). Y meses antes, en *Hora de España*, en el primer número, advierte que la retórica guerrera es "la misma para los dos beligerantes" (526). Más de una vez objetó también al uso, por entonces tan frecuente, de la palabra "masas"; y al concepto mismo de masa humana, que degrada y animaliza al hombre, privándole de su individualidad.

Pero si alguna reserva había tenido, si alguna distancia sintió en algún momento con respecto a ideas, personas o hechos en la zona republicana, reserva y distancia desaparecieron luego completamente, cuando comenzó a verse claro cuál sería el final de la lucha y qué destino trágico el del pueblo derrotado. En julio de 1938, en un artículo sobre "El Quinto Regimiento", publicado en *Nuestro Ejército*, elogia sin reserva al partido comunista español, que tan importante papel tuvo en la creación de un nuevo y eficaz Ejército Popular. Meses después, en un artículo en *La Vanguardia* del 23 de octubre, recuerda la "gloriosa gesta" del paso del Ebro; y con emoción, con agradecimiento, habla de ese Ejército que "en los momentos de mayor angustia, nos ha hecho sentir el supremo orgullo de ser españoles".[9] Poco más tarde, en el mismo periódico, el 13 de noviembre de 1938, responde a la petición que le habían hecho de comentar sobre los "13 puntos" del programa de paz de Negrín. Lo hace sin duda como un deber, pero también con sentimiento, y con gran humildad. Declara ahí, agregando una nota personal, que él como otros de su generación había sido básicamente apolítico, y que se arrepiente ahora de ello. "Yo siento mucho —dice— no haber meditado bastante sobre política." Mas tiene un consuelo, agrega: "Cábeme la profunda satisfacción de no haber sido totalmente recusado en mi vejez por los pecados de mi juventud, de que todavía se quiera escuchar mi voz".[10]

A última hora Machado quería sólo ser aceptado, fundirse del todo con su pueblo, sufrir con él. Y con buena parte de ese pueblo salió él de España poco después, cuando ya no le quedaba otro camino; y murió pronto fuera de ella.[11]

Las notas últimas de Juan de Mairena

Y ahora finalmente veamos en rápida ojeada algunos de sus otros escritos, más literarios, publicados durante la época de la guerra civil. Casi todos ellos aparecieron en *Hora de España.*

Sus notas, observaciones y comentarios tienen casi siempre tono y estilo muy parecidos al de los escritos en prosa publicados poco antes de la guerra, en el volumen primero de *Juan de Mairena.* Incluso los temas a veces vienen a ser los mismos. Pero como es bien natural, la guerra, la gran alteración que había en todo, es algo que se refleja con gran frecuencia, de un modo u otro, en lo que él escribe. Evita sin embargo siempre, como antes, las grandes palabras, los gritos. Se trata de reflexiones, consejos y advertencias, pero sin nunca caer en dogmatismo o pedantería. Expone lo que muchas veces es en verdad apasionado pensamiento, con cierta frialdad, con ironía; como si contemplara esas afirmaciones a distancia, inseguro de sí, dudando de sus propias ideas y emociones.

Comenta en alguna ocasión, sobre todo hacia el final y en artículos periodísticos, como ya dijimos, la actualidad política internacional; pero aun esto suele hacerlo con amplia perspectiva, mirando hacia el futuro, como cuando se refiere a esa "paz a ultranza" que persiguen las cobardes democracias europeas, la cual sin embargo no les evitará luego "la guerra grande". Y cuando tengan que ir a ella, irán vencidos de antemano, "tristes y solos" (606-607).

Pero más a menudo habla de lo que tiene más cerca de sí. Comenta sobre lo que lee y oye, tratando de repensar lugares comunes; como ése, que tanto por entonces se repetía, de la necesidad de difundir y defender la cultura. Difundir la cultura no es repartirla "a voleo", piensa él; y defenderla no supone encastillarse en ella. Y así escribe: "difundir y defender la cultura son una misma cosa; aumentar en el mundo el humano tesoro de conciencia vigilante. ¿Cómo? Despertando al dormido" (529). Y en la cuestión del "arte proletario", preconizado por los comunistas, frente a arte simplemente, arte verdadero, para el hombre, que era en general la posición de los de *Hora de España*, interviene él discretamente, diciendo tan sólo: "Todo arte verdadero será arte proletario"; ya que, agrega, éste es siempre "para la prole de Adán" (526).

Más interesante es lo que, en el mismo número 1 de *Hora de España*, de enero de 1937, dice al criticar lo que "hay de supersticioso en el culto apologético del trabajo". Siempre preocupó a Machado el problema de la justicia social. Ahora, cuando tanto se hablaba de organizar una verdadera sociedad de trabajadores, quiere él contribuir a deshacer malentendidos y mentiras. Y expone esta opinión, que casi podríamos calificar de maoísta:

> El divino Platón filosofaba sobre los hombros de los esclavos [...] nada nos autoriza ya a arrojar sobre la espalda de nuestro prójimo las faenas de pan llevar, el trabajo marcado con el signo de la necesidad, mientras nosotros vagamos a las altas y libres actividades del espíritu, que son las específicamente humanas.

Y es que hay cierto trabajo necesario que no sólo difícilmente podrá coincidir con ninguna vocación, sino que por su misma naturaleza es degradante y embrutecedor. Y por eso sigue diciendo:

> es este trabajo necesario que, lejos de enaltecer al hombre, le humilla [...] el que debe repartirse por igual entre todos, para que todos puedan disponer del tiempo preciso y la energía necesaria que requieren las actividades libres [527-528].

Meses después volvía a tratar de lo mismo: "La superstición del trabajo consiste en pensar que el trabajo es por sí mismo valioso". Esto oscurece el problema. Hay que repartir el trabajo necesario, trabajar todos, pero "libres de la jactancia del trabajador" (551).

Otro tema al que Machado vuelve también a menudo es el de las creencias y el escepticismo. Un tema viejo suyo, pero que en época de guerra, cuando se luchaba por ideas, adquiere especial urgencia e importancia. Se refiere por eso, en julio de 1937, a una muy necesaria "*investigación de las creencias*", la cual —agrega con su habitual humor, pero con mucha justeza y razón— "sólo puede encomendarse a los escépticos propiamente dichos" (544). Aludiendo a viejas polémicas entre idealistas y realistas en filosofía, mas pensando seguramente también en las luchas que había entonces en España entre espiritualistas y materialistas, dice que los de ambos bandos "se mueven *con* sus creencias, siempre en compañía de sus creencias. ¿Se mueven *por* ellas [...]? He aquí lo que convendría averiguar" (545). Y meses más tarde avanza él mismo alguna opinión: "Lo que constituye una creencia verdadera [...] es la casi imposibilidad de creer otra cosa, su hondo arraigo en nuestra conciencia" (558). Los razonamientos que apoyan estas creencias raramente resultan, sin embargo, convincentes. Las creencias, dice, son "más fecundas en razones que las razones en creencias" (557).

Lo que viene él a recomendar desde el principio, situándose así en la posición suya de siempre, no es una firme creencia en algo, sino más bien el puro escepticismo. Un escepticismo *apasionado*, se apresura a agregar, que nada tiene que ver con el fácil, frío y vulgar escepticismo. "Nunca os aconsejaré el escepticismo cansino y melancólico de quienes piensan estar de vuelta de todo. Es la posición más falsa y más ingenuamente dogmática que puede adoptarse" (541). Lo que él aconseja es "la duda poética, que es duda humana, de hombre solitario y descaminado, entre caminos" (531). Quiere que se lleve la duda hasta el extremo, donde podríamos encontrar incluso un poco de esperanza. Decía ya en el número 1 de *Hora de España*: "Aprende a dudar, hijo, y acabarás dudando de tu propia duda" (525). Y en el número de mayo de 1938 escribía: "el dicho socrático 'sólo sé que no sé nada' contenía la jactancia de un excesivo saber, puesto que olvidó añadir *y aun de esto mismo no estoy completamente seguro*" (579).

En cuanto a los que luchan, su simpatía no está con el combatiente pretencioso, que dice estar seguro de la victoria, sino con ese otro más modesto que mucho anhela el triunfo pero que duda poder lograrlo. Comienza comentando, de un modo divertido, la jactancia usual entre boxeadores: cada uno de ellos afirma, sin sombra de duda, que derrotará al contrincante de un modo decisivo. Y Machado exclama: "¡Qué falta de respeto al adversario! Y, sobre todo, ¡qué falta de modestia!". Bien se ve, dice, que esas luchas "no siempre incruentas" no pueden tener ni "un átomo de heroísmo". Y entonces agrega, pensando sin duda en esos trágicos milicianos que él tanto admiraba: "Porque lo propio de todo noble luchador no es nunca la seguridad del triunfo, sino el anhelo ferviente de merecerlo, el cual lleva implícita —¿cómo no?— la desconfianza de lograrlo" (532).

También tiene relación con el tema de las creencias, lo que dice del valor ético de la posición de cínicos y marxistas, frente a la pomposidad, hipocresía y mentira de tantos falsos "espirituales". Estos espirituales pululaban por todas partes, pero más que en la zona roja en la otra, entre los azules y piadosos terratenientes de la "Cruzada". Su comentario es éste:

El cinismo más auténtico, el que profesaron los griegos en el

> gimnasio de Cinosarges, es un culto fanático a la veracidad, que no retrocede ante las más amargas verdades del hombre. Os pondré un ejemplo: Si el hombre fuera esencialmente un cerdo —cosa que yo disto mucho de creer— sólo el cínico no se inclinaría —como los pragmatistas— a guardarle el secreto; la virtud cínica consistiría en reconocerlo, proclamarlo y en aceptar valientemente el destino porcino del hombre a través de la historia.

Sigue Machado diciendo:

> ¿Comprendéis ahora por qué en épocas de pragmatismo hipócrita el cinismo es una reacción necesaria? ¿Comprendéis ahora cómo el marxismo, por muy equivocado que esté, en cuanto pretende señalar una verdad, en medio de un diluvio de mentiras, tiene un valor ético indiscutible? [548].

Otros temas que aparecen más de una vez en sus apuntes de esa época, son el de la fraternidad y el de la muerte. Temas viejos en él, pero que de pronto resultan de gran actualidad. Sobre ellos reflexiona con hondura y renovada emoción.

Sus varias ideas sobre el tiempo, que lleva a la muerte, como fuente principal de la poesía; sobre el asombro ante el ser, ante lo que aparece, cuando el ser es percibido sobre un fondo de aniquilación, de nada; y sobre el insaciable anhelo de comunión y amor que siempre padece el hombre solitario, habían ya cuajado, adquirido forma bastante precisa en los años inmediatamente anteriores a la guerra. Heidegger le había sin duda ayudado a aclarar y completar su propio pensamiento. Por eso, en un famoso trabajo en *Hora de España*, hace una breve exposición —una de las primeras— y un gran elogio de *El ser y el tiempo*; obra que, como antes el ensayo del mismo autor *¿Qué es metafísica?*, sirvió a Machado para confirmar y valorizar sus propias reflexiones e intuiciones. Pero él no coincide en todo con el filósofo alemán. Machado huía de lo grandioso, del tragicismo. Y no quiere entregarse al dolor. Siempre en él, como contrapeso de la tristeza y de la muerte, aparece el canto a la vida, una cierta esperanza. Por eso, incluso en la para él muy triste primavera de 1938, repite casi con las mismas palabras algo que ya había dicho en 1935: "El fondo de mi pensamiento es triste; sin embargo, yo no soy un hombre triste, ni creo que contribuya a entristecer a nadie. Dicho de otro modo: la falta de adhesión a mi propio pensar me libra de su maleficio" (579). Y por eso es muy suyo, del mejor Machado, un trozo muy bello que apareció también en *Hora de España* meses antes. Debió de escribirlo a fines del 37, en Rocafort, cuando aún no era aguda la crisis, cuando aún debía de encontrar a veces cierto goce de vivir:

> Siento —decía mi maestro— que mi vida es ya como una melodía que va tocando a su fin. Esto de comparar una vida con una melodía —comenta Mairena— no está mal. Porque la vida se nos da en el tiempo, como la música, y porque es condición de toda melodía el que ha de acabarse, aunque luego —la melodía, no la vida— pueda repetirse. No hay trozo melódico que no esté virtualmente acabado y complicado ya con el recuerdo. Y este constante acabar que no se acaba es —mientras dura— el mayor encanto de la música, aunque no esté exento de inquietud [...] el encanto de la vida, el de esta melodía que se oye a sí misma —si alguno tiene—, ha de ser para quien la vive, y su encanto melódico, que es el de su acabamiento, se complica con el terror a la mudez [554-555].

Bello también es lo que escribió aún antes, en enero del 37, en época de mucho ruido, sobre el silencio y la armonía que de él se levanta. Lo que dice se aprecia mejor comprendiendo la relación que eso tiene con sus ideas sobre el ser y la nada. Así como sorprende la presencia de algo, del ser, al destacar éste sobre un fondo de nada (esa *nada* que Machado, con su a veces negro humor, decía era la "creación divina", o "el gran regalo de la divinidad"), igualmente de un fondo de silencio brota ese "mundo de armonías" que, con sorpresa, descubrimos de pronto entre las cosas. Escribe él:

> Sólo en el silencio, que es, como decía mi maestro, *el aspecto sonoro de la nada*, puede el poeta gozar plenamente del gran regalo que le hizo la divinidad, para que fuese cantor, descubridor de un mundo de armonías" [526].

Sobre el viejo sueño suyo de una extendida y entrañabla fraternidad entre los hombres —sueño que en aquellos días de revolución tenía gran vigencia y plausibilidad—, meditaba él también de nuevo, considerando esa utopía bajo una nueva luz. Lo mismo que antes, veía en esa fraternidad que se anunciaba "el hecho cristiano en toda su pureza" (534). El antiguo mensaje iba, al fin, a ser oído. Volvería Cristo; pero sería un Cristo nada mítico.

En 1934, en su pequeño ensayo "Sobre una lírica comunista que pudiera venir de Rusia", hablaba ya de la posibilidad de una "comunión cordial"; mas sería para ello necesario, entre otras cosas, agregaba, un "fundamento metafísico [...] ya que una fe religiosa parece cosa difícil en nuestro tiempo". Sería necesario creer "que existe una realidad espiritual, trascendente a las almas individuales, en la cual éstas pudieran comulgar" (859-860). En 1937, en cambio, ya no habla de necesario "fundamento metafísico", ni de nada "trascendente" en que haya que creer. De lo que habla es de Cristo, que al parecer sería ahora la base del amor, el foco que iluminaría las almas. Una vuelta pues a lo religioso, diríase; a eso tan "difícil en nuestro tiempo". Mas en verdad, por lo que él mismo dice, vemos que el Cristo a que se refiere es un Cristo muy disminuido. Un símbolo y nada más. El nuevo cristianismo que Machado esperaba era, en todo caso, bastante herético y peculiar.

> Creo yo —dice en el número de marzo de 1937 de *Hora de España*— en una filosofía cristiana del porvenir, la cual nada tiene

> que ver —digámoslo sin ambages— con esas filosofías católicas, más o menos embozadamente eclesiásticas [...] Nosotros partiríamos de una investigación de lo esencialmente cristiano en el alma del pueblo, quiero decir en la conciencia del hombre, impregnada de cristianismo [534].

Eliminaría incluso, en ese nuevo cristianismo, la Biblia, "ese cajón de sastre", que es otro "de los grandes enemigos del Cristo".

Temía él —confiesa meses más tarde, en el número de noviembre— que ese "sacar el Cristo a relucir" pareciese a algunos cosa "propia de sacristanes y de filisteos", aunque la verdad es, dice, que esos no sacan al Cristo "en función amorosa, sino para bendecir los cañones" (553). Más tarde aún, en julio de 1938, una vez más, repitiendo algo por él ya dicho, niega la divinidad de Cristo, que no es el hijo de Dios, sino, "como pensamos los herejes", es "el hijo del hombre que se hizo Dios" (es decir, que el hombre lo convirtió en Dios) para así expiar "los pecados de la divinidad" (o sea, para suplir las deficiencias de la divinidad). Y entonces agrega: "En este sentido prometeico y de viva blasfemia parece anunciarse el cristianismo futuro" (582). Y ya antes, en el número 11, en el mismo en que hablaba de "sacar el Cristo a relucir", volvía a él en forma que quizás parezca poco respetuosa, pero que no deja lugar a dudas en cuanto lo que habría de ser ese Cristo cuyo advenimiento esperaba:

> Y el Cristo volverá —creo yo— cuando le hayamos perdido totalmente el respeto; porque su humor y su estilo vital se avienen mal con la solemnidad del culto. Cierto que el Cristo se dejaba adorar, pero en el fondo le hacía poca gracia. Le estorbaba la divinidad —por eso quiso nacer y vivir entre los hombres— y si vuelve no debemos recordársela. Tampoco hemos de recordarle la Cruz... Aquello debió de ser algo horrible, en efecto. Pero ¡tantos siglos de crucifixión!... Él quiso morir, sin duda, de una manera impresionante, pero ¡no tanto! Volverá el Cristo a nacer entre nosotros, los escépticos, que guardamos todavía un

rescoldo de buena fe. Todo lo demás es ceniza; no sirve ya para la nueva hoguera [554].

No parecerá raro que pensando en la "nueva hoguera", hablando de fraternidad y de ese nuevo cristianismo que se anunciaba, recuerde a veces a Rusia. Desde hacía mucho tiempo, después de sus lecturas de Dostoievski y Tolstoi, creía él en el "sentido fraterno del cristianismo" de los rusos, como decía en 1934. Es bien natural pues que ahora, en la época en que sólo Rusia ayudaba a España, lleno de agradecimiento, y con cierta ingenuidad e ignorancia (pues poco se sabía por entonces en España del verdadero carácter de las "purgas", o de los campos de concentración), repitiera en su artículo "Sobre la Rusia actual", publicado en septiembre de 1937, que Rusia, aun la Rusia marxista, es "el foco del cristianismo auténtico". Ahora es marxista, un fenómeno que a él le parecía "extraño". Pero esa Rusia marxista ha querido ensayar una "nueva forma de convivencia humana, de comunión cordial y fraterna". Y por eso Rusia es "mucho más que marxismo" (668-669). Y unos meses antes, cuando eran todavía grandes las esperanzas de victoria, también en *Hora de España*, en la carta a Vigodsky, hablaba del "sentido fraterno del amor", algo específicamente cristiano y ruso, que iba a encontrar "un eco profundo en el alma española" (670).

Grandes ilusiones, sueños éstos todos que, como tantas otras cosas, pronto el viento se llevó.

Las poesías

En cuanto a las no muchas poesías escritas en la época de la guerra, ya hice en otra parte unos comentarios que no quisiera repetir aquí. Me limitaré a poco más que señalar algunos versos.

Podrían dividirse esos poemas en tres pequeños grupos. Uno formado por aquellos que se basan en acontecimientos derivados directamente de la guerra. En este grupo, un lugar algo aparte ocupa el primero que escribió, y el más conocido: el dedicado a la muerte de García Lorca. Lo mejor de él quizás sean esos versos que vienen a ser como un comentario, en forma dramática, a la relación pasión-muerte que tan a menudo se percibe en la obra del poeta asesinado. Se oye en el poema a Federico hablándole a "Ella", la muerte, y dice:

> Porque ayer en mi verso, compañera,
> sonaba el golpe de tus secas palmas,
> y diste el hielo a mi cantar, y el filo
> a mi tragedia de tu hoz de plata,
> te cantaré la carne que no tienes,
> los ojos que te faltan,
> tus cabellos que el viento sacudía,
> los rojos labios donde te besaban [...].
>
> (646)

Muy diferentes son los otros de esta serie, más puramente bélicos. Interesan más si se tienen en cuenta las circunstancias en que se escribieron. Si no tanto como poemas, nos impresionan como parte de la biografía de Machado; por lo que a través de ellos podemos adivinar de los sentimientos suyos en aquellos días de guerra. Emociona, por ejemplo, imaginarle escribiendo, con la mejor voluntad, en 1937, el himno ese "para las juventudes deportivas y militares". Con el corazón puesto en ello, esperando, queriendo creer que al fin llegaba lo que tanto él había anhelado: una nueva España. Eso es lo que indica en los versos finales:

> Alerta al sol que nace,
> y al rojo parto de la madre vieja.
> Con el arco tendido hacia el mañana
> hay que velar. ¡Alerta, alerta, alerta!
>
> (656)

O el soneto de 1938, a "Líster. Jefe en los Ejércitos del Ebro". Podrán parecer algunos versos falsos, retóricos. Pero hay que recordar el orgullo, la alegría de Machado tras aquella inesperada y efímera victoria del Ebro. Y su muy sincera pena de ser viejo y enfermo, y no poder combatir. No olvidemos que Machado, auténticamente, hubiera querido "morir por la patria", como decía. Y eso es lo que sugieren los versos siguientes, que además son bastante buenos:

tu carta, heroico Líster, me consuela
de esta que pesa en mí carne de muerte.

Fragores en tu carta me han llegado
de lucha santa sobre el suelo ibero;
también mi corazón ha despertado
entre olores de pólvora y romero [...]

(653)

El segundo grupo lo forman unas cuantas poesías líricas cuyos temas no son de la guerra, aunque la guerra esté siempre presente de algún modo, permeando el poema, o al fondo, como sombra oscura. Un ejemplo es esta impresión nocturna en Valencia:

Ya es de noche en el jardín
—¡el agua en sus atanores!—
y sólo huele a jazmín,
ruiseñor de los olores.

¡Cómo parece dormida
la guerra de mar a mar [...]

(654)

El mejor de este grupo quizás sea el primero de los sonetos que publicó en el número 18 de *Hora de España*: "La primavera". Es el presentimiento de la primavera, que llega otra vez a los campos, "más fuerte que la guerra", a pesar de ella, por encima de ella:

> hoy tu alegre zalema el campo anima,
> . . . .
> ¡cuán agudo se filtra hasta mi oído,
> . . . .
> el agrio son de tu rabel florido!

(648)

El último grupo lo forman dos sonetos. Vuelve a antiguos paisajes y recuerdos, a viejos temas; pero vistos ahora desde la perspectiva de la guerra. Ya mencionamos el relativo a Sevilla y a su hermano Manuel. El otro se titula "El poeta recuerda las tierras de Soria". Un avión que pasaba fue tal vez lo que le hizo recordar: primero las cigüeñas, luego los campos aquellos:.

> en el azul el vuelo de ballesta,
> o, sobre el ancho nido de ginesta,
> en torre, torre y torre, el garabato
> de la cigüeña!... En la memoria mía
> tu recuerdo a traición ha florecido;
> . . . .
> Soria pura, entre montes de violeta.
> Di tú, avión marcial, si el alto Duero
> a donde vas recuerda a su poeta,
> al revivir su rojo Romancero [...]

(649)

A esta serie hubiera probablemente pertenecido también ese poema que no llegó a escribir, pero del cual conservamos un verso que apuntó en un papel, en Collioure, días antes de morir. Pensaba seguramente, un día de sol, en aquella playa de su triste exilio, estando ya muy cercano el fin, en los días felices, tan lejanos, de su niñez en Sevilla. Y escribió:

Estos días azules y este sol de la infancia.[12]

Enero 1975

NOTAS

1. Antonio Machado, *Obras. Poesía y prosa*, ed. de Aurora de Albornoz y Guillermo de Torre, Losada, Buenos Aires, 1964, pp. 660-662. Cuando los textos de Machado que más adelante cito se encuentran en esta edición, se indica con un número entre paréntesis, que sigue a la cita, la página en que aparecen.

2. *Últimas soledades del poeta Antonio Machado (Recuerdos de su hermano José)*, Imprenta Provincial, Soria, 1971, p. 142.

3. Citado por Gabriel Pradal-Rodríguez, "Antonio Machado: vida y obra", *Revista Hispánica Moderna*, Columbia University, Nueva York (enero-diciembre 1949), pp. 2-3.

4. Citado por G. Pradal-Rodríguez, ibid., p. 4.

5. Reproducido en *Antonio Machado. Prosas y poesías olvidadas*, recogidas por Robert Marrast y Ramón Martínez López, Centre de Recherches de l'Institut d'Études Hispaniques, París, 1964, p. 128.

6. En *Nuestro Ejército*, Valencia (junio 1938). Reproducido en *Prosas y poesías olvidadas*, cit., p. 93.

7. Declaraciones reproducidas en *Prosas y poesías...*, ibid., pp. 55-56.

8. Ibid., pp. 137-141.

9. Ibid., pp. 99-107 y 121-122.

10. Ibid., p. 130.

11. De la salida de Machado de Barcelona, el 22 de enero de 1939, del accidentado y triste viaje, y de su muerte en Collioure un mes después, han escrito ya varias de las personas que le acompañaron: José Machado, Corpus Barga, Joaquín Xirau, Enrique Rioja... Agregamos aquí a esos testimonios una carta, inédita hasta ahora, que en 1952, respondiendo a una mía, escribió don Tomás Navarro, que había acompañado a Machado durante parte del viaje a la frontera.

Suprimo sólo los dos primeros párrafos, que no se refieren a Machado. El resto dice así:

"Sr. D. A. Sánchez Barbudo
University of Wisconsin
Madison, Wisconsin

New York, 17 febrero, 1952

Mi querido amigo:

[...]

No sé si mis recuerdos le serán útiles para el estudio que prepara sobre Antonio Machado. Tome de ellos lo que le pueda servir. Deseo escribir a usted de manera privada, sin propósito de redactar estas líneas con vistas a la publicidad.

Efectivamente acompañé a Machado con frecuencia en 1938, mientras vivimos en Barcelona. Conservo recuerdo imborrable de las reuniones que celebrábamos en su casa.

Él y su familia salieron de aquella ciudad en una camioneta de la Generalitat de Cataluña. El día 24 de enero cuando fui a su casa, encontré que se habían marchado. La determinación debió de ser repentina ante la noticia de que las tropas enemigas entrarían de un momento a otro.

Yo salí aquella misma tarde para Gerona en un coche de la Subsecretaría de Propaganda. Cuando llegué al mas Faixat, entre Gerona y Port Bou, el 27 por la noche, estaban ya allí Machado, su familia y varias otras personas. El 28 de madrugada salimos para Port Bou en una ambulancia militar. Llegamos a este pueblo a la caída de la tarde, pero hasta media noche no pudimos cruzar la frontera.

En el mas Faixat pasamos toda la noche en vela en una amplia habitación donde había una chimenea encendida. Machado, en un sillón, al lado de su madre, estuvo todo el tiempo silencioso. Durante las largas horas de camino en la ambulancia, al día siguiente, se mantuvo igualmente callado.

Todos íbamos mudos y sombríos, en profundo y contenido duelo. Ha dicho Pérez Ferrero que al paso de la ambulancia por los pueblos se oían los gritos desesperados de los que marchábamos al destierro. No es cierto. Ferrero estuvo mal informado o no acertó a imaginar la realidad.

Machado ocupaba un asiento enfrente del mío. En su expresión concentrada y grave se reflejaba la firmeza de su actitud. Aunque no estuve presente en el momento en que decidió salir de Barcelona, me consta que tal determinación se hallaba ya resuelta en su ánimo para cuando ocurriera ese caso.

Varias veces dijo que hubiera entregado con gusto su vida luchando al lado del pueblo contra todo lo que a sus ojos representaba la rebelión militar. En ese mismo sentimiento incluía el deseo de no vivir ni un sólo día en una España dominada por el franquismo.

Ya sabe usted en cuántas ocasiones en sus últimos escritos condenó la rebelión que fue causa de la guerra civil. Su actitud en sus conversaciones era tan clara y terminante como en sus artículos y en sus poesías. Era admirable la firmeza de su espíritu en contraste con su cuerpo inclinado y su andar lento y vacilante.

Reciba usted los saludos afectuosos de su amigo

Tomás Navarro."

12. Dice José Machado que días después de la muerte de su hermano, encontró "en un bolsillo de su gabán, un pequeño y arrugado papel. En él había escrito tres anotaciones con un lápiz que me pidió días antes de su muerte". La segunda de esas anotaciones era el verso citado, el último suyo. (Cf. *Últimas soledades...*, cit., p. 162.)

JOSÉ SCHRAIBMAN

LA ESTRUCTURA SIMBÓLICA DE UN SONETO MACHADIANO

No pienso entrar en largas disquisiciones sobre las teorías estructuralistas, y su ya reconocida aplicación a los estudios literarios desde la iluminación de un único poema a la problematización de la explicación tradicional de los géneros. No cabe duda que los descubrimientos básicos de Ferdinand de Saussure han hecho posible toda una escuela de crítica estructuralista con modalidades tan diversas como las de Roman Jakobson, Todorov, Barthes, Lacan, y otros que se han hecho muy conocidos sobre todo en la última década.[1] Gracias a ellos, el crítico posee hoy un vocabulario útil: la noción de *modelo*, de *langue* vs. *parole*, de sincrónico vs. diacrónico, la de paradigma. Ellos también han agudizado nuestra sensibilidad al *arte* de la comunicación aun cuando han pretendido estudiar la *ciencia* de la comunicación. En efecto, esta aparente polaridad entre lo artístico y lo científico en la crítica ya ha sido tratada con respecto a Machado en un iluminador ensayo de Claudio Guillén, "Estilística del silencio",[2] en el cual cita al poeta y crítico Richard P. Blackmur, antiguo profesor en Princeton, sobre el carácter inefable de la poesía: "Lo que hizo mover las palabras *y* lo que las movientes palabras hicieron"; y también la exposición metodológica de Dámaso Alonso en *Poesía española* con su doble vocabulario de científico y de místico, de lector intuitivo rindiendo homenaje al misterio inefable de la poesía.

Pasando pues a las comunes definiciones de la palabra estructura, éstas incluyen: "Interrelación de partes", "elementos", "arreglos", "relaciones", "organización", etc. Claude Lévi-

Strauss nos recuerda también que "cada objeto no es una obra de arte, sino ciertos arreglos o patrones, o relaciones entre objetos".[3]

Quisiéramos estudiar dentro del contexto de las consideraciones expresadas anteriormente el primero de una serie de sonetos (CLXV), publicado por Machado en la revista *Alfar* y, aunque no incluido en la primera edición de *Nuevas canciones*, sí lo fue en la segunda edición de *Poesías completas* en 1928.[4] Ya Antonio Sánchez-Barbudo ha señalado ciertos aspectos de dispersión y de concentración en este soneto, y ha hecho también referencia a la interconexión y a la superposición de metáforas en él. Sánchez-Barbudo ha trazado con agudeza la trayectoria interna del poema tal como refleja la vida misma de Machado. Nosotros quisiéramos en nuestra lectura del poema hacer resaltar el paso del "yo" del poema al "tú" del lector de acuerdo con la profunda manera en que el crítico Murray Krieger define este concepto en su *The new apologists for poetry* en el cual al tratar la teoría contextual del objeto estético define "no la relación de la poesía con la realidad sino la del poema en su función como objeto estético con respecto al lector".[5] Machado mismo parece haber tratado esta cuestión en *Problemas de la lírica* (1917):

> El sentimiento no es una creación del sujeto individual, una elaboración cordial del Yo con materiales del mundo externo. Hay siempre en él una colaboración del Tú, es decir, de otros sujetos... Mi sentimiento ante el mundo exterior, que aquí llamo paisaje, no surge sin una atmósfera cordial. Mi sentimiento no es, en suma, exclusivamente mío, sino más bien nuestro. Sin salir de mí mismo, noto que en mi sentir vibran otros sentires y que mi corazón canta siempre en coro, aunque su voz sea para mí la voz mejor timbrada. Que lo sea también para los demás. Este es el problema de la expresión lírica.

A diferencia de la mayor parte de los sonetos de Machado, que no son de rima rica, el que examinamos rima de forma clásica en los cuartetos (*abab abab*), y (*cde cde*) en los tercetos. Cae dentro de la topología del soneto en que cada cuarteto expresa una idea completa, y cada terceto dos.[7]

SONETO I

Tuvo mi corazón, encrucijada
de cien caminos, todos pasajeros,
un gentío sin cita ni posada,
como en andén ruidoso de viajeros.

Hizo a los cuatro vientos su jornada,
disperso el corazón por cien senderos
de llana tierra o piedra aborrascada,
y a la suerte, en el mar, de cien veleros.

Hoy, enjambre que torna a su colmena
cuando el bando de cuervos enronquece
en busca de su peña denegrida,

vuelve mi corazón a su faena,
con néctares del campo que florece
y el luto de la tarde desabrida.

El poema parece en una primera lectura de interpretación sencilla. El poeta recuerda su pasado, sus viajes y sus cuitas, el mundanal ruido. Esta es la trayectoria espiritual que Sánchez-Barbudo llama *dispersión*. Ocurre en los cuartetos. En los tercetos ocurre, pues, la *concentración*, resultado de las alegrías y las penas que el poeta ha vivido y que ahora, habiéndolas interiorizado, hecho suyas, vuelve a sus labores, a su poetizar.[8] Y, sin embargo, una lectura distinta es igualmente posible, interpretación que subraya la función bisémica del poema que Carlos Bousoño explica en su *Teoría de la expresión poética*. La cita siguiente nos hace recordar la anteriormente expuesta de Murray Krieger sobre el papel del lector en la recreación estética del poema:

> Y es que el carácter bisémico del símbolo machadiano proporciona a éste una extraña peculiaridad: lo disfraza, o, como se dice en términos bélicos, lo "camufla", y pasa ante nuestros ojos sin que reconozcamos en él su color imaginativo. Nuestra sensibilidad recibe el plano real encubierto, pero nuestra inteligencia no lo reconoce como tal, porque se detiene en el sentido lógico que el símbolo posee. Diríamos que el sentido lógico del símbolo nos impide la percepción racional del figurado. En efecto: lo fácilmente que se nos entrega el primero halaga nuestra inercia y nos roba la atención para el segundo.[9]

Quisiéramos pasar al examen del soneto, a la explicación de símbolos y metáforas, a sus interrelaciones, a su progresión cuidadosa; en una palabra, a su unidad. Los símbolos se me revelaron en su complejidad al tratar de traducir el poema al inglés para el simposio en que se leyeron estas ponencias. Las dificultades de la traducción son prueba fehaciente de la imposibilidad de captar en una traducción todos los recursos retóricos que hacen del poema lo que es.[10] Mi primera versión se mantenía al primer nivel de interpretación, y sólo gracias a la ayuda de mi colega, el poeta Howard Nemerov, logramos preservar algunos elementos bisémicos del original machadiano.

El primer verso apunta directamente al tema principal del poema: la encrucijada. La trasposición de sujeto y verbo, la pausa ante encrucijada realzan los dos elementos más importantes de ese verso: "mi corazón", es decir no la presencia física del poeta sino la de sus emociones. Y la "encrucijada de cien caminos" con su énfasis en la memoria, en lo vivido, y en sentido metafórico, en el porvenir. Aparte aquí el motivo machadiano del camino, el universal del viaje. El tono es melancólico. Queda claro el significado a primer nivel. Todos los caminos no han sido permanentes, no han llevado al poeta a sentirse satisfecho, lleno de fruición. Ya aquí empieza a complicarse la lectura del poema pues la encrucijada representa en la sicología jungiana un símbolo maternal, "el objeto y el epítome de toda unión". Anticipa, como veremos, la unidad final del poema. Cirlot apunta que el número diez y sus múltiples tienen que ver con el concepto de la unidad, con el de la creación espiritual, con "la totalidad del universo —metafísico y material— ya que eleva todo a la unidad".[11]

La frase "todos pasajeros" es un perfecto ejemplo de bisemia. Cada camino ha resultado transitorio para el poeta. Sin embargo, al leer este verso con el siguiente:

> [...] todos pasajeros,
> un gentío, sin cita ni posada.

resulta que "pasajeros" puede tener no sólo una función adjetival sino también una función nominal. Y es en este momento que la "lectura" del poema hace entrar al lector como copartícipe. Todos somos en efecto viajeros en el mismo viaje. Desde este momento en la lectura del poema tanto el lector como el poeta van a compartir los sufrimientos y los placeres, los diversos caminos del alma.

La tonalidad de los próximos dos versos es el desorden, el caos, el mundanal ruido al que se refiere fray Luis en su *Vida retirada*. El gentío no tiene donde estar, y tampoco quien le venga a esperar —"sin cita"—. El último verso de este primer cuarteto nos sitúa en una común y ruidosa estación de tren.

Si el primer cuarteto se refiere a un viaje por tierra el segundo va a añadir los elementos de aire y agua, todos ellos funcionando en esencial unidad al terminar el soneto. Cirlot, una vez más, nos ayuda para nuestra interpretación explicando que el viento es aire activo y violento, y que se le considera un elemento primario por su conexión con el aliento creativo. El viento, al llegar a ser huracán, representa la síntesis de los cuatro elementos primarios, y tiene en sí el poder de la fecundación y de la regeneración.

El agua —el mar—, símbolo común en la obra de Machado,

también aparece aquí con sus dos significados; el literal y el simbólico. En este uso recuerda los versos famosos de Jorge Manrique: "Nuestras vidas son los ríos / que van a dar a la mar / que es el morir [...]". Y, así, al significado anterior de cien como unidad universal hay que añadir ahora el simbolismo de los paisajes de mar y tierra, serenos y tempestuosos —"de llana tierra o piedra aborrascada"—. Una vez más, en el nivel simbólico es de notar que la tormenta es un símbolo tradicional para la creación, para el contacto creador entre los cuatro elementos primarios. Y aunque "llana tierra" o "piedra aborrascada" puede interpretarse biográficamente para referirse a la mudanza de Machado de Baeza a Segovia, o en el poema mismo al resultado destructivo del viento, también puede relacionarse con el significado de la piedra como símbolo del ser, de la cohesión, de la reconciliación armoniosa con la totalidad del ser.

La palabra "Hoy" sobresale en el primer terceto, marcando el principio de la resolución de la situación planteada en los cuartetos. Las dos imágenes presentadas en el primer terceto, el "enjambre" y el "bando de cuervos" sugieren a un primer nivel la industria de las abejas, y la ruidosa búsqueda de los cuervos de su "peña denegrida". Los cuervos tienen relación con el ruido, uno de los motivos negativos del poema. Pero también, en un nivel simbólico, los cuervos en su negrura tienen relación con la idea de principio expresada en símbolos como la noche maternal, la primigenia oscuridad, la tierra fertilizante. Y como también se ven asociados con la atmósfera son símbolos de los poderes demiúrgicos, poderes creadores. En este sentido, ambos —las abejas y los cuervos— son símbolos de creación. Y, en términos de la lectura que estamos sugiriendo, la dirección del poema va del *yo* al *tú* al *nosotros*,[12] como en tantas obras tardías de Machado, hace que escoja un vocabulario que se refiere a asociaciones *comunales*, no *individuales*: "enjambre", "colmena", "bando", "peña denegrida" en su acepción de nido.

Hemos llegado al crepúsculo, al momento del retorno a un

sitio de descanso. La colmena y la peña ofrecen un contraste con la solitaria posada del primer cuarteto.

Muchas son las manifestaciones de "el otro" en *Proverbios y cantares.* Y aún con más exactitud en *De un cancionero apócrifo* donde Meneses utiliza la misma metáfora para expresar los sentimientos del poeta —el corazón—. El largo pasaje sobre el papel del poeta lírico en la época contemporánea parece apoyar nuestra lectura de este soneto. De la expresión romántica de su *yo*, el poeta ha pasado a expresar los sentimientos de *los otros* en el suyo. Meneses, en su diálogo con Mairena, observa:

> El corazón del poeta, tan rico en sonoridades, es casi un insulto a la afonía cordial de la masa, esclavizada por el trabajo mecánico. La poesía lírica se engendra siempre en la zona central de nuestra *psique*, que es la del sentimiento; no hay lírica que no sea sentimental. Pero el sentimiento ha de tener tanto de individual como de genérico porque aunque no existe un corazón en general, que sienta por todos, sino que cada hombre lleva el suyo y siente con él, todo sentimiento se orienta hacia los valores universales o que pretenden serlo. Cuando el sentimiento acorta su radio y no trasciende del yo aislado, acotado, vedado al prójimo, acaba por empobrecerse y, al fin, canta de falsete. Tal es el sentimiento burgués, que a mí me parece fracasado; tal es el fin de la sentimentalidad romántica. En suma, no hay sentimiento verdadero sin simpatía, el mero *pathos* no ejerce función cordial alguna, ni tampoco estética. Un corazón solitario —ha dicho no sé quién, acaso Pero Grullo— no es un corazón; porque nadie siente si no es capaz de sentir con otro, con otros... ¿por qué no con todos? [13]

Y es así que en el último terceto, continuando el cambio que marcaba la palabra "Hoy" en el primer terceto, el poeta vuelve a sus labores, a su arte, a su poesía. Las últimas imágenes, aparentemente agridulces; una, el néctar de los campos floridos; la otra, el luto de la tarde desabrida, ambas apuntan a que la creación del poeta nace de experiencias positivas y negativas. Sin embargo, estas mismas imágenes bisémicas pueden significar —como hemos apuntado— en el nivel simbólico el elemento creador de los cuervos, la fertilidad de su negrura, y desde lo alto de la peña denegrida la función del poeta como visionario, como profeta.

En su comentario al poema de Longfellow, "Aftermath" ("Segunda cosecha"), sugiere algunos aspectos que tienen que ver con nuestra interpretación del soneto que hemos comentado:

> "Aftermath" nos parece tener una sensible melancolía, una música que sugiere en vez de decir. El poema se refiere a la segunda cosecha de los campos en el otoño; y además, quizá, a la labor del poeta en su vejez...[14]

El soneto de Machado se explica menos en música que en símbolos. Se dirige, como en toda la obra de Machado, tanto a la inteligencia como al corazón. Y, con Jorge Guillén, podemos repetir: "Antonio Machado se paraba a distinguir las voces de los ecos",[15] y añadir no sólo los suyos propios sino los de "los otros", los "suyos" y los "nuestros".

Washington University
St. Louis, Missouri

NOTAS

1. Véase el excelente artículo de Michael Riffaterre, "Describing poetic structures: two approaches to Baudelaire's *Les Chats*", en Jacques Ehrmann, ed., *Structuralism*, Nueva York, 1970, pp. 188-230. Rifaterre escribe: "un poema es una secuencia verbal en la cual las relaciones entre las partes se repiten a varios niveles y en varios momentos de la misma manera", p. 189. El artículo sobre *Les Chats* al cual se refiere Riffaterre es de Roman Jakobson y de Claude Lévi-Strauss, "*Les Chats* de Charles

Baudelaire", *L'Homme*, n.º 2 (1962), pp. 5-21. Trataré el soneto de Machado de acuerdo con la definición de Jakobson: "la estructura poética se caracteriza por la proyección del principio de equivalencia del eje de selección al eje de combinación". Véase "Linguistics and Poetics", en T. A. Sebeok, ed., *Style in Language*, Nueva York, 1960, pp. 358 y ss.

2. Claudio Guillén, "Stylistic of silence", en *Literature as system: Toward the theory of literary history*, Princeton, 1971, p. 222.

3. Georges Charbonnier, ed., *Conversations with Claude Lévi-Strauss*, Londres, 1969, p. 95.

4. Antonio Sánchez-Barbudo, *Los poemas de Antonio Machado*, Barcelona, 1969, pp. 334-335.

5. Murray Krieger, *The new apologists for poetry*, Bloomington, 1963, p. 127.

6. Citado por Manuel Tuñón de Lara, *Antonio Machado, poeta del pueblo*, Lumen, Barcelona, 1967, p. 130. Véanse también pp. 134, 154 y ss. y especialmente 157, donde se cita el primer cuarteto de nuestro soneto, pero sin referencia alguna al tema de "el otro".

7. Ramón de Zubiría, *La poesía de Antonio Machado*, Madrid, 1959, pp. 183-185. Es útil la lectura de César Fernández Moreno, "Análisis de un soneto de Antonio Machado: 'Rosa de fuego'", en Ricardo Gullón y Allen W. Phillips, eds., *Antonio Machado*, Taurus, Madrid, 1973, pp. 433-444.

8. Sánchez-Barbudo, *op. cit.*, p. 335.

9. Carlos Bousoño, *Teoría de la expresión poética*, Gredos, Madrid, 1956, p. 132.

10. Véase el apéndice titulado "Posibilidad de las traducciones de la lírica", en Bousoño, *op. cit.*, pp. 371-381.

11. J. E. Cirlot, *A dictionary of symbols*, Nueva York, 1962, pp. 223, 353, 268, 300 y 68 respectivamente. Para el simbolismo de las abejas, véase "El simbolismo en la poesía de Antonio Machado", tesis doctoral de Frank Pino, Northwestern University, 1971, pp. 5, 144, 145, 149 y 177.

12. Tuñón de Lara termina su libro subrayando la importancia del diálogo en la obra de Machado. Define el diálogo precisamente como el proceso mediante el cual el *yo* pasa hacia el *otro* para terminar en el *vosotros*. *Op. cit.*, pp. 322-326.

13. Véase Antonio Machado, *Obras. Poesía y prosa*, ed. de Aurora de Albornoz y Guillermo de Tórre, Losada, Buenos Aires, 1964, pp. 324-325.

14. Howard Nemerov, *Poetry and fiction. Essays*, New Brunswick, 1963, pp. 154-155.

15. Jorge Guillén, *Lenguaje y poesía*, Madrid, 1961, p. 248.

CONCHA ZARDOYA

LOS AUTORRETRATOS DE ANTONIO MACHADO

Introducción

Conviene recordar —como punto de partida— qué significaba 'el retratar' para Antonio Machado. ¿Qué era un 'retrato' para él? Al escribir "Sobre la objetividad" —en *Los complementarios*— nos dice lo que opina:

> En un retrato el parecido debe ser tal, que no tengamos que preocuparnos de él. Así, cuando contemplamos estéticamente la naturaleza, lo hacemos con toda libertad, porque el *parecido* no nos preocupa, pues no dudamos de que una cosa real se parezca a sí misma. Del mismo modo, ante el retrato de Martínez Montañés, de Velázquez, la cuestión del parecido no nos distrae de la contemplación estética, porque ni un momento se nos ocurre dudar de él.
>
> *Consecuencia*: La belleza de un retrato no estriba en el parecido, pero un retrato sin parecido es malo.[1]

En otras palabras, Machado exige al retratista que no se aparte de la *verdad* —bella o no— en el retrato que pinta. No se trata de dibujar o pintar copiando o fotografiando, sino de captar ese 'parecido' que no es simplemente exterior, puesto que ha de trascender intimidad, espíritu e inteligencia, en grado justo. Porque ese 'parecido' es carácter y personalidad: es el hombre mismo, total, aprehendido en un momento dado pero para siempre. Este 'parecido' es, pues, una fidelidad —verdad— no sólo a los rasgos externos sino una adivinación y constatación de unas cualidades internas. Persona y retrato han de ser semejantes: los ojos han de aproximar el alma, abriendo la puerta de sus galerías. Retratar es, por tanto, una objetivación y subjetivación, a la vez, del modelo. Será un mal retrato el que no integre en sí, además de las características físicas, *ethos* y *pathos*. Eliminar cualquiera de estos elementos es empobrecer el retrato. Tal 'objetividad' que pide Antonio Machado, no supone ninguna técnica 'realista', porque ésta, al ser utilizada, acaso eludiría el dinamismo sugerente que debe irradiarse de la imagen retratada. Ella ha de aparecer depurada por la acción del tiempo y del recuerdo. La pátina temporal no empañará su vivacidad sino todo lo contrario: afirmará su verdad humana y la fluidez de su vivir.

Como crítico y filósofo, Antonio Machado se inclinaba a una cierta clase de 'objetividad' figurativa. ¿La logró como poeta, al escribir sus retratos líricos? ¿Qué se propuso revelar en ellos? ¿Cuál es su técnica?

Si repasamos su obra poética, nos encontramos con muchos poemas que son insuperables retratos, unos más y otros menos. Si los agrupáramos en categorías, cabría distinguir varias: 1) Autorretratos, 2) Retratos familiares, 3) Retratos de sus amadas, 4) Retratos de sus amigos, 5) Retratos literarios, 6) Retratos de gentes diversas, especialmente de tipos españoles intrahistóricos, y 7) Retratos figurados (más lúcidos que fantásticos).

Antes de entrar en el examen de esta provisional clasificación, hemos de volver a repetir lo que afirmamos al estudiar el 'yo' en las *Soledades* y *Galerías* de Antonio Machado: el temple afectivo colorea también estos retratos. Y entendíamos tal temple como una especial sensibilidad o vibración hecha de melancolía, intimismo, bondad e inteligencia que poetizan lo vivido y lo soñado, que configuran y transfiguran, que enamoran, acongojan y serenan.[2]

Estos retratos transparentarán, muchas veces, los estados anímicos del poeta, sus lecturas, el paso del tiempo por su vida. Retratar, a pesar de procurar el 'parecido' del retratado, será también un 'retratarse': pintor y retrato no son entidades separables ni independientes, sino que ambas se integran en una experiencia vital y anímica articulada y jerarquizada, coloreada por vivencias diversas, por variados enfoques de luz y de sombra.

Antonio Machado 'retrata' porque, al hacerlo, se nos da: entrega su 'yo' compasivo a sus prójimos o su sincera verdad, y éstos, a su vez, le complementan y le completan. Esta necesidad ontológica —nacida del amor y de la compasión— le lleva a contar irrenunciablemente con los demás hombres y con 'lo otro' no humano, para salir de sí mismo y prolongarse. Estos 'retratos' serán también una consecuencia de su actitud y pensamiento existencial y temporalista. La poesía machadiana era el diálogo del poeta con el mundo y los hombres, pues los necesitaba como complementos de su yo. Este diálogo ontológico-existencial nunca es tan evidente como en estos 'retratos' líricos, que, por la virtud de un lenguaje comunicativo, se animan y vivifican: son comunicación intimísima.

Como Miguel de Unamuno, nuestro poeta cree que "lo natural en el hombre es buscarse en su vecino, en su prójimo".[3] Éste no es una mónada cerrada, incomunicable y autosuficiente. Las almas individuales pueden comulgar en una realidad trascendente. Antonio Machado abandona, por tanto, la fe metafísica en el *solus ipse*, propia de la sociedad individualista y se instala en la fe que cree en la comunidad, única que hace posible la fraternidad entre los hombres. Nos dirá por boca de Juan de Mairena: "El alma del hombre no es una entelequia, porque su fin, su *telos*, no está en sí misma. Su origen, tampoco".[4] Al 'yo' del hombre, incapaz de bastarse a sí mismo, se le revela la incurable 'otredad de lo uno': la alteridad, la radical heterogeneidad del ser. Estos 'retratos' van a ser también expresión de la nostalgia que siente su 'yo' por 'lo otro'. Su 'yo' habla al hombre, que equivale a decir, el hombre habla a los hombres. Y los retratos personales se harán, así, universales, por muy personalizados o por muy españoles que sean. Antonio Machado trasciende el solipsismo y admite como necesaria la existencia del 'tú'. Cada retratado es un 'tú' y un 'nosotros'. Su sensibilidad se comunica con la de cada uno y se extiende al 'nosotros': se entabla el animado y profundo diálogo entre todos —entre el 'yo', el 'tú' y el 'nosotros'—, y así se completa el heideggeriano ser-en-el-mundo. Estos 'retratos' son viva comunicación plural.

Por obvias razones de tiempo, hoy nos limitaremos a estudiar aquí la primera categoría —la más importante— de los 'retratos líricos' machadiados: los autorretratos.

Autorretratos

Antonio Machado no se retrata sólo en poemas específicos e independientes —como el "Retrato" que abre *Campos de Castilla*—. Su retrato físico y anímico *transcurre* —por decirlo así— a través de toda su obra poética: es un autorretrato en el tiempo, que va haciendo según su vivir, su recordar y su soñar, y que sólo se detiene en Collioure. Continuo, continuado —más o menos intermitentemente—, es una proyección subjetiva constante, pero también es un retrato externo del poeta —hombre que dialoga consigo mismo para conocerse y ser conocido por los demás—. No es sólo el sujeto implícito de su 'yo' en cada poema, sino explícito, actuante, presente, viviente, sin disfraces alusivos o elusivos, real, patente: iluminada conciencia viva en un hombre de carne y hueso. No lo hace porque se ame narcisistamente, sino porque quiere comunicar con los demás, complementarse por el diálogo y, también, medirse, autocriticarse. Y para medirse y, en consecuencia, conocerse, tiene que ser retratista de sí mismo, desdoblándose en pintor y retratado. Por eso aseverará Juan de Mairena: "Porque toda visión requiere distancia, no hay manera de ver las cosas sin salirse de ellas".[5] Sale de sí mismo, se contempla —se analiza— y se 'mete' en su retrato: se ve, entonces, 'objetivamente'. Y tratará de descubrir y de revelar su 'parecido' —su verdad, su 'objetividad'—.

> Cuando un hombre algo reflexivo —decía mi maestro— se mira por dentro, comprende la absoluta imposibilidad de ser juzgado con mediano acierto por quienes lo miran por fuera, que son todos los demás, y la imposibilidad en que él se encuentra de decir cosa de provecho cuando pretende juzgar a su vecino. Y lo terrible es que las palabras se han hecho para juzgarnos unos a otros.
>
> Que cada cual hable de sí mismo lo mejor que pueda, con esta advertencia a su prójimo: si por casualidad entiende usted algo de lo que digo, puede usted asegurar que yo lo entiendo de otro modo.[6]

Por otra parte, nunca podrá 'retratarse' del todo en un solo poema, ni en dos, ni en tres: la existencia es algo que se va haciendo día por día, pues no es nada dado de antemano, *a priori*, ni menos aún acabado. De ahí que el 'retrato' —o 'retratos'— machadiano se hilvane de poema a poema, de libro a libro. El 'retrato' existencial fluye siempre, aunque a veces parezca remansarse —descansar— en algún poema escrito con voluntad de 'primer plano', de '*close-up*', al ser producto de una meditación-síntesis sobre sí mismo, como en el poema que inicia *Campos de Castilla.* Antonio Machado aclara lo evidente en sus versos a través de su *alter ego* Juan de Mairena: "Yo soy la incorrección misma, un alma siempre en borrador, llena de tachones, de vacilaciones y de arrepentimientos" (p. 370). Por esto, su retrato se devana una y otra vez, persistente, reiterativo, paralelo a su vivir y a su poetizar, configurando no sólo su existir sino su ser, poco proteico. Es un retrato existencial y ontológico que tenemos presente siempre y que, por estar ante nuestros ojos, deviene un amigo real y verdadero con el que meditamos y dialogamos, coexistiendo en el acto de leer, vivir y recordar. Antonio Machado, al retratarse, se está preguntando quién es y nosotros nos hacemos también la misma pregunta. El retrato, además, es un 'estar-en-el-mundo' heideggerianamente: viva presencia de un ser que deviene y es en el tiempo. Sigue el ritmo temporal de su vida y de su hacer poético.

Muchas veces este autorretrato —que se da en unas pinceladas ("unas pocas palabras verdaderas"), con unos pocos trazos y escorzos esenciales pero suficientes y que culmina en "Retrato"— no puede separarse del poema que lo contiene, en unión total con él y no sólo metafóricamente: su 'ontos' es inseparable de la atmósfera, del paisaje, del momento y de la emotividad que lo conforma. En otras ocasiones, se insinúa recatadamente o se asoma con menor timidez, acusando su presencia viva, palpitante, dolorosa o melancólica. Poema a poema, las notas —nuevas o reiteradas— del autorretrato lírico van formando como un sistema nervioso delicadísimo en el cuerpo de la obra poética total, urdimbre tejida a la estructura misma de cada poema. El 'retrato' se completa o se afirma poco a poco, cuajándose en la palabra poética. Es un elemento temático central —aunque a veces pueda parecer impreciso o vagoroso— que articula toda la estructura poética de la obra machadiana: es principio organizador de toda ella, al mismo tiempo que melodía interior y sostenida y veraz experiencia humana. A través de su 'retrato', Machado reitera su vinculación a su vida y a su creación, temporales ambas: se une inextricablemente a la tensión externa e interna, acelerándolas o retardándolas.

La teoría antoniomachadiana del 'retrato' sería concebirlo como constantemente activo —como lo real para Leibniz: unitario y mudable en sus matices, quieto y actuante, afectado por las cuatro apariencias que preocupaban a Abel Martín: el movimiento, la materia, la limitación cognoscitiva y la multiplicidad de sujetos (p. 295). Retrato en constante trascender afirmativo, momento a momento del vivir y del poetizar: confrontación consigo mismo y con el mundo.

El autorretrato machadiano empieza a retrotiempo,[7] hasta

alcanzar su infancia, aunque en ésta el poeta no se ve individualizado sino inmerso en el grupo de colegiales del que formó parte. Pero el lector, en este *flash-back*, empieza a verle como un niño: en la clase, cantando la lección con los demás, mientras cae la lluvia invernal. Y con él vemos lo que él veía y que acaso le angustiaba: el cartel —cuadro dentro del cuadro evocado— en que Abel yace muerto, en tanto que Caín huye. Y el niño Machado, en monótono coro con los otros niños, "va cantando la lección: / mil veces ciento, cien mil, / mil veces mil, un millón" (p. 59).

En "El Poeta" —Soledad XVIII— aparece un retrato del Antonio Machado modernista, vestido con manto mitológico, pero también con notas de hondura interior, al pensarse, por ejemplo, "que ha de caer como rama que sobre las aguas flota, / antes de perderse, gota de mar, en la mar inmensa" (p. 70). Luego emergen rasgos que apuntan al retrato psicológico: autoconciencia de su compasión humana, de su evangelio ético:

> Y supo cuánto es la vida hecha de sed y dolor.
> Y fue compasivo para el ciervo y el cazador,
> para el ladrón y el robado,
> para el pájaro azorado,
> para el sanguinario azor.

Confesión ésta de cristianismo laico, aprendido en la Institución Libre de Enseñanza, pero sentido desde su propia bondad. Y oye la voz del alma: "sólo eres tú, luz que fulges en el corazón, verdad".

Pero en la Galería LXXVII, el poeta nos describe su alma —por medio de una comparación—, cosificándola, aunque no está pintándola directamente, sino el color psicológico de una tarde:

> Es una tarde cenicienta y mustia,
> destartalada, como el alma mía.
>
> (p. 112)

Esta cosificación comparativa con coche o casa intensifica la realidad anímica que, inmediatamente, se acendra aún más en los dos versos siguientes:

> y es esta vieja angustia
> que habita mi usual hipocondría.

Así emerge un doble retrato de la tarde y del hombre interior, explicándose —pintándose— mutuamente. Ambas son tiempo que transcurre. El poeta ignora la causa de su angustia pero sí recuerda que desde niño ha sido su "compañera". Este recuerdo completa la imagen de su retrato infantil: él era un niño serio, angustiado por el tiempo. Y he aquí el origen de su melancolía. El autorretrato machadiano se va haciendo, como vemos, hacia atrás y hacia adelante, ganando profundidad. Pero es en la segunda parte de esta galería en donde el poeta precisa nuevos aspectos del autorretrato que va devanando, por nuevas concretizaciones materiales y visuales:

> [...] y soledad de corazón sombrío,
> de barco sin naufragio y sin estrella.
>
> Como perro olvidado que no tiene
> huella ni olfato y yerra
> por los caminos, sin camino [...]
> . . . .
> así voy yo, borracho melancólico,
> guitarrista lunático, poeta,
> y pobre hombre en sueños,
> siempre buscando a Dios entre la niebla.
>
> (p. 112)

Retrato-síntesis en que vemos a Machado por dentro y por fuera —su vivir, su buscar, su aspirar y su soñar—, en "unas pocas palabras verdaderas".

Al final de la Galería siguiente —la LXXVIII—, en que el

poeta se pregunta si la muerte se llevará lo más puro de la vida, todos los amores, su vida entera, reaparece la presencia de su alma —y de su trabajo poético—, evocada visual y tangiblemente en esta angustiosa pregunta:

> ¿Los yunques y crisoles de tu alma
> trabajan para el polvo y para el viento?
>
> (p. 113)

¿Se llevará la Nada su labor interior de esfuerzo y purificación? El retrato rebasa su propio marco al proyectarse metafísicamente.

En la Galería LXXIX se prosigue el retrato interior, sin disociarse de la figura externa y de su paisaje, impregnado éste de significación simbólica. El cuadro —vasto y detallado— resulta impresionante. El horizonte, los árboles, el viento, el poeta... se funden en una representación total de la vida humana. El alma —en prodigiosa sinestesia— se inserta en este paisaje desolado y en él deviene un personaje trágico, tanto como el poeta que camina. Las notas cromáticas intensifican el drama que transcurre en hombre y en naturaleza.

> Desnuda está la tierra,
> y el alma aúlla al horizonte pálido
> como loba famélica. ¿Qué buscas,
> poeta, en el ocaso?
>
> Amargo caminar, porque el camino
> pesa en el corazón. ¡El viento helado,
> y la noche que llega, y la amargura
> de la distancia!... En el camino blanco
>
> algunos yertos árboles negrean;
> en los montes lejanos
> hay oro y sangre... El sol murió... ¿Qué buscas,
> poeta, en el ocaso?
>
> (p. 113)

En este cuadro, Antonio Machado —caminante de la vida— se autorretrata genialmente como hombre y como poeta.

Y llegamos a *Campos de Castilla* (1907-1917), que se abre con su "Retrato", con total voluntad de serlo, superando en profundidad e irradiación a la mejor de las fotografías, o a la obra más acabada de un pintor genial. Domina en todo él una técnica sintética, a la que contribuyen las alusiones mitológicas, históricas y literarias, distribuidas en las cinco primeras estrofas, de inspiración modernista. Pero, a partir de los dos versos finales de la quinta estrofa —exacta mitad del poema—, Machado abandona aquel preciosismo retórico y se acoge a un estilo sencillo y directo. No es que el retrato se interiorice —puesto que la relación con el mundo no desaparece—, sino que la expresión se hace más verdadera: más auténticamente machadiana, hasta terminar en unos versos patéticos impresionantes.

En este retrato, Machado abarca la totalidad de su vivir: desde su infancia hasta la muerte. Aquélla, como un pasado que recuerda; ésta, como un porvenir. Pasando por su juventud y extendiéndose en su madurez, período desde el cual se describe hacia atrás, en presente y hacia adelante, en futuro: en ciclo completo de vida recordada, meditada, figurada y soñada. Precisemos los detalles del cuadro, en que los tiempos vitales se conjugan con los espacios vividos.

Antonio Machado se recuerda y se contempla para autoanalizarse y resumirse en epítetos claros y señeros. Constatamos su sinceridad autocrítica. Incluye en el autorretrato al hombre y al poeta —siempre inseparables—, a quienes enjuicia y clasifica. El poema, así, es confesión humana, declaración de principios —políticos, estéticos y morales—, manifiesto poético y hasta descripción indumentaria. Sinceridad, humildad y orgullo se transparentan sin velos. Estilísticamente, el retrato emplea imágenes visuales y acústicas, notas cromáticas y resonancias que amplían sus límites espaciales y temporales.

El primer serventesio establece la temporalidad del total retrato, unida a la memoria: los días infantiles se vinculan al patio del Palacio de las Dueñas, su juventud a Castilla; su historia es dolorosa y no quiere recordarla. El segundo serventesio es la síntesis de su experiencia amorosa —en la que admite una fatalidad— y la objetivación de su presencia externa en la que incluye un "vosotros" y un "ellas", al mismo tiempo que autoevaluación erótica: "Ni un seductor Mañana, ni un Bradomín he sido..." (p. 125). La tercera estrofa contiene la síntesis de su retrato ético-político: en su temperamento hay ápices demagógicos que no se declaran en su poesía, más cerca de las formas clásicas y tradicionales que de las románticas. Más que buen cristiano —o quizá católico— "que sabe su doctrina", se sabe y se siente hombre bueno. La cuarta y la quinta exponen su credo estético: ama la belleza, las viejas formas clásicas renacentistas unidas a las modernas; pero, en cambio, desdeña la retórica y tampoco es un poeta "del nuevo gay-trinar" de última moda. Le parece desdeñable la canción externa, hueca, operística o coral, pues él se afana en descubrir su propia voz, única y distinta:

> A distinguir me paro las voces de los ecos,
> y escucho solamente, entre las voces, una.

En la sexta estrofa se hace su ya célebre pregunta: "¿Soy clásico o romántico?". No lo sabe, aunque está seguro de algo: de que la poesía no es cosa creada doctamente. Y esta valoración enlaza lo poético-artístico con el hombre de carne y hueso y con el hombre moral:

> [...] Dejar quisiera
> mi verso, como deja el capitán su espada:
> famosa por la mano viril que la blandiera,
> no por el docto oficio del forjador preciada.

El hombre, sí, héroe siempre o víctima, por encima del orfebre y del preciosista. Antonio Machado exige al poeta —y se exige—

más humanidad que oficio sapiente. La séptima estrofa abre la puerta a la confesión interior: Antonio Machado —al dialogar con Dios, consigo mismo y con los demás hombres— afirma su hombredad:

> Converso con el hombre que siempre va conmigo
> —quien habla solo espera hablar con Dios un día—;
> mi soliloquio es plática con este buen amigo
> que me enseñó el secreto de la filantropía.
>
> (p. 126)

El hombre solo afirma al hombre universal: el 'yo', el 'nosotros' y el 'todos'. He aquí la antropología machadiana. Quien más se adentra, más se entrega y se comunica, en un proceso de ósmosis íntima. La octava estrofa alejandrina es una declaración de orgullo personal, puesto que su filantropía es digna y no limosnera. No debe nada a nadie, si no es a sí mismo. En cambio, adéudanle los hombres lo que él ha escrito. De estos versos emerge el retrato de un hombre que vive una vida noble y sencilla. El último serventesio se abre hacia el futuro: a la muerte del poeta, que éste ve como una culminación de su evangelio ético, practicado y vivido sin desvíos ni compromisos. Machado, al escribir estos versos, ignoraba que habían de ser proféticos: premonición exacta de su fin en Collioure.

> Y cuando llegue el día del último viaje,
> y esté al partir la nave que nunca ha de tornar,
> me encontraréis a bordo, ligero de equipaje,
> casi desnudo, como los hijos de la mar.

Antonio Machado —como Rilke— tuvo su propia muerte: la soñada o prevista en estos versos. El retrato incluye, pues, una muerte *a priori*, saliendo de sí mismo para al fin encontrar su fin y su principio, en completa *reditio* temporal. Retrato más allá de sí mismo: de su carne corpórea, de su intimidad psicológica y de su final.

En el poema titulado "El tren" —CX—, se nos aparece la realidad viva y existencial —no poetizada— de Antonio Machado. Nos da éste datos precisos de sí mismo, afirmando otra vez su humanidad de hombre corriente y pobre —al que le gusta viajar—, en sencillos versos de acuidad fotográfica:

Yo, para este viaje
—siempre sobre la madera
de mi vagón de tercera—,
voy ligero de equipaje.
Si es de noche, porque no
acostumbro a dormir yo,
y de día por mirar
los arbolitos pasar,
yo nunca duermo en el tren,
y, sin embargo, voy bien.

(p. 143)

Hombre entre los hombres, describe su viajar despierto...

En la breve silva-romanceada siguiente —"Noche de verano" (CXI)—, el poeta pergeña su retrato, sobre un fondo de noche soriana, en sólo dos versos en los que trasciende su soledad y su hábito —placer— caminante: "Yo en este viejo pueblo paseando / solo, como un fantasma" (p. 144). Nada menos y nada más. Retrato brevísimo, sí, pero de cuerpo entero, sobre el ámbito de Soria. Estampa ésta azoriniano-machadesca, llena de elementos temporales que se sobreponen sobre el espacio.

En la parte octava de "Campos de Soria" —CXIII—, serie de paisajes diversos contemplados en ocasiones distintas, Antonio Machado se ve junto al Duero y, contemplando los álamos, los proclama árboles del amor, acaso porque fueron testigos del suyo, como lo fueron —y aún lo son— de tantos enamorados. Y, en este fondo soriano —hecho de follajes dorados, con sonidos de río y de pájaros—, presueña una primavera, en circular temporalidad. La metáfora guerrera "barbacana" añade al cuadro un trasfondo histórico. Los álamos van con él, vaya por donde vaya, pues han arraigado en su corazón. El retrato machadiano cobra raíces y se vincula a un paisaje fluvial y arbóreo:

> [...] álamos del amor cerca del agua
> que corre pasa y sueña,
> álamos de las márgenes del Duero,
> conmigo váis, mi corazón os lleva!
>
> (p. 149)

El hombre y el poeta —en un espacio paisajístico que es testigo del amor humano— se insertan en ciclos temporales que se repiten. El retrato acusa espacialidad y temporalidad que se funden en una misma emoción de vida.

Muere Leonor en 1912 y el poeta se traslada a Baeza, en tierras andaluzas. Su retrato en ésta se nos presenta en "Caminos" —CXVIII—. La ciudad le sirve de fondo, además del paisaje —el Guadalquivir, los montes, los caminos blancos—:

> De la ciudad moruna
> tras las murallas viejas,
> yo contemplo la tarde silenciosa,
> a solas con mi sombra y con mi pena.
>
> (p. 175)

Le vemos solo, contemplando el transcurrir del tiempo —la tarde—, con la sola compañía de su sombra y el recuerdo doloroso de la esposa muerta. Al final del poema, el lamento del hombre sin su amada: "¡Ay, ya no puedo caminar con ella!" (p. 176). Paseante incompleto el de este retrato, en que abunda el espacio paisajístico —presencia, con abundantes elementos y notas de color— y, en contraste, la ausencia humana: oquedad en el alma del hombre causada por la muerte. Retrato, pues, de vacío existencial y anímico, sobre un fondo de paisaje andaluz otoñal. La pena ha entrado en el retrato, en la descripción de Baeza y sus caminos.

El autorretrato sigue en el poema siguiente —CXIX—, en el que el poeta vuelve a aparecer solo, sin fondo alguno, con la única presencia de su Dios interior. El clamor de su alma se resuelve en estoicismo:

> Señor, ya me arrancaste lo que yo más quería.
> Oye otra vez, Dios mío, mi corazón clamar.
> Tu voluntad se hizo, Señor, contra la mía.
> Señor, ya estamos solos mi corazón y el mar.
>
> (p. 176)

En el poema CXXI, el poeta se transporta nuevamente a Soria, junto al Duero, sus "plomizos cerros" y sus "raídos encinares". Los dos tiempos del vivir —pasado y presente— entran en el retrato. Y también dos espacios, dos fondos, dos paisajes: el de Soria y el de Baeza. Amor y soledad, en ausencia y presencia. El autorretrato se ahonda en doble profundidad espacial y temporal, de vida y muerte.

En el romance CXXIII, Antonio Machado lleva a su autorretrato el ámbito y la presencia de la muerte: el momento mismo en que fallece Leonor —"una noche de verano" (p. 177)—. Narra su llegada —silenciosa, indiferente, aunque con figura humana—, el sereno tránsito de la esposa-niña y su dolor. Lo que más emociona en el cuadro es su pregunta sin respuesta: "¿Qué has hecho?". Y la constatación del fragilísimo vivir: "¡Ay, lo que la muerte ha roto / era un hilo entre los dos!" (p. 178). Es un triple retrato, dominado por la alegoría de la Muerte. (Y el lector recuerda a Valdés Leal.) Pero lo que vibra en el alma del lector son los dos versos finales transcritos. Aún la presencia y, de súbito, la ausencia: leve paso del vivir al morir, resuelto en sueño tranquilo.

En el poema que sigue —el CXXIV—, Machado contempla la llegada de la primavera al paisaje de Soria: la Naturaleza triunfa sobre la muerte con su perpetuo retorno, y le hace concebir la esperanza de un ulterior reencuentro con Leonor:

> [...] esta amargura que me ahoga fluye
> en esperanza de Ella...
>
> (p. 178)

Pero el retrato acusa su amargo dolor, y el lector lo percibe. También comprueba que el poeta sigue contemplando la Naturaleza, buscando en ella un imposible consuelo.

El poema CXXV es un resumen de la vida de Antonio Machado y añade notas importantes en el autorretrato que se va configurando a lo largo de sus poesías. Se declara "extranjero" en los campos de su tierra andaluza —aunque ahora vive en ella—, porque tuvo "patria donde corre el Duero / por entre grises peñas" (ibidem), "allá en Castilla" (p. 179). Aquí, en Andalucía, quisiera cantar sus recuerdos de infancia, las imágenes luminosas de paisajes y ciudades... Pero no puede hacerlo, porque le "falta el hilo que el recuerdo anuda / al corazón, el ancla en su ribera" (p. 179). Así, la evocación andaluza no presta verdadero fondo —espiritual, almificado— al retrato del poeta, el cual vibra tan sólo sobre un fondo soriano, empapado de experiencia amorosa, creadora de patria verdadera.

Pero la vida sigue y volvemos a ver el retrato del poeta en "Otro viaje" —CCVII—, otra vez en tren. Jaén es el nuevo paisaje y en él luce la primavera. La presencia física del poeta es advertible en otro tren, que es el mismo de siempre:

La luz en el techo brilla
de mi vagón de tercera.
¡Este insomne sueño mío!
¡Este frío
de un amanecer en vela!

(p. 181)

Despierto siempre en el jadeante tren, contemplando lo de fuera y lo de dentro: paisajes y gentes viajeras. Todo entra en el retrato. ¿Menos solo el poeta? Un señor dormido, un fraile, un cazador...

Yo contemplo mi equipaje,
mi viejo saco de cuero;
y recuerdo otro viaje
hacia las tierras del Duero.
Otro viaje de ayer
por la tierra castellana
—¡pinos del amanecer
entre Almazán y Quintana!—.
¡Y alegría
de un viajar en compañía!

(p. 181)

Dos paisajes, dos amaneceres, entran en el retrato, además de los viajeros. Entre éstos, el poeta no se siente acompañado y añora a Leonor, su verdadera compañía. ¡Unión rota por la muerte! Ella y el paisaje soriano están ausentes. El paisaje andaluz —presente— no le llega al alma y no le acompaña: no va con él. Y Antonio Machado siente su soledad y la sequedad de lo que le rodea. El poema termina en una redondilla profundamente desolada que da su pátina a todo el retrato: la soledad es su sola compañía.

Tan pobre me estoy quedando,
que ya ni siquiera estoy
conmigo, ni sé si voy
conmigo a solas viajando.

(p. 182)

Los retratos de Baeza se muestran empañados por la pena y la soledad, aunque en el fondo se extienda un paisaje y se muevan gentes en un primer término. Pero la visualidad es vigorosa y sus trazos dibujísticos y pictóricos muy vivos.

En "Poema de un día" –CXXVIII– hallamos un completo retrato de Antonio Machado en el período de su vida que transcurrió en Baeza. Con él se prosigue la elaboración de esa especie de *film* biográfico que va transcurriendo ante nosotros, de poema a poema. Antonio Machado se hace fotograma o pintura en movimiento, más o menos lírica, más o menos realista: tiempo humano que transcurre por fuera y por dentro, acontecer exterior y psíquico –siendo éste poco variable. Las circunstancias vitales –incluyendo en éstas su trabajo intelectual y poético–, se van enlazando en el transcurrir del hombre y van constituyendo 'la película' viva, el 'retrato' completo de su existir y de su crear.

En el poema citado –que se subtitula "Meditaciones rurales"– vemos a Machado como "profesor de lenguas vivas" "en un pueblo húmedo y frío, / destartalado y sombrío, / entre andaluz y manchego [...]" (p. 182). Es Baeza y representa la transición entre Leonor –Soria– y Guiomar –Madrid y Segovia. Es el fondo del retrato y rima bien con el estado de su alma, desde antiguo "destartalada" para el poeta. Entra en este fondo la intrahistoria de Baeza, con sus labradores y su lluvia de invierno. El poeta, en su estancia "iluminada" por la luz invernal, sueña y medita como siempre. Le acompaña el reloj con su tic-tic, "siempre igual, / monótono y aburrido" (p. 183). Con él entra en el relato la dimensión acústica del tiempo. Esta monotonía, según Machado, "mide el tiempo vacío" de los pueblos. Y el "tic-tic" del reloj presente le lleva a recordar ese "tic-tic" en otro día. Y, así, en *flash-back* acústico —que también entra en el retrato—, revive:

> [...] Era un día
> (tic-tic, tic-tic) que pasó,
> y lo que yo más quería
> la muerte se lo llevó.
>
> (p. 183)

Leonor incorpora su ausencia-presencia al retrato que continúa haciéndose en una dimensión presente: se oyen campanas actuales, la lluvia continúa repiqueteando... El poeta —en su monólogo—, entre tanto, invoca a Dios, sintiendo la amargura unamuniana "de querer y no poder / creer, creer, creer!" (p. 184). La angustia del agnóstico penetra en el drama interior del cuadro, mientras va anocheciendo. Antonio Machado pinta en su cuadro —con humor casi irónico— detalles de su realidad cotidiana, de su intrahistoria habitual:

> [...] el hilo de la bombilla
> se enrojece,
> luego brilla,
> resplandece
> poco más que una cerilla.
> Diso sabe dónde andarán
> mis gafas... entre librotes,
> revistas y papelotes,
> ¿quién las encuentra?... Aquí están.
> Libros nuevos. Abro uno
> de Unamuno.
>
> (p. 184)

Y entabla una conversación con el gran vasco, con cuya filosofía estima coincidir:

> Ésa tu filosofía
> que llamas diletantesca,
> voltaria y funambulesca,
> gran don Miguel, es la mía.
>
> (p. 185)

Después de citar a Bergson sigue con reflexiones propias sobre la vida libre o sierva, sobre su vanidad, etc. Pero deja de llover y quiere salir de su casa:

> Mi paraguas, mi sombrero,
> mi gabán... El aguacero
> amaina... Vámonos, pues.
>
> (p. 186)

El retrato se continúa en tanto que el día sigue. Ya es de noche. El tiempo ha ido transcurriendo. Y Antonio Machado nos lleva al fondo de una botica, donde se habla de liberales y conservadores... "Todo llega y todo pasa"... Pinta con ironía la intrahistórica conversación... También se discuten las faenas del campo, con sus ciclos... Y la charla sigue... "Hasta mañana, señores" (p. 187). Volvemos, con el poeta, imaginariamente a la habitación de su casa. Vuelve a sonar el tic-tic del reloj:

> [...] Ya pasó
> un día como otro día,
> dice la monotonía
> del reló.

La monótona vida y el aburrimiento del poeta en Baeza han entrado en el cuadro y, con ellos, el vivir entero del pueblo. El poeta vuelve a sus lecturas filosóficas: sobre su mesa están *Los datos de la conciencia* del maestro Bergson. Machado se anima a comentar el yo fundamental... El monólogo termina con un ¡ay! del 'yo' machadiano que anhela libertarse de su carne... Antonio Machado ha incorporado a este retrato las diversas vivencias de un día, en transcurrir sucesivo. Meditación, lecturas, monólogos, se entretejen con el llover y las conversaciones de la botica... El poeta se ha retratado con cabal fidelidad, sin lirismo, dándonos su intrahistoria y la de Baeza. Las sucesivas estampas —interiores y exteriores— se ordenan en el poema con ritmo de película, con fondo acústico y hasta con voces en *off*.

En los *Proverbios y cantares* (CXXXVI) —escritos en Baeza en 1913—, Antonio Machado reflexiona sobre sí mismo y se autoanaliza. Su autorretrato revela aquí, especialmente, al hombre moral. En el primer poemilla declara:

> Nunca perseguí la gloria
> ni dejar en la memoria
> de los hombres mi canción [...]
>
> (p. 197)

Prefiere las formas que brillan y desaparecen "como pompas de jabón". Se inclina a una poesía fenomenológica y temporal y no le preocupa la eternización. Al ser afectado por la muerte, Antonio Machado constata la inanidad de todo: vanidad de vanidades. Y este desengaño del mundo le hace ver —en el poemilla VII— lo que antes no veía: la realidad objetiva, sin la ennoblecedora poetización:

> Yo he visto garras fieras en las pulidas manos;
> conozco grajos mélicos y líricos marranos...
> El más truhán se lleva la mano al corazón,
> y el bruto más espeso se carga de razón.
>
> (p. 199)

El autorretrato imaginario nos va descubriendo un cambio en el hombre Antonio Machado: a un hombre que calza ahora las gafas de la objetividad histórica.

En el poemilla VIII aplica su deseo de realidad sin engaños a sí mismo: a su pensar metafísico y poético.

> En preguntar lo que sabes
> el tiempo no has de perder...
> Y a preguntas sin respuesta,
> ¿quién te podrá responder?

Le parecen inútiles, pues, sus interrogaciones líricas. El moralista enjuicia la validez de su poetizar. Y el retrato imaginario de Antonio Machado cobra ahora un ceño juzgador y escéptico, que reemplaza a la ensoñadora mirada.

Su actitud crítica también la aplica a la ética cristiana —en el XI—, como contradiciendo su inclinación a la piedad, y elogiando el valor y el coraje, el heroísmo quijotesco. He aquí su nuevo código:

> La mano del piadoso nos quita siempre honor;
> mas nunca ofende al darnos su mano el lidiador.
> Virtud es fortaleza, ser bueno es ser valiente;
> escudo, espada y maza llevar bajo la frente;
> porque el valor honrado de todas armas viste.
> Que la piqueta arruine, y el látigo flagele;
> la fragua ablande el hierro, la lima pula y gaste,
> y que el buril burile, y que el cincel cincele,
> la espada punce y hienda y el gran martillo aplaste.
>
> (p. 199)

Hay que luchar valientemente por la verdad, blandiendo las ideas como espadas. Antonio Machado esboza, ahora, un escorzo espiritual combativo, contradictorio y esforzado, a más de sentencioso. Proclama una bondad activa y valerosa. Su ceño adquiere un vigor de capitán dispuesto a la batalla. De la compasiva piedad ha pasado a la praxis activa. Su temple, ahora, es enérgico. La actitud contemplativa ha cedido el paso a una tendencia pragmática.

En el poemilla XII, con unas pocas palabras, resume su desengaño de hombre y de poeta:

> ¡Ojos que a la luz se abrieron
> un día para, después,
> ciegos tornar a la tierra,
> hartos de mirar sin ver!
>
> (p. 200)

Fugacidad del vivir, inutilidad del contemplar, ante la Nada que aguarda. Antonio Machado no cree ya ni en el recuerdo, ni en el sueño, ni en la poesía, que antes le salvaban de la temporalidad.

Sin embargo, en el poemilla XIII, aún parece creer en la bondad: en una bondad razonable:

> Es el mejor de los buenos
> quien sabe que en esta vida
> todo es cuestión de medida:
> un poco más, algo menos...
>
> (p. 200)

Y en la bondad —en el XIV— que no distingue y sobrepasa las valoraciones de la moral convencional:

> El bueno es el que guarda, cual venta del camino,
> para el sediento el agua, para el borracho el vino.

El poemilla XXIII es un sintético retrato del poeta en aquellos días: externo e interno.

No extrañéis, dulces amigos,
que esté mi frente arrugada;
yo vivo en paz con los hombres
y en guerra con mis entrañas.

(p. 202)

Su lucha interior le envejece.

En los poemillas XXVIII, XXIX, XXX y XXXVII, Antonio Machado incluye en su meditar a los hombres: como ellos, pelea con Dios, hace su camino al andar, al esperar desespera, y con el barro quisiera hacer una copa para que beba el hombre hermano. En casi todos domina su amor al prójimo: amor activo, práctico, en el que resuelve sus dudas con respecto a la validez o inanidad de la vida y de la creación. Y así se anima a sí mismo, con todos los demás, en el poemilla XXXVIII:

¿Dices que nada se crea?
Alfarero, a tus cacharros.
Haz tu copa y no te importe
si no puedes hacer barro.

(p. 206)

Pero su amor al prójimo no le encubre la realidad que observa. Así ironiza, didáctica y noventayochescamente, en el L y LIII:

—Nuestro español bosteza.
¿Es hambre? ¿Sueño? ¿Hastío?
Doctor, ¿tendrá el estómago vacío?
—El vacío es más bien en la cabeza.

(p. 208)

Ya hay un español que quiere
vivir y a vivir empieza,
entre una España que muere
y otra España que bosteza.

Españolito que vienes
al mundo, te guarde Dios.
Una de las dos Españas
ha de helarte el corazón.

(p. 209)

La expresión de Antonio Machado se ha vuelto irónica y un tanto amarga. No sólo le ha afectado la muerte de Leonor, sino que el contorno socio-histórico español le preocupa y le decepciona. Delata al hombre cívico descontento que quisiera cambiar las estructuras culturales y políticas de su patria: es el poeta civil a quien no engaña la realidad. Todos estos proverbios y cantares son un índice de su pensar cotidiano y de su conducta ante los hombres: enriquecen, por tanto, la progresión imaginaria del retrato machadiano.

En el elogio "A Xavier Valcarce" —CXLI—, Antonio Machado añade un nuevo detalle a la pintura de sí mismo y se refiere a su creación poética. Nos confiesa que, después de la muerte de Leonor, se le ha dormido la voz, se le ha secado la inspiración. Ya no es el "aprendiz de ruiseñor" que un día fuera. Y se pregunta por qué, tratando de indagar la causa de su atonía lírica:

[...] ¿será porque el enigma grave
me tentó en la desierta galería,
y abrí con diminuta llave
el ventanal del fondo que da a la mar sombría?
¿Será porque se ha ido
quien me asentó los pasos en la tierra,
y, en este nuevo ejido
sin rubia mies, la soledad me aterra?

(p. 216)

Antonio Machado nos revela que allí, en Baeza —en tremenda soledad y desamparo después del fallecimiento de Leonor—, se le había hecho presente la presencia de la Nada, y, consecuentemente, la inanidad de su propio vivir. No llega a discernir cuál sea la razón de su sequedad, pero sí sabe que no puede cantar. En cambio, su corazón reza "un salmo quedo" (ibidem). La palabra poética se ha tornado silenciosa oración del alma. El autorretrato se interioriza, se ahonda más allá —y más dentro— del verso.

Antonio Sánchez-Barbudo señaló ya el "valor anecdótico, biográfico" [8] del primer poema de "Hacia la tierra" —CLV—. Por él podemos imaginarnos a Antonio Machado paseando por un pueblo andaluz, mirando furtivamente hacia "Rejas de hierro; rosas de grana" (p. 237). El poeta se incluiría acaso entre los galanes que rondan, entre el notario y el usurero, porque sabe que aún hay fuego en su corazón; pero desiste de ello porque se ve por fuera, visión que coincide con la de los demás. Y el poema se acaba con una nota enternecedora que viene a colorear su retrato con un tono melancólico:

> También yo paso, viejo y tristón.
> Dentro del pecho llevo un león.
>
> (p. 238)

El poemilla siguiente insiste en esta actitud machadiana de renuncia y de esperanza:

> Aunque me ves por la calle,
> también yo tengo mis rejas,
> mis rejas y mis rosales.
>
> (ibidem)

Es decir, sus "rejas" son sus inhibiciones y sus "rosales" son su esperanza de amor a pesar de la edad. (Parece aquí que Machado está casi intuyendo ya a Guiomar.)

En la Galería VII de CLVI,[9] Antonio Machado nos describe sus ojos metafóricamente, concretizándolos en un estereoscopio.[10] Éste es vano porque su emoción se ha apagado, pues vive sin amor. El poeta, a través de sus ojos fríos, nos muestra su espíritu y cómo ve el mundo, a pesar de que la luz los colma y sigue la música de las esferas.

Han cegado mis ojos las cenizas
del fuego heraclitano.
El mundo es, un momento,
transparente, vacío, ciego, alado.

(p. 242)

Sus ojos no le sirven para ver el mundo en plenitud, porque carecen de amor. Sin éste, ni ojos ven ni alma siente. El cosmos es un hueco o un vilano. Becquerianamente, Machado concedía ojos ciegos a este autorretrato pintado hacia 1924.

En el poema "La luna, la sombra y el bufón" —CLVII—, escrito en Segovia y publicado en 1920 —y, por tanto, más antiguo que el anterior—, Antonio Machado introduce la presencia de su sombra que dibuja en la pared su caricatura. Le vemos en su cuarto, paseando en él, iluminado por la luna. Se siente solo y viejo y, para no dolerse de sí mismo, prefiere burlarse y esperpentizarse:

I

Fuera, la luna platea,
cúpulas, torres, tejados;
dentro, mi sombra pasea
por los muros encalados.
Con esta luna, parece
que hasta la sombra envejece.

(p. 242)

El cuadro nos presenta un fuera y un dentro. De la interrelación de los espacios —luz y sombra— resulta un claroscuro resuelto en caricatura. Y notemos cómo la conciencia temporal es transferida a la sombra y, en consecuencia, intensificada.

II

Se pintan panza y joroba
en la pared de mi alcoba,
Canta el bufón:
¡Qué bien van,
en un rostro de cartón
unas barbas de azafrán!

(ibidem)

Aunque se ponga careta de juventud, nada puede borrar la "vejez intranquila": de ahí que toda cenestesia sea inútil e "ingrata".

En las *Canciones de tierras altas* —en la x—, Antonio Machado se ve en un tren que cruza por el Guadarrama en dirección a Madrid. Fuera, la luna; dentro, una madre con su niño dormido, un trágico viajero —que casi parece un doble del poeta, pues habla solo y, cuando mira, "nos borra con la mirada"—. Todos se evaden y Antonio Machado recuerda las tierras de Soria. Éstas levantan la memoria de Leonor y el deseo de verla en un más allá. Entonces se dirige a Dios, en ansia de eternización, pues si le viera, también volvería a ver a la esposa:

Y tú, Señor, por quien todos
vemos y que ves las almas,
dinos si todos, un día
hemos de verte la cara.

(p. 246)

En las *Canciones*, Antonio Machado se asoma brevemente a la VI. Volvemos a verlo solo, silencioso, contemplativo:

Noche castellana;
la canción se dice,
o, mejor, se calla.
Cuando duerman todos,
saldré a la ventana.

(p. 248)

Y parecida imagen se insinúa en la IX:

¡Blanca hospedería,
celda de viajero,
con la sombra mía!

(ibidem)

La XII es un rápido *flash-back* a Soria y a Leonor. Y un nuevo detalle autobiográfico —que no requiere comentario— se introduce en el constante retrato que avanza y retrocede:

En Santo Domingo,
la misa mayor.
Aunque me decían
hereje y masón,
rezando contigo,
¡cuánta devoción!

(p. 249)

En los *Proverbios y cantares* —CLXI— encontramos algunos muy significativos para el estudio del 'retrato' en la poesía de Machado. Son tan concisos, tan claros y tan sencillos, que sería obvia toda explicación o glosa. Muchos podrían servir para una interpretación metafísica del autorretrato.

III

Todo narcisismo
es un vicio feo,
y ya viejo vicio.

IV

Mas busca en tu espejo al otro,
al otro que va contigo.

VI

Ese TÚ narciso
ya no se ve en el espejo
porque es el espejo mismo.

(p. 253)

XIV

Nunca traces tu frontera,
ni cuides de tu perfil;
todo eso es cosa de fuera.

(p. 254)

XV

Busca tu complementario,
que marcha siempre contigo
y suele ser tu contrario.

(p. 255)

XXXVI

No es el yo fundamental
eso que busca el poeta,
sino el tú esencial.

(p. 258)

XXXIX

Busca en tu prójimo espejo;
pero no para afeitarte,
ni para teñirte el pelo.

(p. 259)

L

Con el tú de mi canción
no te aludo, compañero;
ese tú soy yo.

(p. 260)

Preocupación por 'el otro' y 'lo otro', ya vieja en Antonio Machado. El "espejo" a que alude es, naturalmente, el alma. Ese 'otro' que está dentro de él es del 'otro' que está fuera. Su narciso no se refleja a sí mismo sino el mundo, 'el otro', cuyo presagio está dentro de nosotros mismos. Antonio Machado afirma una y otra vez la necesidad del 'otro': la necesidad de amor. El 'otro', finalmente, al servirnos como espejo, debe servirnos para sacar a luz lo más hondo, puro y noble de nuestro ser.

El poemilla LXVI afirma el porqué de su autorretrato: es una búsqueda de los demás, para completarse en su soledad de mónada solitaria:

Poned atención:
un corazón solitario
no es un corazón.

(p. 263)

En "Los ojos" de "Parergón" —CLXII—, Antonio Machado alude claramente a sí mismo en un 'él' anónimo —en un retrato en tres fases o tiempos—, y en el que constatamos su reprimida necesidad de amor y su pudorosa timidez erótica. Se ve hacia atrás, remontándose en el tiempo.

> Cuando murió su amada
> pensó en hacerse viejo
> en la mansión cerrada,
> solo, con su memoria y el espejo
> donde ella se miraba en claro día.
> Como el oro en el arca del avaro,
> pensó que guardaría
> todo un ayer en el espejo claro.
> Ya el tiempo para él no correría.
>
> (p. 270)

Mas éste fue transcurriendo y, al transcurrir, fue apagando el recuerdo de los ojos amados: "¿Cómo eran —preguntó—, pardos o negros [...]?". La memoria es frágil o el tiempo la destruye.

En otra primavera, de pronto, ve unos ojos vivos, reales y actuales, en una ventana: y ellos le recuerdan exactamente los de la amada que ha olvidado. La vida vence el dolor de la muerte y del olvido. Pero el poeta —sumergido en un 'él'— pasa de largo y vuelve a su dolor ensimismado: "su doble luto, el corazón cerrado"

> De una ventana en el sombrío hueco
> vio unos brillar. Bajó los suyos,
> y siguió su camino... ¡Como ésos!
>
> (p. 270)

La fidelidad a Leonor le impone la renuncia a un nuevo amor posible. Pero, poco a poco, se va abriendo a él, insinuándose recatadamente.

Sea quien sea la "bella dama" a quien el poeta envía su retrato —o sea, sólo una fantasía de inspiración renacentista, o un deseo de amor expresado a través de la ficción poética—, él es, sin duda, el retratado que aparece en los tres sonetos reunidos bajo el título "Glosando a Ronsard" —CLXIV—. Tales sonetos exteriorizan detalles físicos que se corresponden muy bien con las fotografías, retratos y dibujos que conocemos sobre el poeta. Ese 'parecido' que, según Antonio Machado, debía de tener todo buen retrato, es evidente en ellos. Pero lo exterior traduce el carácter del hombre, el estado de su alma y también su inquietud erótica en aquellos años, entre la fidelidad a Leonor y un anhelo amoroso que busca satisfacción real.

Los dos primeros sonetos contienen rasgos físicos; el tercero, una distorsión de ellos y un ahondamiento en el hombre moral. En el que inicia el conjunto, píntase así, subrayando cuanto es vejez, sin disimulo:

> Cuando veáis esta sumida boca
> que ya la sed no inquieta, la mirada
> tan desvalida (su mitad, guardada
> en viejo estuche, es de cristal de roca),
>
> la barba que platea, y el estrago
> del tiempo en la mejilla [...]
>
> (p. 271)

¿Cómo aceptar su amor, tan "a deshora"?

En el segundo soneto, el retrato extrema sus detalles naturalistas, casi despiadadamente, a través de imágenes de caducidad vegetal, en un contraste entre el hoy y el ayer.

> Como fruta arrugada, ayer madura,
> o como mustia rama, ayer florida
> y aún menos, en el árbol de mi vida,
> es la imagen que os lleva esa pintura.
>
> (p. 272)

Y procura despertar a la dama de su sueño, desilusionarla, haciéndole ver su 'realidad'.

El tercero insinúa la solución al conflicto: que la posible amada 'vea' al poeta en sus canciones, al hombre interior, por debajo del retrato físico y de su máscara temporal. Debajo del perfil físico, un hondo perfil moral y el agua de su espíritu. Esa 'figura', además, revela siempre a un hombre enamorado, arrebatado o "timorato", sea su amada real o soñada.

> Pero si os place amar vuestro poeta,
> que vive en la canción, no en el retrato,
> ¿no encontraréis en su perfil beato
> conjuro de esa fúnebre careta?
>
> Buscad del hondo cauce agua secreta,
> . . . .
>
> Desdeñad lo que soy; de lo que he sido
> trazad con firme mano la figura:
> galán de amor soñado, amor fingido,
>
> por anhelo inventor de la aventura.
> Y en vuestro sabio espejo —luz y olvido—
> algo seré también vuestra criatura.
>
> (pp. 272-273)

Verso final en que Machado afirma su creencia de que los amantes se crean mutuamente. Él se da cuenta de que la carne es sólo apariencia, en tales alturas de la vida; que sólo el alma y lo que el hombre hace son reales y verdaderos, pues no les afecta la destrucción temporal. ¿Se ofrece al nuevo amor con el corazón maduro —"fruta sabrida" (p. 272)—?

En "Esto soñé" —también soneto de la serie CLXIV—, tras repetir "que el caminante es suma del camino" (p. 273), Antonio Machado confiesa haber puesto desde antiguo "un duro freno" a su corazón, por fidelidad al amor que guardaba en su alma; pero ahora se da cuenta de que sólo era un sueño: el sueño de un sueño. Pero también se vio como un hombre que llevaba en su mano el fuego de la vida, "sin cenizas el fuego heraclitano" (ibidem). El tiempo no ha destruido aún su capacidad de amor, su anhelo vital: han sobrevivido, a pesar de fidelidades e inhibiciones. Antonio Machado estaba descubriéndose otro, siendo el mismo, ansiando renovarse por un nuevo amor.

Pero el recuerdo de Leonor es poderoso, pues ha conformado largamente su vivir y su soñar. Así, en el soneto "El amor y la sierra" —amparándose en el anónimo de un "jinete", de una tercera persona y en un tiempo imperfecto, en que pasado y presente se confunden— entrevé a la amada visionariamente. Cabalga —en este retrato— por "agria serranía". Un paisaje de "roca cenicienta" y cielo tormentoso se alza en el fondo del cuadro, abriéndose a un tras-paisaje, en visión maravillosa. Paisaje que se dinamifica visual y acústicamente, al estallar el resplandor del rayo:

> Y hubo visto la nube desgarrada,
> y dentro la afilada crestería
> de otra sierra más lueñe y levantada
>
> —relámpago de piedra parecía—.
> ¿Y vio el rostro de Dios? Vio el de su amada.
> Gritó: ¡Morir en esta sierra fría!
>
> (pp. 273-274)

Tras el paisaje real, otro paisaje, lueñe: en él, la entrevisión de la amada, confundida con la muerte. El "jinete" que se sueña ser y que pinta Machado, es un desdoblamiento simbólico en la historia de sus autorretratos: se inserta en un doble espacio real y visionario, en un doble papel de jinete y enamorado de la amada-muerte, en un juego de espejos cósmicos, humanos y metafísicos.

El retrato machadiano ha ganado complejidad, hondura de enfoque, trasrealidad, al trasponer sus planos, sueños y anhelos.

En el cuarto de "Los sueños dialogados", al vivificar, humanizar y personificar su soledad —puesto que busca humana compañía en ella—, Antonio Machado configura su propia alma. Velada, misteriosa compañera y "musa" a quien convoca. Así, al tratar de pintarla, pinta su propia intimidad:

¡Oh soledad, mi sola compañía!
. . . .

Ausente de ruidosa mascarada,
divierto mi tristeza sin amigo,
contigo, dueña de la faz velada,
siempre velada al dialogar conmigo.

(p. 286)

No le importa saber quién sea ontológicamente: no es el enigma de su espejo íntimo lo que le preocupa ahora. Sólo quisiera descubrir el misterio de su voz y un semblante que le mire y que, al mirarle, le revele el secreto de su alma:

Descúbreme tu rostro: que yo vea
fijos en mí tus ojos de diamante.

(ibidem)

Alma y soledad, así, configuran una especie de corporeidad que se proyecta en el retrato: el lector las visualiza en un cuadro visionario, aunque no llegue, como no llegó el poeta, a desvelar su misterio.

En el soneto v de CLXV, Antonio Machado se encubre en un 'otro', pero en él pinta su propio retrato. El terceto final, sobre todo, es una síntesis de su vida desde el fallecimiento de Leonor: son versos de emoción muy concentrada, pero muy reales y plásticos. Antes de ellos, el poeta ha dicho que la ceniza del amor no puede guardar el fuego: desvarío es pensarlo. Sólo muerte hallará en su vida.

> Con negra llave el aposento frío
> de su tiempo abrirá. ¡Desierta cama
> y turbio espejo y corazón vacío!
>
> (p. 290)

En este retrato, Machado ha vuelto a captar pictóricamente su doble soledad: física y psicológica.

En "Guerra de amor" —*De un cancionero apócrifo*—, Antonio Machado se retrata al retratar a Abel Martín, su *alter ego*, en edad madura:

> El tiempo que la barba me platea,
> cavó mis ojos y agrandó mi frente,
> va siendo en mi recuerdo transparente,
> y mientras más al fondo, más clarea.
>
> (pp. 298-299)

Humanizada, la acción temporal ha trabajado al hombre y, al hacerlo, se ha transparentado en él. Y la prosa pasa a explicar la continuación del soneto: que el amor es un sentimiento de ausencia, que la amada no acompaña, etc.

En el soneto que empieza con la cita dantesca —"*Nel mezzo del cammin* pasóme el pecho"—, un nuevo amor, "amor intempestivo". (La alusión a Guiomar es clarísima.) Le ha herido, tras acecharle, con "rayo vivo". Le repele y le atrae cual un imán, le duele, le "asombra", le "aguija", le "halaga" "y más se ofrece, cuanto más esquivo" (p. 300). El retrato refleja la angustia amorosa y metafísica.

En la canción II de las *Canciones a Guiomar*, el poeta incluye a ésta en su retrato. El fondo espacial es un jardín que juntamente han soñado —"jardín de un tiempo cerrado / con verjas de hierro frío" (p. 340)—, inventado por sus corazones, fundiendo y complementando horas... Y ambos exprimen "los racimos / de un sueño" en "limpia copa"... Ya no está solo el poeta en este jardín "alto", "sobre el río"... Los fondos sorianos desaparecen, un nuevo tono —dual— se concierta. El cromatismo se aviva.

En la canción III, el poeta piensa en Guiomar. Va en tren: la lejanía es "de limón y violeta", hay campos todavía verdes, "se desdora / el oro del Guadarrama"...

> Conmigo vienes, Guiomar:
> nos sorbe la serranía.
>
> (p. 341)

Y el poeta sueña que ella —"diosa"— y él —"su amante"— huyen juntos: la luna los sigue... El tren traspasa un monte, campos yermos, llega al mar, al infinito...: "Juntos vamos; libres somos". Y, románticamente, el poeta desafía a Dios, porque al "libre amor, nadie lo alcanza". La pintura se ha hecho dinámica, alígera, impulsada por la fuerza vital del nuevo amor. El paisaje, el tren y los amantes se han salido del cuadro. Estos vagan —unidos— en libertad, por un espacio más vasto que el mundo y que la vida misma. Un Machado entusiasta, casi juvenil, se retrata en estos versos rapidísimos: percibimos su *élan* dichoso, creado por el nuevo amor. Guiomar —en este retrato-carta— es la diosa que le ha rejuvenecido.

Llegan los días de la guerra civil... Antonio Machado nos muestra la figura de quién era por entonces, en el soneto V, sobre un fondo de paisaje levantino, en un parterre, mirando al Mediterráneo, "a la mar que el horizonte cierra". Evoca a Guiomar, asomada "a un finisterre" —en Galicia—, mirando al Atlántico. El hacha de la guerra, con "tajo fuerte", ha separado a los dos amantes. Les rodea "la total angustia de la muerte". Y el poeta dialoga con la amada, otra vez en sueños:

Acaso a ti mi ausencia te acompaña.
A mí me duele tu recuerdo, diosa.

(p. 651)

Se le revela la imposibilidad de este amor tardío, con cuya dulzura —"miel"— han soñado los dos: la guerra —con su "corte frío"— ha segado irreparablemente flor y rama. El retrato reúne —desde su atalaya ideal— a los amantes que, separados, se buscan a través de los mares que contemplan. Angustia y desolación se pintan en los ojos y en las almas, sobre todo en la del poeta:

De mar a mar entre los dos la guerra,
más honda que la mar...

Los dos endecasílabos iniciales, además, expresan el hondo dolor de Machado ante la escisión nacional que sabe sin enmienda: como es imposible enmendar la separación, por mucho que se busquen o se sueñen... En el autorretrato machadiano vuelve a reinar la soledad, el ensueño y la presencia de la muerte.

Todos los sonetos escritos en la guerra civil nos permiten entrever a un Machado que, a pesar de ella, canta a la primavera (I); sigue recordando a Soria (II); contemplativo siempre, "desde una torre", describe un amanecer en Valencia (III); dolorido, nos pinta la muerte de un niño herido (IV); añora a Guiomar, en el V que hemos visto; evoca su Sevilla natal, con la angustia de no saber a qué extranjero pertenece en la fratricida lucha (VI); se lamenta por la suerte de España —"ancha lira, hacia el mar, entre dos mares" (p. 651)—, juguete de la traición y del olvido (VII); hasta suplica a la patria piedad para el traidor —"Hijo tuyo es también", "que su crimen vea, / y el horror de su crimen lo redima" (p. 652)—; elogia a Lister, jefe en los ejércitos del Ebro, que le ha escrito una carta, y termina diciéndole: "Si mi pluma valiera tu pistola / de capitán, contento moriría"

(p. 653). Versos estos que nos parecen el autoepitafio del poeta. Exalta la belleza de Valencia, reconociendo que su paisaje ha entrado en su alma: "¡estaré contigo, / cuando mirarte no pueda...! (p. 654): la llevará consigo, junto con Soria... Elogia al general Miaja, canta apasionadamente a Madrid, "rompeolas de todas las Españas!" (ibidem). Escribe un himno —"Alerta"— para las juventudes deportivas y militares, algunas coplas de evocación y recuerdo y, finalmente, el poema "Voz de España", dedicado a los intelectuales de la Unión Soviética, que es un canto a Rusia. Y un verso suelto —el último que escribió—, cargado de evocación nostálgica: "Estos días azules y este sol de la infancia" (p. 658). La mayoría de estos poemas son circunstanciales, pero nos revelan las preocupaciones de Antonio Machado —"viejo y enfermo" (p. 669), como escribe en su carta a David Vigodsky—, en aquellos días trágicos, su pena y su esperanza nunca cumplida. Por esta misma carta sabemos cuánto le afectó la muerte de Unamuno y el asesinato de García Lorca. Y de todo ello surge su retrato, nunca tan unido a los demás.

Poesías sueltas anteriores a 1936. Entre ellas se destaca el poemita "Simpatías", cuyas interrogaciones dejan entrever un claro autorretrato del poeta:

¿Cúya es esta frente? ¿Cúyo
este mentón azulado?
¿Cúya esta boca sumida,
y estos ojos fatigados
de la letra diminuta
y de los montes lejanos?
Siempre mira el hombre al hombre
con piedad de su retrato.

(p. 754)

El retrato de Antonio Machado es visible bastantes veces en su prosa: en "Sobre la objetividad" y, especialmente, en "El proyecto de discurso de ingreso en la Academia de la lengua", en que traza su autorretrato intelectual. En su epistolario —con su hermano Manuel, con Juan Ramón Jiménez, con Unamuno, con Guiomar— deja constancia: de su afición a los toros y al teatro, de fe en sí mismo, de su sinceridad crítica; nos da datos de su vida cotidiana —bebía cerveza en Gambrinus, por ejemplo—; se muestra defensor de la España nueva y viva; su preocupación por la enfermedad de Leonor. En las cartas a Unamuno, expresa su emoción ante poemas de éste y también emite opiniones sobre el gran vasco, confiesa su propio orgullo, manifiesta su francofilia y sus inclinaciones políticas. En las cartas a Guiomar escribe detalles sobre su vida interior y amorosa...

FINAL

Los retratos sucesivos de Antonio Machado —al ir transcurriendo a lo largo de su obra— afirman la conciencia marcadamente temporal de su existir. Su autorretrato aspiraba a totalizar su personalidad, idéntica a sí misma en lo esencial, pero con variaciones y matices muy peculiares. El poeta creía que "nuestro espíritu contiene elementos para la construcción de muchas personalidades, todas ellas tan ricas, coherentes y acabadas como aquella —elegida o impuesta— que se llama nuestro carácter. Lo que se suele entender por personalidad no es sino el supuesto personaje que a lo largo del tiempo parece llevar la voz cantante. Pero este personaje ¿está a cargo siempre del mismo actor?" (p. 705). Esta duda la resolvió creando sus heterónimos Abel Martín y Juan de Mairena.

Paisajes, ciudades, pueblos, gentes, Leonor y Guiomar, acompañan su figura, proyectando sobre ella irradiaciones, enriqueciéndola y completándola —como él quería—, interrelacionándose con sus vivencias y sus hondos estados de conciencia, con su intimidad, pues no excluyen el halo espiritual y metafísico, el aura de lo trascendente.

El autorretrato —al ir haciéndose y al persistir— se convierte en eje de su obra, centro y también periferia, motivo unitario dentro de la estructura temática general. En él, Antonio Machado no sólo se identifica a sí mismo sino ante los prójimos con los que coexistió en vida, con nosotros que le leemos y con los que le leerán mañana. Desde su vida, en su vida y hacia la de todos. No se nos impone y no nos exige nada: está, existe, es, y nada más. Está y no está solo: vida y poesía le reclaman soledad, pero *en* y *desde* ellas. Medita sobre el mundo y éste entra en su paisaje interior: en su alma y en su poesía. La soledad no es una huida del mundo sino, más bien, un acercamiento, y sólo así es posible distinguir "las voces de los ecos", la palabra verdadera.

Su retrato, a veces, es una sombra más o menos recatada, más o menos un esbozo; en otras, es una presencia viva, sensible, pensante y actuante. El lector va absorbiendo su personalidad y los rasgos de su carácter de un modo osmótico. Su estilo de vida individual nos es tan importante como sus rasgos exteriores y la vibración de su espíritu. A este respecto quizá convenga recordar una frase de Jamie Wyeth, el joven pintor americano ya famoso por sus retratos: "The life of a person leads is reflected in the shape of his nose and the curve of his mouth".[11] El fluido autorretrato de Antonio Machado —deshilvanado, en apariencia, pero siempre existencialmente tejido en la urdimbre de sus poemas— refleja lo que fue, lo que quería ser y cómo se soñaba. Nuestro trabajo ha procurado sacarlo a luz, a un primer plano, ante la conciencia del lector atento. No hemos tenido que cavar mucho, como serios arqueólogos, sino leerle con amor y sentirlo vivo —como 'el otro' que nos completa—, revelando también el impacto visual de su imagen.

Acaso nos hemos equivocado al interpretar sus retratos. Pero nos excusamos de nuestros errores, recordando aquellas palabras suyas: "Nuestra obra, una vez publicada, ya no nos pertenece" (p. 934).

University of Massachusetts
Boston, Mass.

NOTAS

1. Para nuestro trabajo hemos utilizado la edición reunida por Aurora de Albornoz y Guillermo de Torre, que lleva por título: *Obras. Poesía y prosa*, Losada, Buenos Aires, 1964. Siempre citaremos por ella colocando el número de la página entre paréntesis y al final de cada cita. La de esta primera es la p. 702.
2. Cf. "El 'yo' en las *Soledades* y *Galerías* de Antonio Machado", en *Poesía española del siglo XX*, I, Gredos, Madrid, 1974, pp. 263-294.
3. Antonio Machado, *Juan de Mairena*, Espasa-Calpe, Madrid, 1936, p. 173.
4. Ibid., p. 261.
5. *Obras. Poesía y prosa*, p. 441.
6. Ibid., p. 442.
7. Seguimos el hilo de sus poesías completas, en la citada edición de Aurora de Albornoz y de Guillermo de Torre.
8. Antonio Sánchez-Barbudo, *Los poemas de Antonio Machado. Los temas, el sentimiento y la expresión*, University of Wisconsin Press, Madison, Milwaukee and London, 1969, p. 344.
9. Mi interpretación difiere de la de Antonio Sánchez-Barbudo.
10. Como es sabido, el estereoscopio es un instrumento óptico en el cual un dibujo hecho por duplicado con ciertas variantes en su perspectiva y mirando con cada ojo, produce la ilusión de presentar de bulto una sola imagen.
11. *The Boston Globe* (21 febrero 1975), p. 30.

ÍNDICE